中 / 国 / 分 / 省 / 系 / 列 / 地 / 图 / 册

黑龙江省地图册

HEILONGJIANG SHENG DITUCE

星球地图出版社 编制

星球地图出版社
STAR MAP PRESS

图书在版编目（CIP）数据

黑龙江省地图册 / 星球地图出版社编. －2版. －北京：星球地图出版社，2013.1
(中国分省系列地图册)
ISBN 978-7-5471-1011-9

Ⅰ. 黑… Ⅱ. 星… Ⅲ. 行政区地图－黑龙江省－地图集 Ⅳ. K992.235

中国版本图书馆CIP数据核字(2012)第212577号

黑龙江省地图册

作　者	星球地图出版社
责任编辑	朱晓晓
责任校对	张佩英
封面设计	弓　洁
出版发行	星球地图出版社
地址邮编	北京北三环中路69号　100088
网　址	http://www.starmap.com.cn
印　刷	北京华联印刷有限公司
经　销	新华书店
开　本	890毫米×1240毫米　1/32
印　张	5.5
版次印次	2021年修订 第2版　2021年1月第12次印刷
印　数	57001－59000
定　价	28.00元
审 图 号	JS(2012)01－238

中国图片网提供部分图片。
书中部分图片作者不详，有关事宜，请与本社联系。
如有残损随时调换（发行部电话：010－82028269）
图内界线不作划界依据

目　录

图　例

序　图

★北京	首都
◎哈尔滨	省级行政中心
◉鸡西	地级行政中心
◉加格达齐	地区、盟、自治州行政中心
◎勃利县	县级行政中心
○义通	乡级行政中心

地县图

居民地

哈尔滨	省级行政中心
鸡西	地级行政中心
加格达齐	地区、盟、自治州行政中心
勃利县	县级行政中心
糖坊镇	乡级行政中心
襄河农场	农场　林场
临河村	村庄

境　界

国界　未定国界

省级界　未定省界

特别行政区界

地级界

县级界

特种地区界

交　通

国家级 G1　省级 S20	高速公路及编号
	在建高速公路
	高速公路出入口 收费站　服务区
201	国道及编号
222	省道及编号
12 (千米)	县乡公路　里程　起讫点
	复线铁路　隧道
建筑中	单线铁路　车站
	高速铁路
烟台至大连89(165) 海里(千米)	航海线及里程
	长城
	桥梁　隧道　隧道群
	机动渡口　人力渡口
	机场　港口　口岸

水　系

海岸线

常水河　瀑布

干河　时令河

水库　闸坝

咸水湖　淡水湖

时令湖　干湖

运河

沟渠

坎儿井

火山　泉　井

地形及其他

	沙漠　自然保护区界
	沼泽　盐沼
	盐田　雪山
大秃顶子▲1690	山峰及高程(米)
	山隘
颐和园	世界遗产
镜泊湖	国家级风景名胜区
之江	国家旅游度假区
哈尔滨	国家级森林、地质公园
牡丹峰	国家级自然保护区
二龙山	其他风景名胜区
青松峰	其他森林公园
月牙湖	其他自然保护区
虎头	旅游景点

城市图

	街区　街道　干线路
	公园、绿地
在建	轨道交通　车站　换乘站
	隧道
	索道
	城墙
	省级政府
	地级政府
	县级政府
	乡级政府
	交警部门
	宾馆、饭店
	大厦
	商场
	学校
	医院
	银行
	邮局
	体育场馆
	图书馆
	电影院
	电视塔
	加油站
	修理厂
	停车场
	庙宇　清真寺
	古塔
	亭
	墓地
	长途汽车站
	立交桥
	旅游景点
	其他单位

黑龙江政区

黑龙江省位于中国东北部，黑龙江南岸，面积约46万平方千米，全省总人口3811万人。黑龙江省是一个多民族聚居的边疆省份，全省共有48个少数民族,人口占全省人口总数的5.67%。其中世居少数民族有满、朝鲜、回、蒙古、达斡尔、锡伯、鄂伦春、鄂温克和柯尔克孜等9个民族。

黑龙江历史悠久，早在两万多年前已有人类活动。虞舜、夏禹时期，居住在这块土地上的民族主要是肃慎。秦以后，在该地区生活的先后有挹娄、夫余、鲜卑、勿吉和靺鞨等民族的人。698年，粟末靺鞨人建立唐地方政权渤海国，最盛时辖5京15府62州，地跨今东北地区东部和南部、朝鲜半岛东北部和俄罗斯滨海地区。713年，唐在渤海国设忽汗州。726年，唐在黑水靺鞨(今黑龙江中下游，松花江下游地区）设黑水都督府。792年，唐设室韦都督府，辖今黑龙江西部。1115年，女真完颜部击败辽军后建国，国号大金，建都会宁（今阿城区白城古城）。蒙古汗国灭金后，设开元、南京两万户府。元设开元路、水达达路。明设奴儿干都司。清设黑龙江将军和吉林将军，管辖黑龙江地区。1907年将军改为行省,始成省名。1931～1945年被日本侵占。1945年抗战胜利后,今省境划为黑龙江、松江、嫩江、合江和绥宁5省。新中国成立后，以松花江为界设黑龙江省和松江省。1954年，两省合并为黑龙江省，省会哈尔滨市。

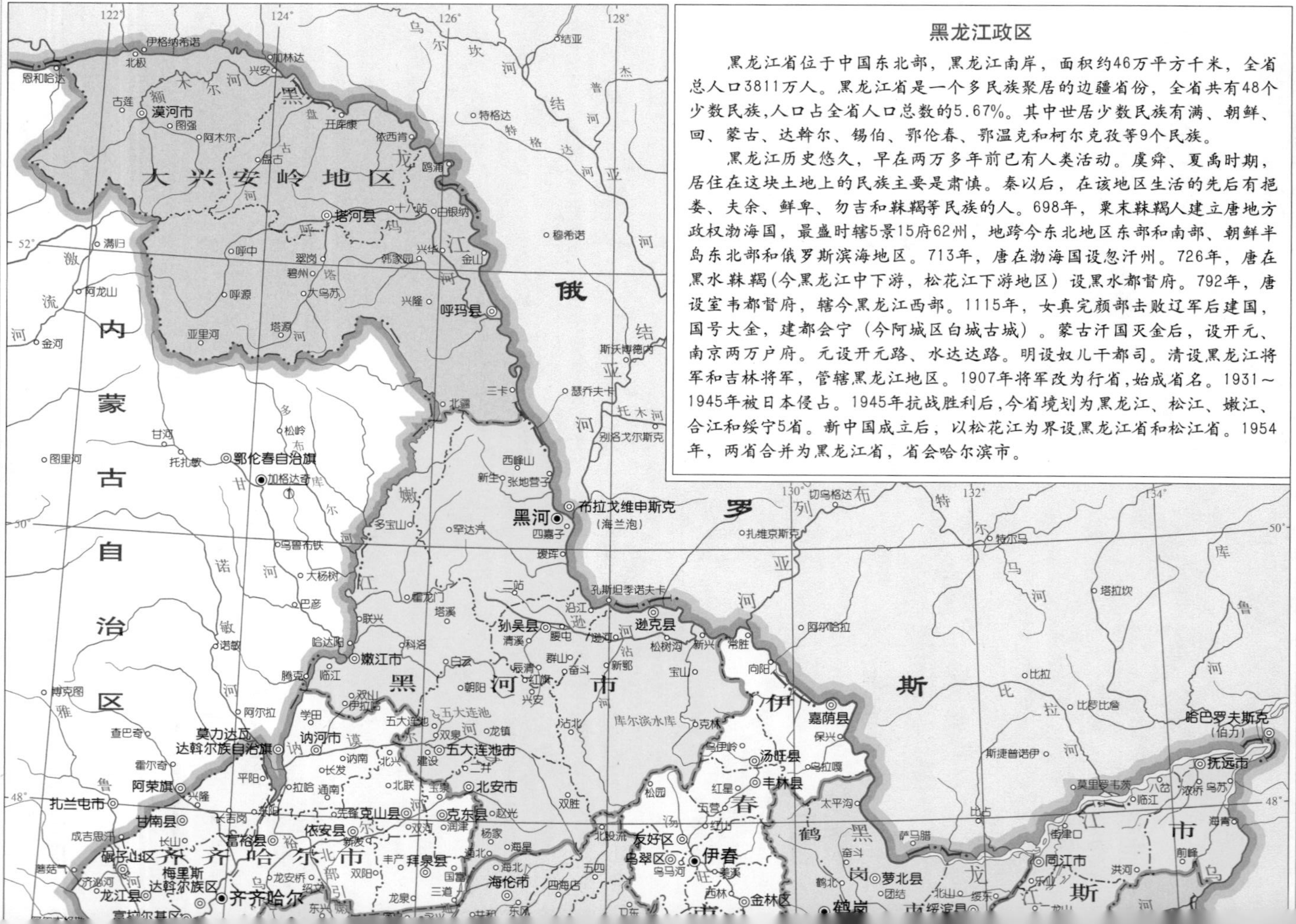

比例尺 1:5 460 000
54.6千米 0 54.6 109.2 163.8千米

行政区划统计表

地名	人口（万人）	面积（平方千米）	地名	人口（万人）	面积（平方千米）	地名	人口（万人）	面积（平方千米）	地名	人口（万人）	面积（平方千米）	地名	人口（万人）	面积（平方千米）	地名	人口（万人）	面积（平方千米）
哈尔滨市	**994**	**53186**	富拉尔基区	24	375	红岗区	13	625	萝北县(凤翔镇)	22	6768	新兴区	22	2003	**绥化市**	**577**	**35211**
松北区	20	736	碾子山区	8	357	肇州县(肇州镇)	47	2445	绥滨县(绥滨镇)	19	3344	茄子河区	15	1569	北林区	89	2723
道里区	72	479	梅里斯达斡尔族区	17	1948	肇源县(肇源镇)	48	4120	**佳木斯市**	**248**	**32470**	勃利县(勃利镇)	35	2575	安达市	49	3586
南岗区	100	192	讷河市	73	6664	杜尔伯特蒙古族自治县(泰康镇)	25	6176	前进区	16	16	**鸡西市**	**184**	**22551**	肇东市	94	4330
道外区	69	619	龙江县(龙江镇)	60	6197				向阳区	22	41	鸡冠区	33	148	海伦市	84	4667
香坊区	75	340	依安县(依安镇)	49	3780	林甸县(林甸镇)	27	3591	东风区	15	143	恒山区	16	587	望奎县(望奎镇)	47	2299
平房区	16	94	泰来县(泰来镇)	30	4061	**伊春市**	**122**	**32800**	郊区	28	1704	滴道区	11	500	兰西县(兰西镇)	54	2499
呼兰区	62	2197	甘南县(甘南镇)	39	4384	伊美区	21	2756	同江市	18	6229	梨树区	8	412	青冈县(青冈镇)	50	2686
阿城区	58	2445	富裕县(富裕镇)	27	4335	乌翠区	7	2379	富锦市	47	8224	城子河区	13	181	庆安县(庆安镇)	40	5607
双城区	82	3112	克山县(克山镇)	49	3632	友好区	6	2368	桦南县(桦南镇)	45	4418	麻山区	3	425	明水县(明水镇)	37	2308
尚志市	62	8891	克东县(克东镇)	30	2083	金林区	9	2235	桦川县(悦来镇)	22	2228	虎林市	29	9334	绥棱县(绥棱镇)	33	4506
五常市	101	7512	拜泉县(拜泉镇)	58	3569	铁力市	30	3776	汤原县(汤原镇)	26	3420	密山市	42	7731	**大兴安岭地区**	**51**	**46755**
依兰县(依兰镇)	41	4616	**黑河市**	**171**	**68285**	汤旺县	5	2142	抚远市(抚远镇)	9	6047	鸡东县(鸡东镇)	29	3233	呼玛县(呼玛镇)	33	14285
方正县(方正镇)	23	2969	爱辉区	19	14446	丰林县	11	2971	**双鸭山市**	**150**	**22802**	**牡丹江市**	**270**	**38827**	塔河县(塔河镇)	9	14103
宾县(宾州镇)	63	3845	北安市	46	7194	南岔县	13	3084	尖山区	24	118	东安区	19	581	漠河市(西林吉镇)	9	18367
巴彦县(巴彦镇)	71	3135	五大连池市	36	9874	大箐山县	11	3706	岭东区	7	802	爱民区	23	437			
木兰县(木兰镇)	27	3179	嫩江市(嫩江镇)	50	15109	嘉荫县(朝阳镇)	7	6749	四方台区	7	225	阳明区	26	1096			
通河县(通河镇)	25	5675	逊克县(边疆镇)	10	17344	**鹤岗市**	**108**	**14665**	宝山区	12	750	西安区	25	246			
延寿县(延寿镇)	27	3150	孙吴县(孙吴镇)	10	4318	向阳区	10	8	集贤县(福利镇)	32	2253	穆棱市	29	6247			
齐齐哈尔市	**558**	**44287**	**大庆市**	**282**	**21643**	兴山区	5	28	友谊县(友谊镇)	12	1888	绥芬河市	7	422			
建华区	26	853	萨尔图区	33	504	工农区	17	12	宝清县(宝清镇)	42	10001	海林市	40	8816			
龙沙区	29	188	龙凤区	19	416	南山区	13	31	饶河县(饶河镇)	14	6765	宁安市	44	7227			
铁锋区	29	695	让胡路区	46	1394	兴安区	14	254	**七台河市**	**92**	**6221**	东宁市(东宁镇)	21	7117			
昂昂溪区	10	1166	大同区	24	2372	东山区	8	4220	桃山区	20	74	林口县(林口镇)	36	6638			

总计：地级市 12　地区 1　市辖区 54　县级市 21　县 45　自治县 1　人口 3811 万　面积约 46 万平方千米

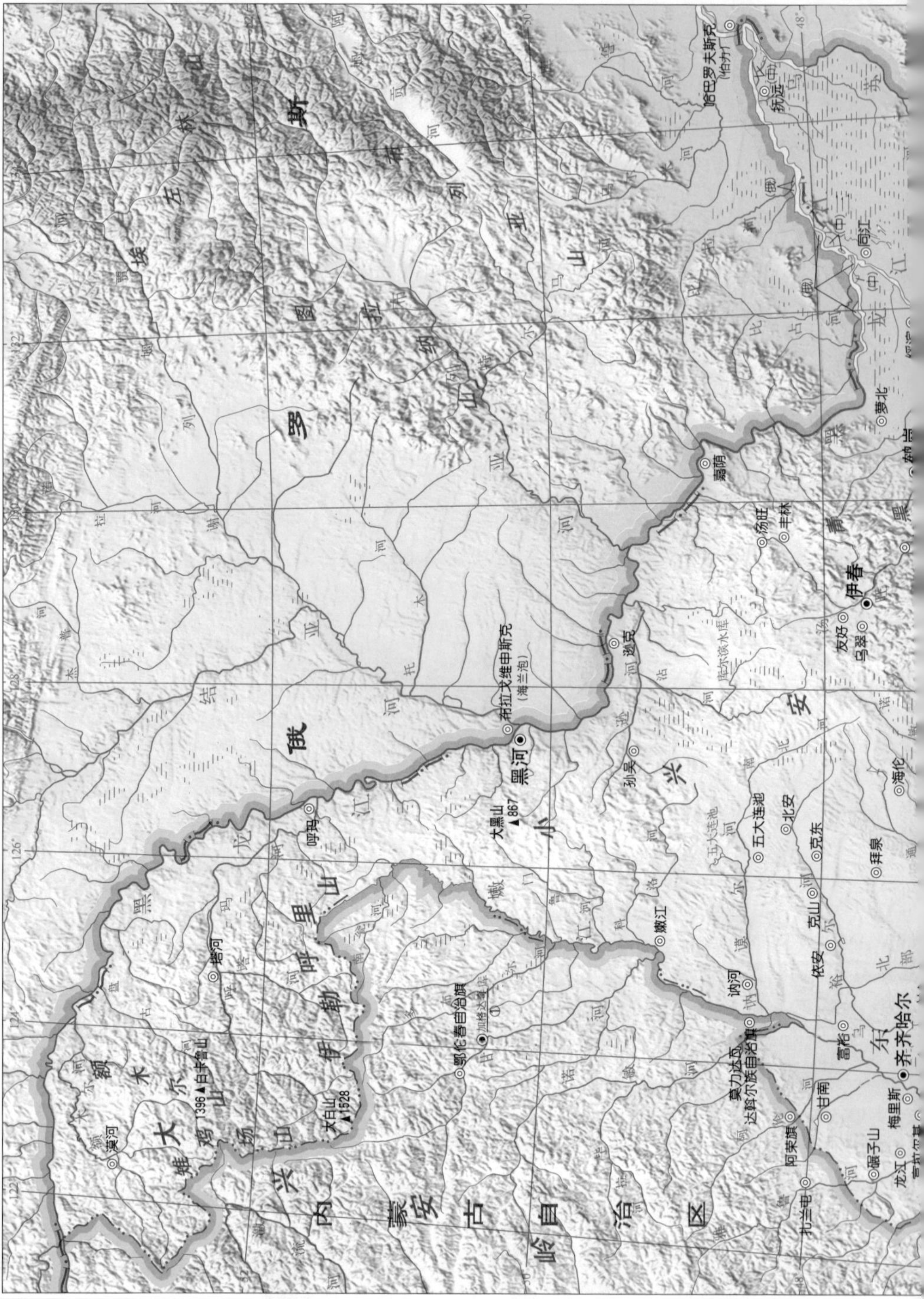

比例尺 1:5 460 000

54.6千米 0 54.6 109.2 163.8千米

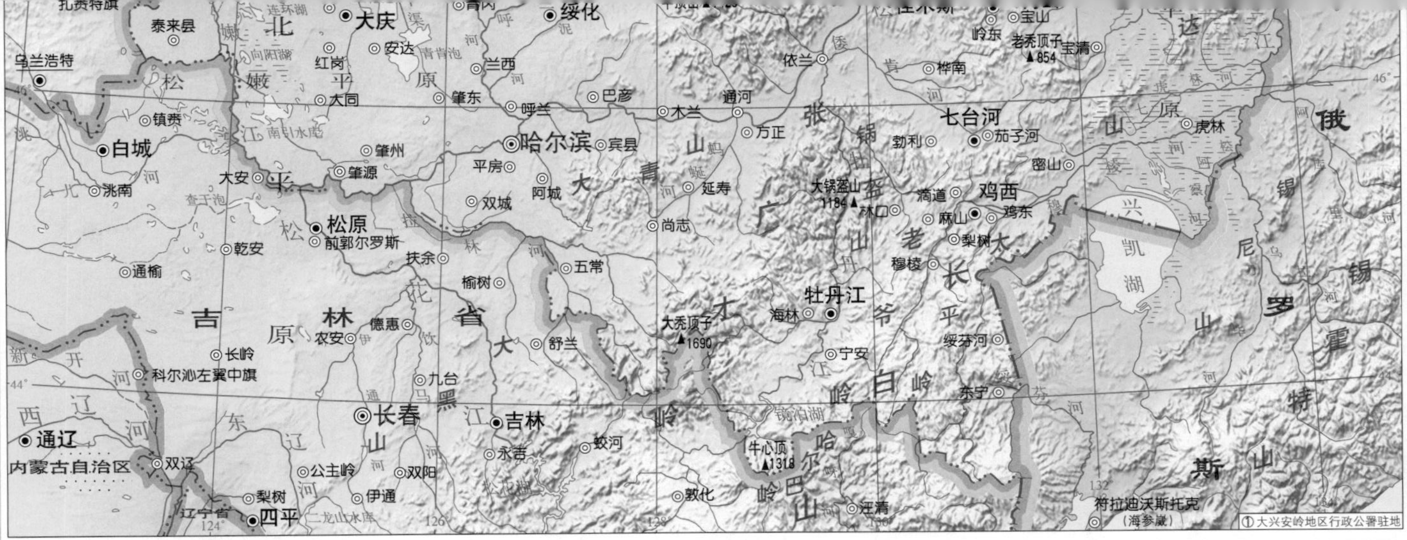

黑龙江地势

黑龙江省地势复杂多样，大体为北部和东南部高，东部和西南部低。西北部为大兴安岭山地，北部为小兴安岭山地，东南部是由长白山脉的张广才岭、老爷岭、太平岭和完达山组成的山地，东部为三江平原，西南部是松嫩平原。山地丘陵海拔在300～1500米左右，平原区海拔大部分在50～250米左右。大兴安岭山地位于黑龙江省北部，属于大兴安岭山脉的北段，境内面积约为11万平方千米。整个山地地势北高南低，东陡西缓，山势向东急剧过渡到松嫩平原，向西逐渐过渡到内蒙古高原。整个山势较缓和，山顶平坦，高差幅度小，平均海拔500～700米。伊勒呼里山主峰大白山海拔1528米。小兴安岭山地位于黑龙江省北部，其北部与大兴安岭相接。山势和缓，北低南高，东陡西缓，海拔在500～1000米左右，主峰平顶山海拔1429米。东南部山地面积约7万多平方千米，属于长白山系的北延部分，主要由张广才岭、老爷岭、太平岭和完达山组成，整个地势为中山地貌，海拔600～1100米，以中部的张广才岭为最高，主峰大秃顶子海拔1690米，是黑龙江省内最高峰。三江平原是由黑龙江、松花江、乌苏里江三条江河不断迁徙、泛滥所冲积而成的平原。西起小兴安岭，东达乌苏里江，北迄黑龙江，南抵兴凯湖。面积约4.6万平方千米。三江平原地势较为低平，平均海拔50～60米。平原上零星分布着孤山和残丘，海拔多在500米以下。河漫滩极为宽阔，是冲积平原主体的重要组成部分。

黑龙江省水系发达，河流纵横，湖泊遍布。流域在50平方千米以上的河流有1918条，其中流域在1万平方千米以上的就有18条。主要河流有：黑龙江、松花江、乌苏里江、嫩江、牡丹江、呼玛河、额木尔河、塔河等。黑龙江是一条流经中、俄、蒙三国的国际河流，也是我国第三大河流，流域面积达180多万平方千米。松花江是黑龙江第一大支流。嫩江是松花江最大的支流。

黑龙江省主要湖泊有：兴凯湖、镜泊湖、五大连池、连环湖、向阳湖等。兴凯湖位于密山市东南部中俄边境上，总面积约为4380平方千米。镜泊湖位于宁安市西南，面积92.5平方千米，是我国最大的火山熔岩堰塞湖。

黑龙江省四季分明，属于东北亚高纬度的寒温带—温带地区，为湿润、半湿润季风气候，冬季寒冷漫长而夏季短促，西北端甚至没有夏天，1月份平均气温−32℃～−17℃，7月份平均气温16℃～23℃，全年无霜期为90～120天。平均年降水量为250～700毫米。

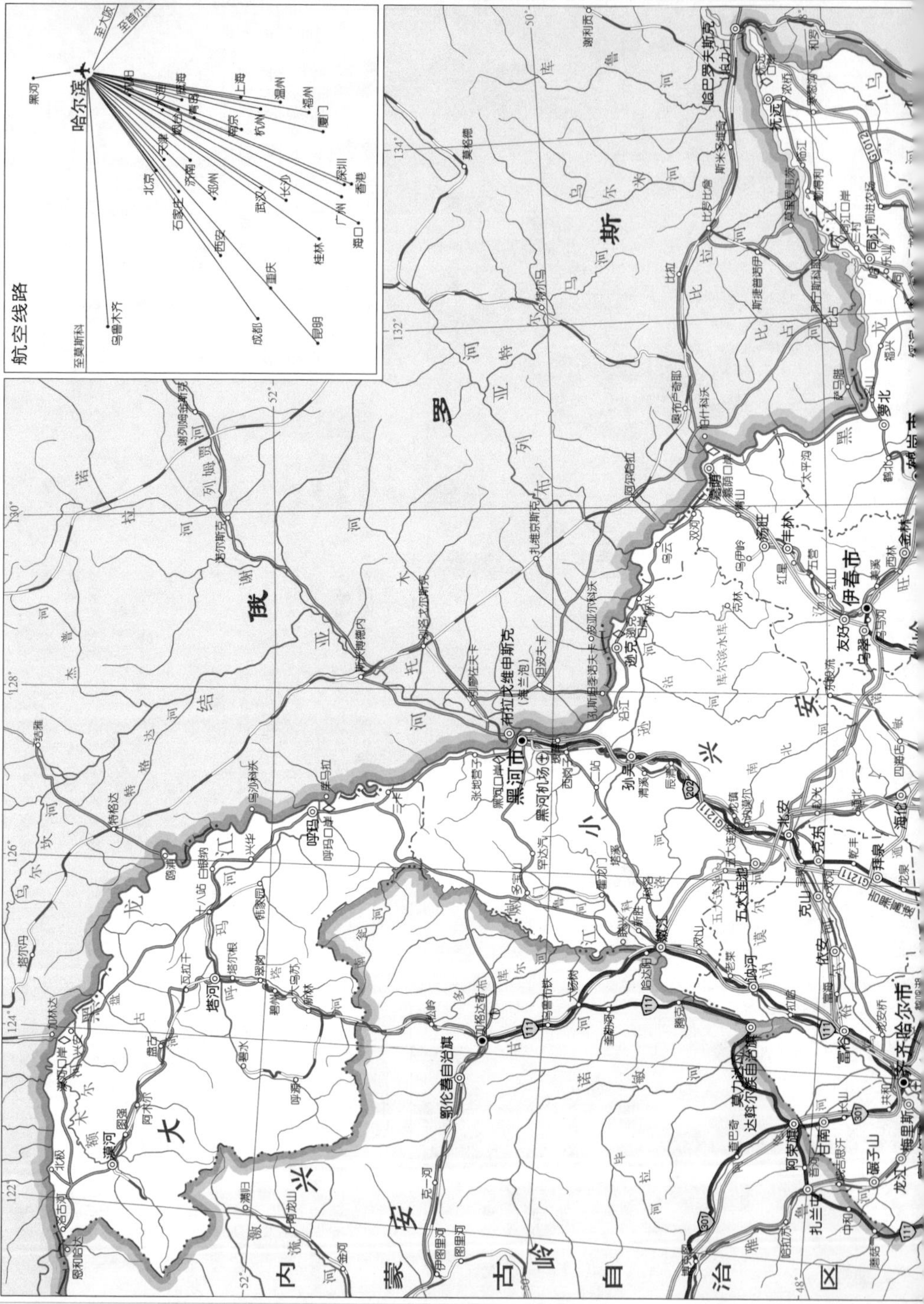

比例尺 1:5 460 000

54.6千米 0 54.6 109.2 163.8千米

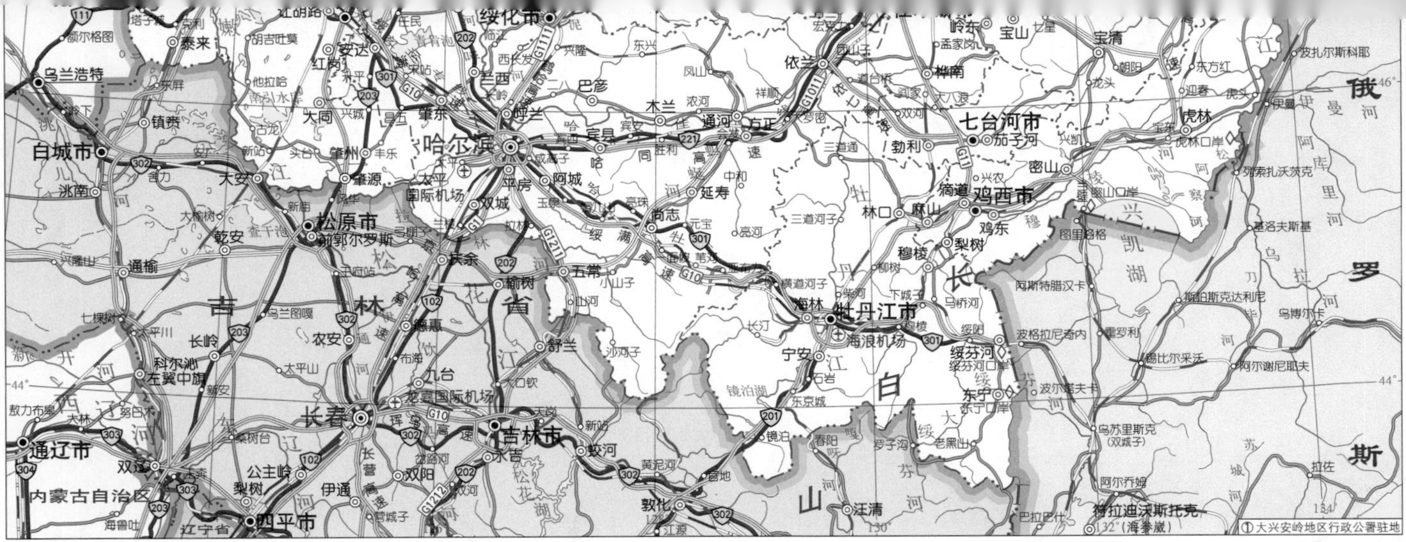

黑龙江交通

黑龙江省地域辽阔，交通发达。特别是改革开放以来，随着经济建设的飞速发展，黑龙江的交通设施建设有了根本性的改变。

铁路：黑龙江省是我国修建铁路较早的省份之一，哈尔滨铁路局是新中国成立最早的铁路局。全省共有铁路26条。铁路干线和支线以哈尔滨、齐齐哈尔、牡丹江、佳木斯4个中心城市为中心向四周辐射，贯穿全省三分之二以上的市、县，延伸到边远的大兴安岭北部林区和三江平原腹地，为全省交通网骨干。主要有京哈、滨洲、滨绥、哈佳、牡佳、牡图、平齐、齐北、绥北、富西、林东、佳富、福前等线。其中哈尔滨－绥芬河、哈尔滨－满洲里两条铁路与俄罗斯西伯利亚大铁路相连，成为欧亚大陆桥的一部分。2012年建成通车的哈大客运专线将使黑龙江的铁路运输更便捷。

公路：以哈尔滨环城高速公路建成通车为标志，黑龙江“一环五射”高速公路网架为核心的公路网骨架基本形成。G1、G10、G11、G1011、G1111、G1112等国家高速公路和221、301、111、203国道，成为连接各区域主要城市的交通干线。全省各市、县、乡均有公路相连，公路等级不断提高，路网总体功能得到改善，公路网密度不断加大，村村通公路的建设基本完成。

水运：黑龙江省水运条件优越，居东北三省之冠，全省大小河流1900多条，长度在100千米以上的河流就有70多条，内河通航达5528千米。全省现有直营客运航线9条，以黑龙江、松花江、乌苏里江为骨干，以哈尔滨、佳木斯港为枢纽的水运网贯穿全境。松花江航线是黑龙江省水运干线，每年5～11月通航，黑龙江航线位于我国最北部，在同江和俄罗斯的哈巴罗夫斯克（伯力）与松花江、乌苏里江航线相接，冬季封航。乌苏里江航线为中俄界河航线，冬季封冻。嫩江航线主要以运输煤炭、木材、粮食等货物为主，沿线经嫩江、齐齐哈尔、富拉尔基等港口。

航运：黑龙江省民用航空运输发达，现有哈尔滨、齐齐哈尔、佳木斯、牡丹江、黑河等机场，以哈尔滨为中心，有通往北京、上海、广州、沈阳、西安、乌鲁木齐、香港等国内大城市及俄罗斯、韩国、日本等多条国际航线，哈尔滨太平国际机场已成为国内几个主要国际航空港之一。

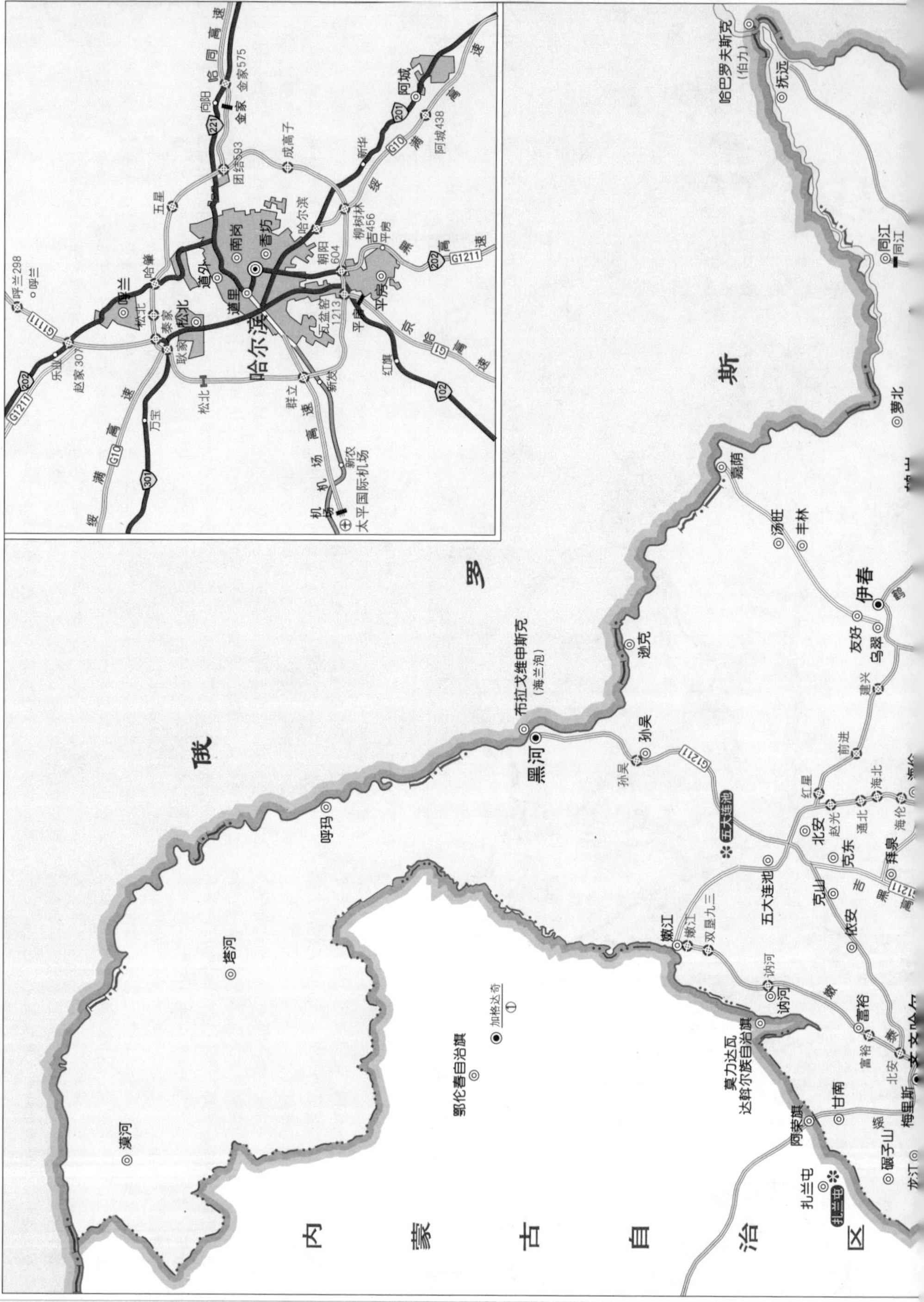

比例尺　1:5 460 000

54.6千米　0　54.6　109.2　163.8千米

服务区 出入口 收费站 未建成
高速公路

高速公路里程示意图

单位：千米

● 出入口 ● 服务区 ● 收费站

京哈高速 G1 74：（黑吉界）1139 拉林河 — 1147 石家 — 1178 双城 — 1198 运粮河 — 1204 京哈路加油站 — 1212 互通 — 1213 瓦盆窑

鹤大高速 G11：鹤岗 — 南风井 — 鹤立 — 莲江口 — 西格木 — 明义 — 七虎力 — 西长发 — 东风 — 牡丹江 — 敦化

大广高速 G45：大庆 — 龙凤 — 红岗 — 杏八 — 大同 — 永乐 — 肇源 — 风华

绥满高速 G10：绥芬河 — 167 牡丹江 — 170 鹤大公路 — 179 海林 — 190 腾飞 — 211 横道河子 — 213 横道河子 — 259 明新 — 269 亚布力 — 270 亚布力 — 289 苇河 — 321 一面坡 — 336 尚志 — 340 尚志 — 247 乌吉密 — 382 帽儿山 — 391 平山 — 398 小岭 — 412 玉泉 — 415 花果山 — 429 亚沟 — 435 阿城南 — 438 阿城 — 456 柳树林 — 465 瓦盆窑 — 480 机场互通 — 497 哈尔滨 — 哈尔滨 — 543 肇东 — 543 肇东 — 588 承平 — 610 安达 — 庆东 — 城北 — 徐地房子 — 庆化 — 花园 — 林甸 — 胜利 — 扎龙 — 宛屯 — 齐齐哈尔 — 建华 — 阿荣旗

哈同高速 G1011：团结 — 金家 — 宾州 — 宾州 — 常安 — 摆渡 — 会发 — 方正 — 得莫利 — 高楞 — 达连河 — 依兰 — 宏克力 — 佳西 — 万兴 — 安庆 — 集贤 — 万升 — 大榆树 — 同江

鹤哈高速 G1111：鹤岗 — 铁力 — 庆安 — 东富 — 绥化 — 兴隆 — 康金 — 康金 — 呼兰 — 赵家 — 哈尔滨

嫩泰高速：嫩江 — 双星九三 — 讷河 — 富裕 — 富裕 — 冯屯

安达610 安达出入口距该高速公路零千米处610千米
腾飞190 腾飞服务区距该高速公路零千米处190千米
同江 高速公路收费站

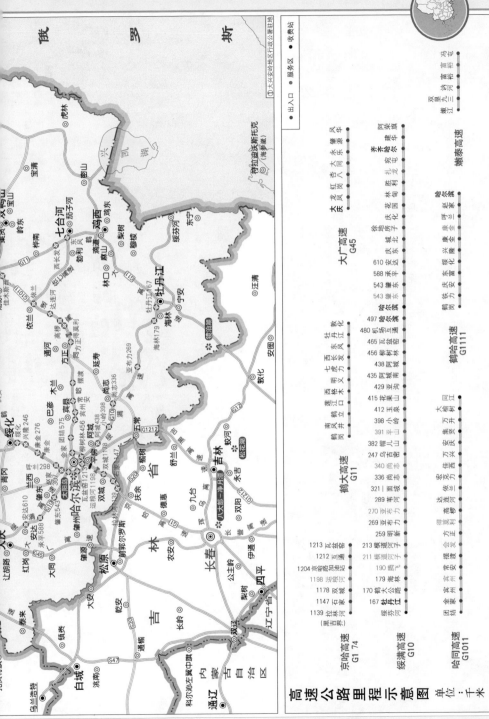

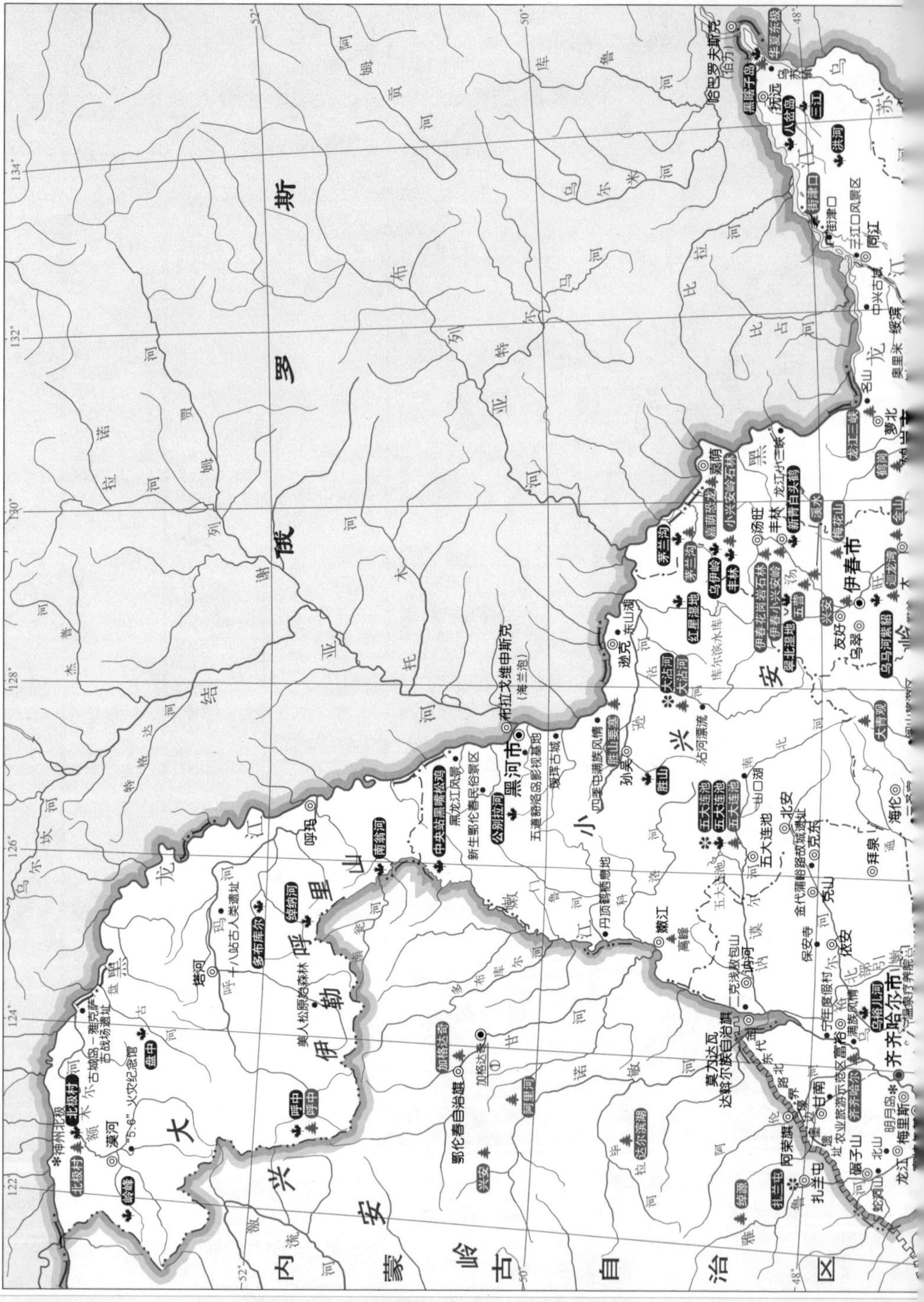

比例尺 1:5 460 000

54.6千米 0 54.6 109.2 163.8千米

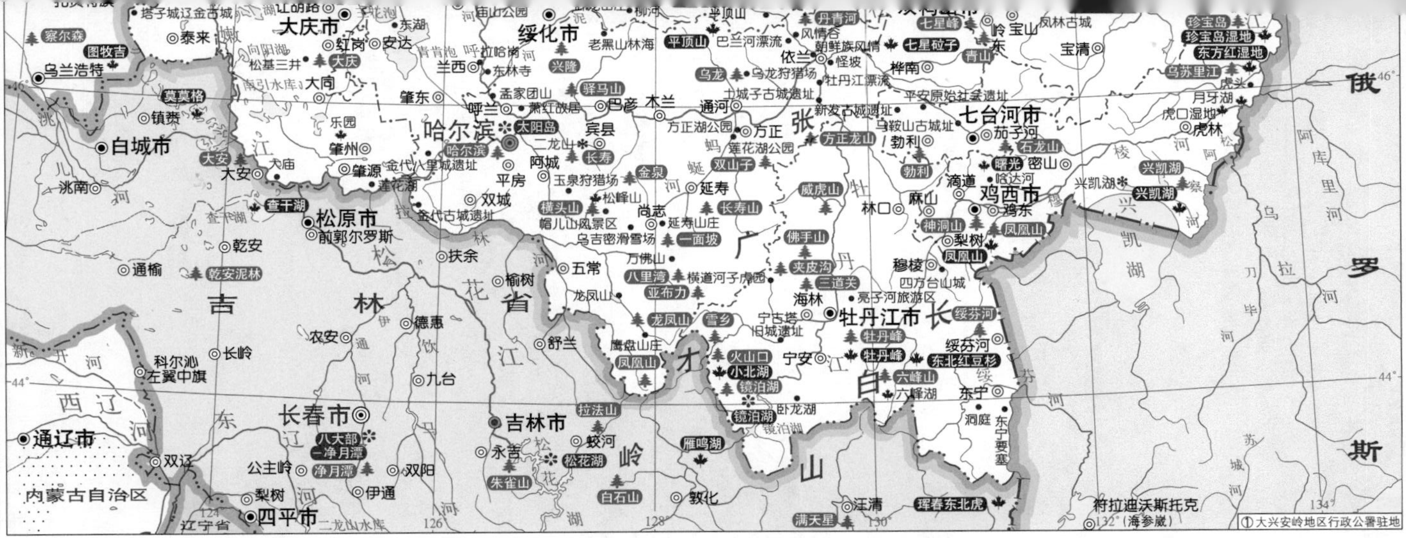

黑龙江旅游

黑龙江是我国最北端的一个边境大省。是历史上游牧民族的繁衍地，有着悠久的历史和多民族灿烂的文化。其特殊的地理环境、气候条件和历史渊源成就了其丰富的北方特色旅游资源。省会哈尔滨因其众多的欧俄建筑被称为“东方莫斯科”，因其冬季的冰雕艺术节而成为众多国内外游客瞩目之地和著名的旅游城市。国家历史文化名城有哈尔滨、齐齐哈尔。省级文化名城有宁安、依兰、阿城、呼兰等。黑龙江省现有国家重点风景名胜区4个，分别为太阳岛、镜泊湖和五大连池。省级风景名胜区明月岛、晨星岛、兴凯湖、莲花湖、二龙山等。国家级自然保护区40个，国家森林公园60个，国家地质公园8个。

黑龙江省森林浩瀚、草原辽阔、江河横纵、旅游资源得天独厚。

冰雪旅游：黑龙江省是世界冰雪文化的发祥地之一。得天独厚的林海雪原，使之成为冬季赏雪、滑雪、玩雪的胜地，能工巧匠创造的冰雕雪塑、设备完善的滑雪场和狩猎场，每年冬季的冰雪大世界、冰雕艺术节、冰灯游园会、亚布力滑雪场、金山滑雪场、玉泉狩猎场等，吸引了无数的中外游客。

生态旅游：黑龙江省是生态旅游的乐园。这里有大森林、大草原、大湿地、大小兴安岭的原始森林，是天然的“氧吧”，几十个国家森林公园，是人们观光、狩猎、漂流的好去处；扎龙、三江、洪河、兴凯湖等十几个湿地自然保护区，是夏季观鸟的理想之地。

避暑休闲旅游：黑龙江省森林浩瀚、江河纵横、湖泊众多，是旅游休闲的好地方。气势宏大，水质纯净的黑龙江、松花江、镜泊湖、兴凯湖、五大连池等自然景色秀美，夏季气候宜人，是消夏避暑胜地，也是观赏森林动植物和漂流探险的理想之地。

民俗风情旅游：黑龙江省是一个多民族聚居的地方，满、回、蒙古、朝鲜、达斡尔、锡伯、赫哲、鄂伦春、鄂温克、柯尔克孜等少数民族以其独特的饮食、服饰、节庆等习俗，展示着北方少数民族粗犷、质朴的民俗风情。他们的民俗文化源远流长，民族风情独具魅力。

边境旅游：黑龙江省有世界上最长的边界江—黑龙江，有长达3000多千米的边境线，有25个开放口岸，其中17个是旅游口岸。跨国游、边境游、界江风光游、欧陆风情游等，已成为黑龙江省旅游的一大亮点。

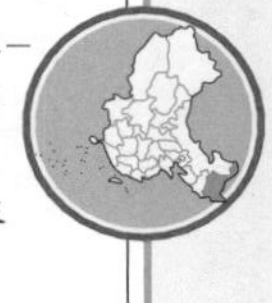

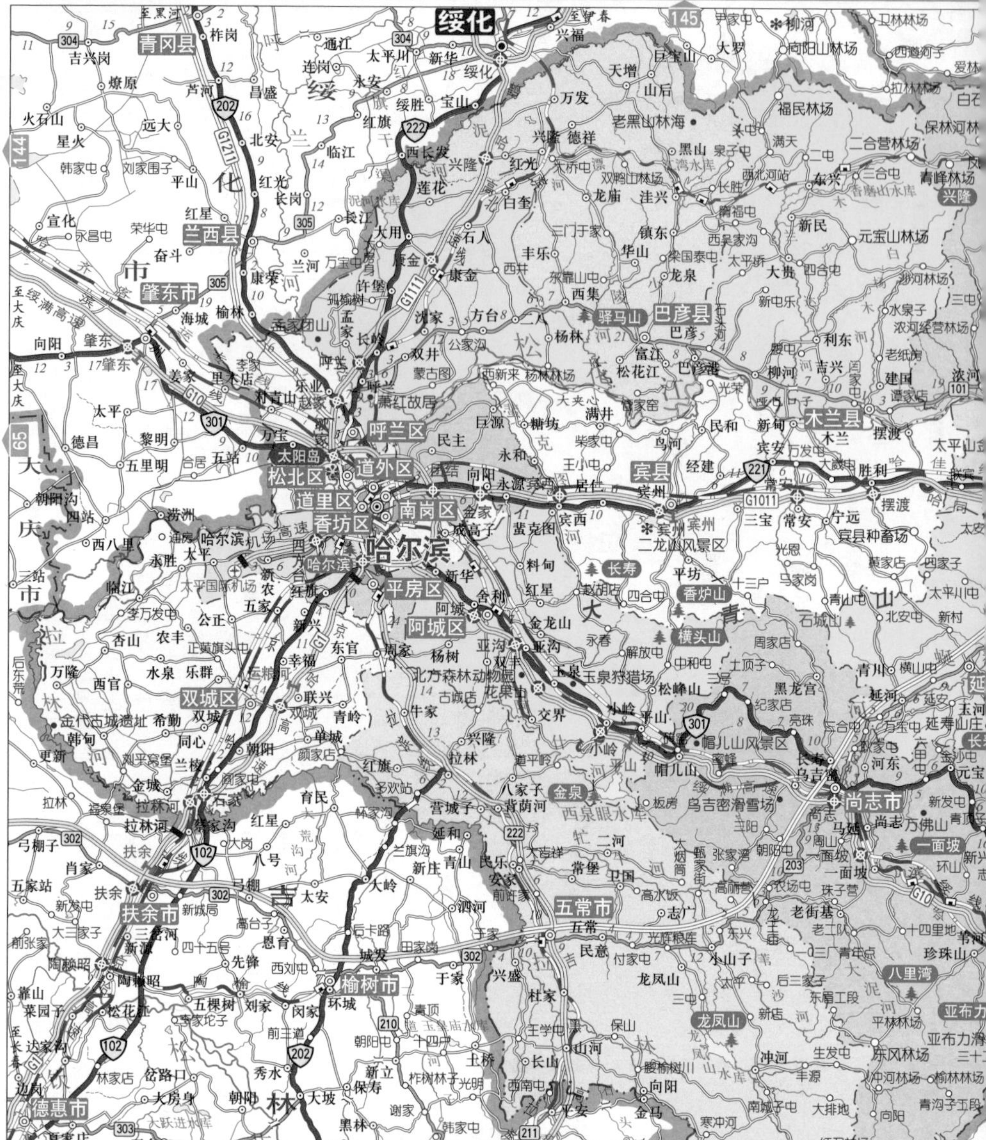

比例尺 1:1 620 000

16.2千米 0 16.2 32.4 48.6千米

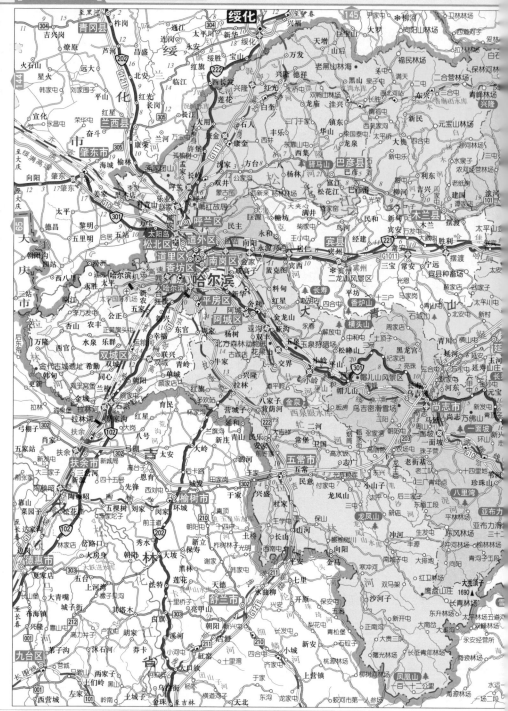

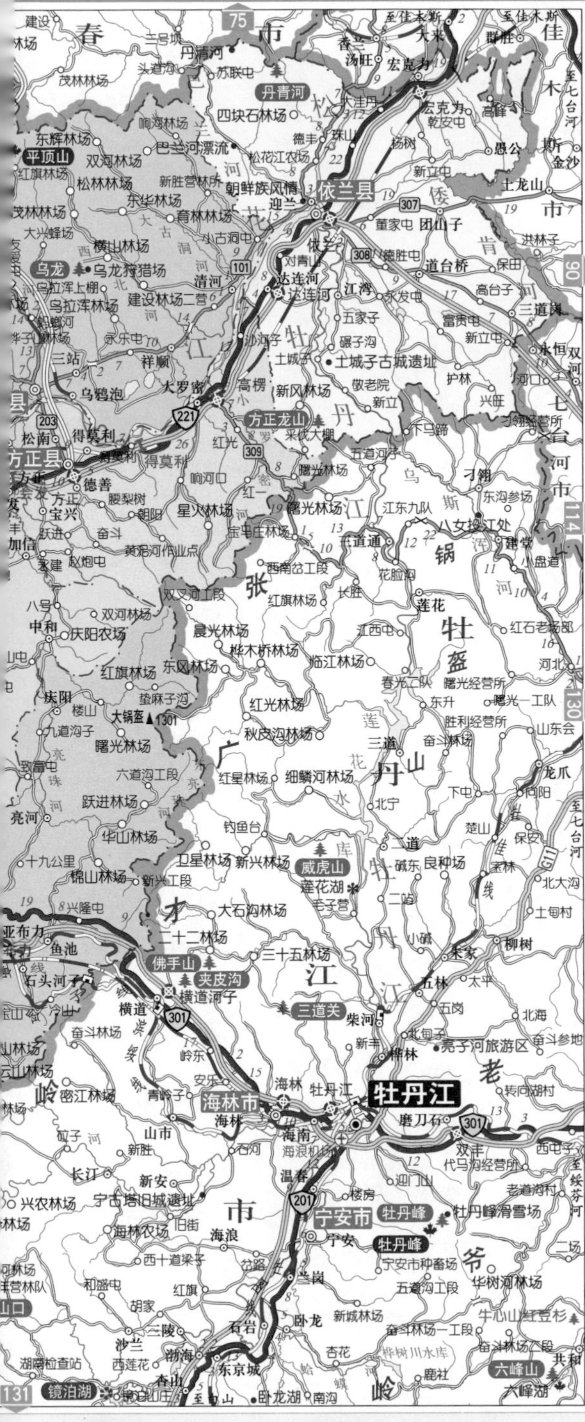

【地理位置】 位于黑龙江省南部，松嫩平原南端，松花江两岸。东与牡丹江市、七台河市相接，南与吉林省为邻，西接绥化市，北连佳木斯市和伊春市。

【行政区划】 辖松北、道里、南岗、道外、香坊、平房、呼兰、阿城、双城9区，尚志、五常2市，依兰、方正、宾县、巴彦、木兰、通河、延寿7县。

【人口面积】 人口994万，面积53186平方千米。

【历史沿革】 西周为古橐离国地。汉属夫余。唐属渤海国。辽为黄龙府都部属司。金属上京会宁府。元属开元路，后隶镇宁州。明隶努尔干都司兀者卫。清光绪三十一年设滨江厅，后改设滨江市政筹备处。1921年设市政管理局。1933年置哈尔滨特别市。1953年为中央直辖市。1954年为黑龙江省省辖市。

【地　　形】 东依张广才岭，地势呈东北西南走向，属中山丘陵地区。东北临小兴安岭，西连松嫩平原，属低山丘陵地貌。

【主要山脉】 小兴安岭、张广才岭、大青山。

【最高山峰】 大秃顶子，海拔1690米。

【河流湖泊】 松花江、牡丹江、呼兰河、拉林河、倭肯河、阿什河、蚂蜒河、泥河、岔林河，龙凤山水库、西泉眼水库、泥河水库等。

【气　　候】 年平均气温3.1—3.6℃，年降水量532—562毫米，无霜期132—141天。

【交　　通】 交通发达，以铁路、公路构成的陆地交通网络四通八达，哈大、哈齐客运专线和京哈、滨州、拉滨、滨绥、滨北、哈大等铁路和绥满、京哈、哈同等高速公路以及102、202、221、301等国道过境，是东北地区主要的交通枢纽之一。太平国际机场是我国重要的航空港之一，已成为沟通中国东北部、东北亚、欧洲和太平洋地区的门户。

【资　　源】 矿产主要有煤、铜、石英石等。境内森林资源主要集中在张广才岭和小兴安岭地区，树种以红松、落叶松、杨、桦、柞、榆、椴为主。农作物以大豆、小麦、玉米、水稻为主，由于水资源丰富，五常市是我国优质水稻种植地之一，加之土质、气候、生长期等的原因，五常大米已成为著名品牌。

【风景名胜】 哈尔滨、金泉、龙凤山、一面坡、八里湾、驿马山、兴隆、长寿、亚布力、乌龙、方正龙山、丹青河、凤凰山等国家森林公园，北方森林动物园、萧红故居、玉泉狩猎场、亚布力滑雪场、二龙山风景区、万佛山、帽儿山风景区、巴兰河漂流、鹰盘山庄、土城子古城遗址等。

镜泊湖 国家级风景名胜区　牡丹峰 国家级自然保护区　服务区　里程起迄点
二龙山 其他风景名胜区　哈尔滨 国家级森林、地质公园　出入口　收费站

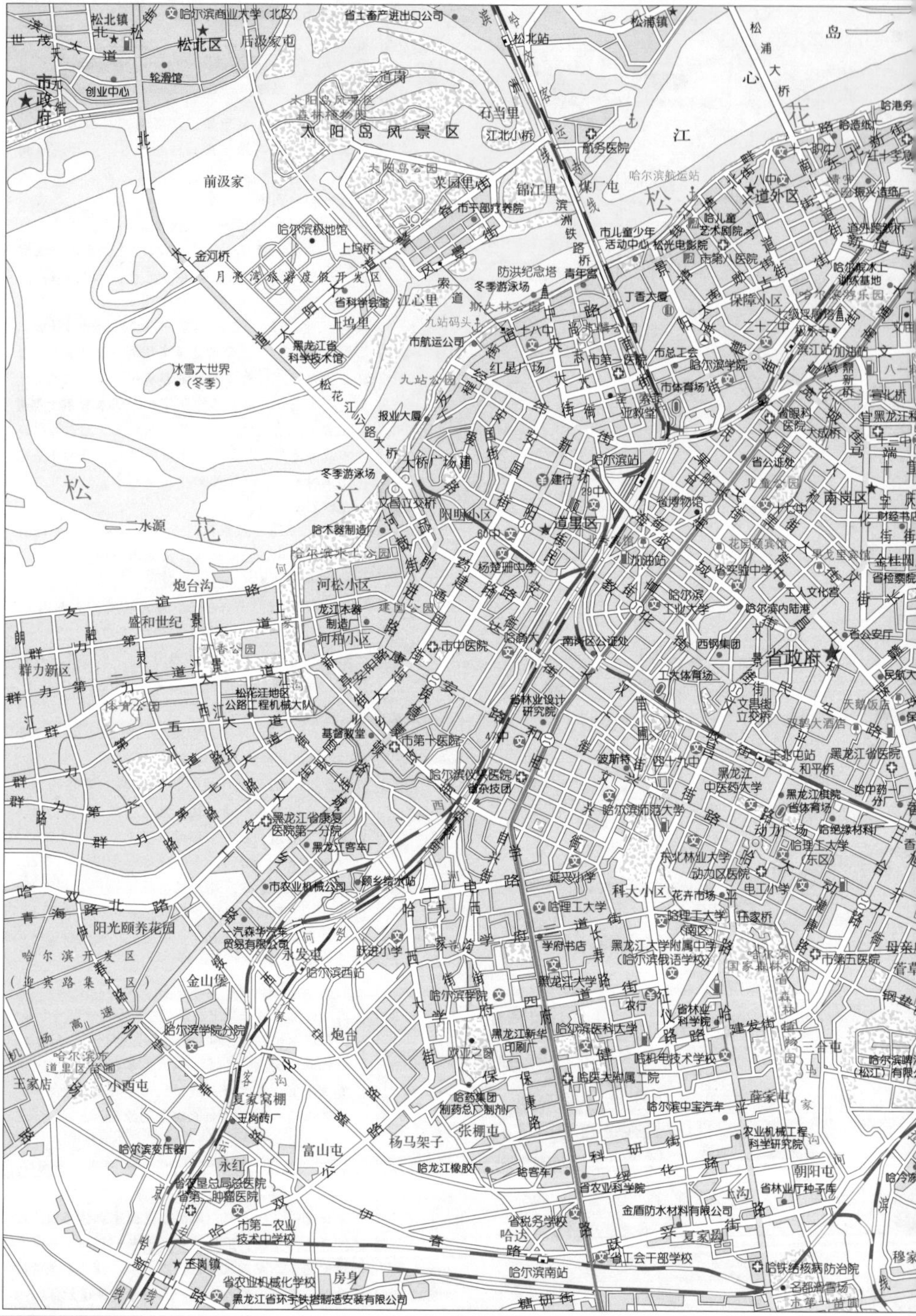
哈尔滨商业大学（北区）
省土畜产进出口公司
松北站
松浦镇
松北镇
松北区
后汲家屯
市政府
轮滑馆
创业中心
三道沟
太阳岛风景区
石当里
江北小桥
航务医院
松浦大桥
太阳岛公园
前汲家
菜园里
锦江里
滨洲铁路桥
哈尔滨航运站
八中
道外区
哈儿童艺术剧院
市儿童少年活动中心
松光电影院
市第八医院
哈尔滨极地馆
上坞桥
市干部疗养院
金河桥
月亮湾旅游度假开发区
防洪纪念塔
青年宫
冬季游泳场
丁香大厦
保障小区
省科学会堂
江心里
斯大林公园
上坞里
九站码头
道里十八中
二十二中
滨江站加油站
市航运公司
黑龙江省科学技术馆
市第一医院
市总工会
哈尔滨学院
冰雪大世界
（冬季）
红星广场
九站公园
市体育场
亚教堂
省眼科医院
大成桥
报业大厦
哈尔滨站
松花江公路大桥
大桥广场
冬季游泳场
建行
省公证处
南岗区
文昌立交桥
阳明小区
省博物馆
二水源
哈木器制造厂
道里区
哈尔滨木土公园
杨楚珊中学
加油站
省实验中学
炮台沟
河松小区
哈尔滨工业大学
工人文化宫
哈尔滨内陆港
盛和世纪
龙江木器制造厂
河柏小区
建国公园
市中医院
哈商大
南岗区公证处
西钢集团
省政府
群力新区
丁香公园
工大体育场
省林业设计研究院
文昌街立交桥
天鹅饭店
松花江地区公路工程机械大队
基督教堂
市第十医院
波斯特
四十九中
王兆屯站
和平桥
黑龙江省医院
黑龙江中医药大学
哈尔滨仪表医院
省杂技团
黑龙江棋院
省体育场
哈尔滨师范大学
黑龙江省康复医院第一分院
黑龙江客车厂
动力广场
哈绝缘材料厂
哈理工大学（东区）
东北林业大学
动力区医院
市农业机械公司
顾乡给水站
延兴小学
科大小区
花卉市场
电工小学
哈理工大学
哈理工大学（南区）
阳光颐养花园
一汽森华汽车贸易有限公司
学府书店
黑龙江大学附属中学（哈尔滨俄语学校）
哈尔滨开发区
（迎宾路集中区）
永发屯
跃进小学
哈尔滨西站
国家森林公园
市第五医院
金山堡
黑龙江大学
哈尔滨学院
农行
省林业科学院
哈尔滨学院分院
炮台
黑龙江新华印刷厂
哈尔滨医科大学
三合屯
哈尔滨市道里区苗圃
欧亚之窗
哈机电技术学校
哈尔滨啤酒（松江）有限公司
王家店
小西屯
夏家窝棚
哈医大附属二院
哈药集团制药总厂制剂厂
哈尔滨中宝汽车
薛家屯
王岗砖厂
杨马架子
张棚屯
农业机械工程科学研究院
哈尔滨变压器厂
富山屯
哈龙江橡胶厂
哈客车厂
朝阳屯
永红
省农业科学院
省林业厅种子库
省农垦总局总医院
省第二肿瘤医院
金盾防水材料有限公司
市第一农业技术中学校
省税务学校
夏家园
王岗镇
省工会干部学校
哈铁结核病防治院
哈尔滨南站
省农业机械化学校
房身
名都滑雪场
黑龙江省环宇铁塔制造安装有限公司
穆家沟
松花江

【城市特色】 哈尔滨市是黑龙江省省会，是东北地区重要的中心城市，是黑龙江省政治、经济、文化、交通中心。有着一百多年的城区建设史，是我国历史文化名城，同时，又是一座具有独特文化内涵的城市，由于历史和地缘的因素，哈尔滨在文化上受欧洲影响较大，呈现明显的“中西合璧”特色。哈尔滨冰雪节也以世界四大冰雪节之一而享誉海内外，因此，哈尔滨成为举世公认的冰雪艺术之乡。1998年，哈尔滨进入首批全国优秀旅游城市的行列。

【交 通】 市内交通发达，拥有110多条市内公交线路和30多条郊区公交线路，长途汽车方便快捷。作为东北地区的交通中心，哈尔滨铁路客运站有通达全国各大城市的快速列车；太平国际机场是我国重要的航空港之一。哈尔滨水运口岸位于市区东北部，是1989年经国务院批准对外开放一类口岸。

【土特产品】 风干香肠、哈尔滨红肠、秋林大面包、亚麻制品等。

【风景名胜】 太阳岛风景区、哈尔滨国家森林公园、文庙、省博物馆、东北虎林园、圣·索菲亚教堂、兆麟公园、极乐寺等。

【景点介绍】 **圣·索菲亚教堂** 位于市道里区，是我国目前保存最完好的拜占庭式建筑。教堂始建于清光绪三十二年（1907年），占地721平方米。保持着东正教教堂原始风貌。为国家重点文物保护建筑，1997年经修复后改名为哈尔滨建筑艺术馆。

圣·索菲亚教堂

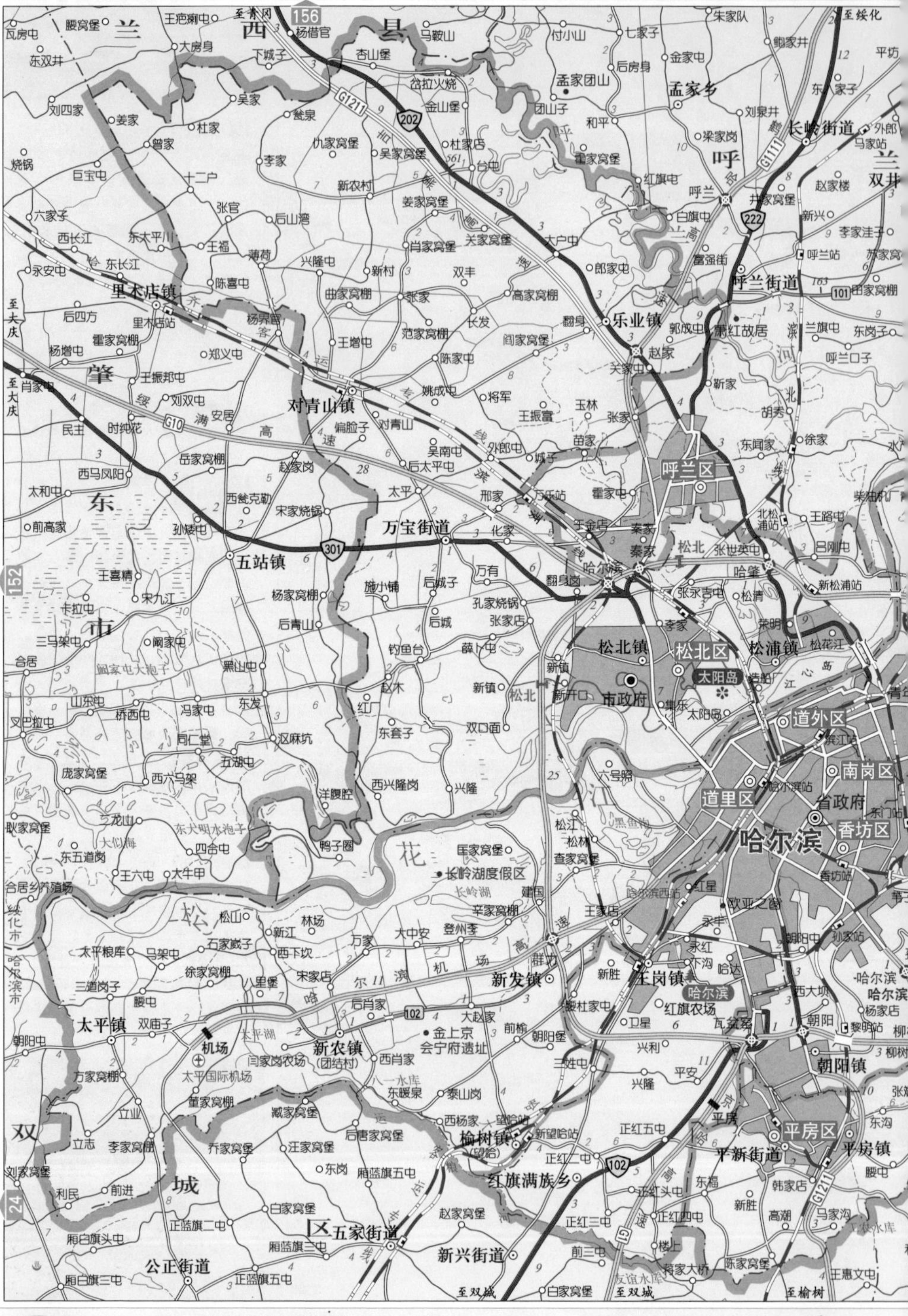

比例尺 1:350 000

3.5千米 0 3.5 7.0 10.5千米

高度表

0 50 100 200 300 400 500 600 800 1000 1200 1500米

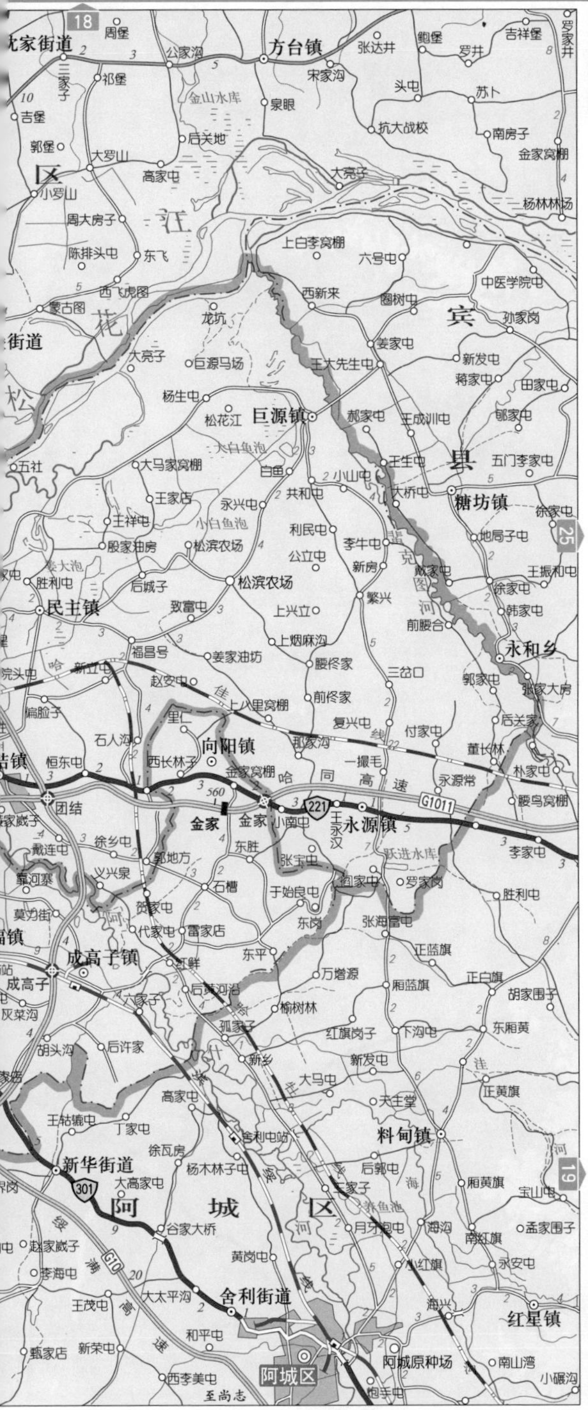

【地理位置】6个市辖区位于市境西北，东与宾县、阿城区接壤，南与双城区相连，西与肇东市、兰西县为邻，北与呼兰区接壤。

【人口面积】人口352万，面积2460平方千米。

【地　　形】地处松嫩平原东部。地势从东南向西北倾斜，地域平坦。

【河流湖泊】松花江、呼兰河、阿什河，太平湖、长岭湖。

【交　　通】交通发达。哈大、哈齐客运专线、绥滨、滨洲、滨北、拉滨等铁路在此会集，并与俄罗斯西伯利亚铁路相连。公路以环城高速公路为中心，京哈、鹤哈、绥满、哈同、绥满、机场等高速公路，以及102、202、221、301国道和101、102省道呈辐射状四通八达。哈尔滨港是我国八大内陆港之一。太平国际机场是我国大型国际机场之一。

【经　　济】哈尔滨是黑龙江省经济起飞的龙头，是我国重要的机械制造工业中心和对俄罗斯和东欧各国经济贸易的重要口岸。工业以动力设备、民用航空、轻型车辆、亚麻纺织、制药等享誉全国。郊区农副业发展迅速，已建设成为副食品基地。

【土特产品】风干香肠、哈尔滨红肠、松仁小肚。

【景点介绍】**太阳岛风景区**　位于哈尔滨市区松花江北岸。风景区面积达38平方千米。这里碧水环抱、绿树掩映、空气清新、景色优美。景区内主景是水阁云天，太阳湖是3万平方米的人工湖，湖对岸是风化石堆砌的太阳山。大面积的沙滩上太阳伞争奇斗妍，构成了景区“碧水、蓝天、白云、绿树、别墅”的优美景致，是夏季避暑，冬季观赏雪雕的休闲胜地。

欧亚之窗　位于哈尔滨市西南部，是继北京、深圳之后东北唯一的以微缩世界经典建筑景观为主的多功能、综合性园林。全园占地面积31.8公顷，绿化面积80%，是市内自然地貌和植被最好的园林。造园风格体现了我国传统造园手法和西方台地式建园艺术的完美结合，博大精深的东方文化与浓郁的异域色彩交相辉映，更显园中绝妙。

镜泊湖　国家级风景名胜区　牡丹峰　国家级自然保护区　服务区　里程起讫点
二龙山　其他风景名胜区　哈尔滨　国家级森林、地质公园　出入口　收费站

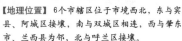

呼兰区 阿城区

呼兰区

【地理位置】位于哈尔滨中心城区北部，东与巴彦县连接，西与北林区、兰西县毗连，东南部与宾县、道外区相连，西南与松北区接壤。

【人口面积】人口62万，面积2197平方千米。

【地　　形】地势平坦，东北略高，西北略低。最高点团子山，海拔182米。

【河流湖泊】松花江、呼兰河、泥河、漂河、泥河水库等。

【交　　通】铁路、公路、水运交通均便利。滨洲、滨北铁路贯穿全境，鹤哈、绥满高速公路与202、301国道相互交会，松花江可通航。

【经　　济】工业经济快速发展，形成了食品、医药、电子三大支柱产业，第三产业、外商投资等也逐年增多。农业稳步发展，主要农产品有玉米、大豆、水稻等。

【风景名胜】萧红故居、孟家团山等。

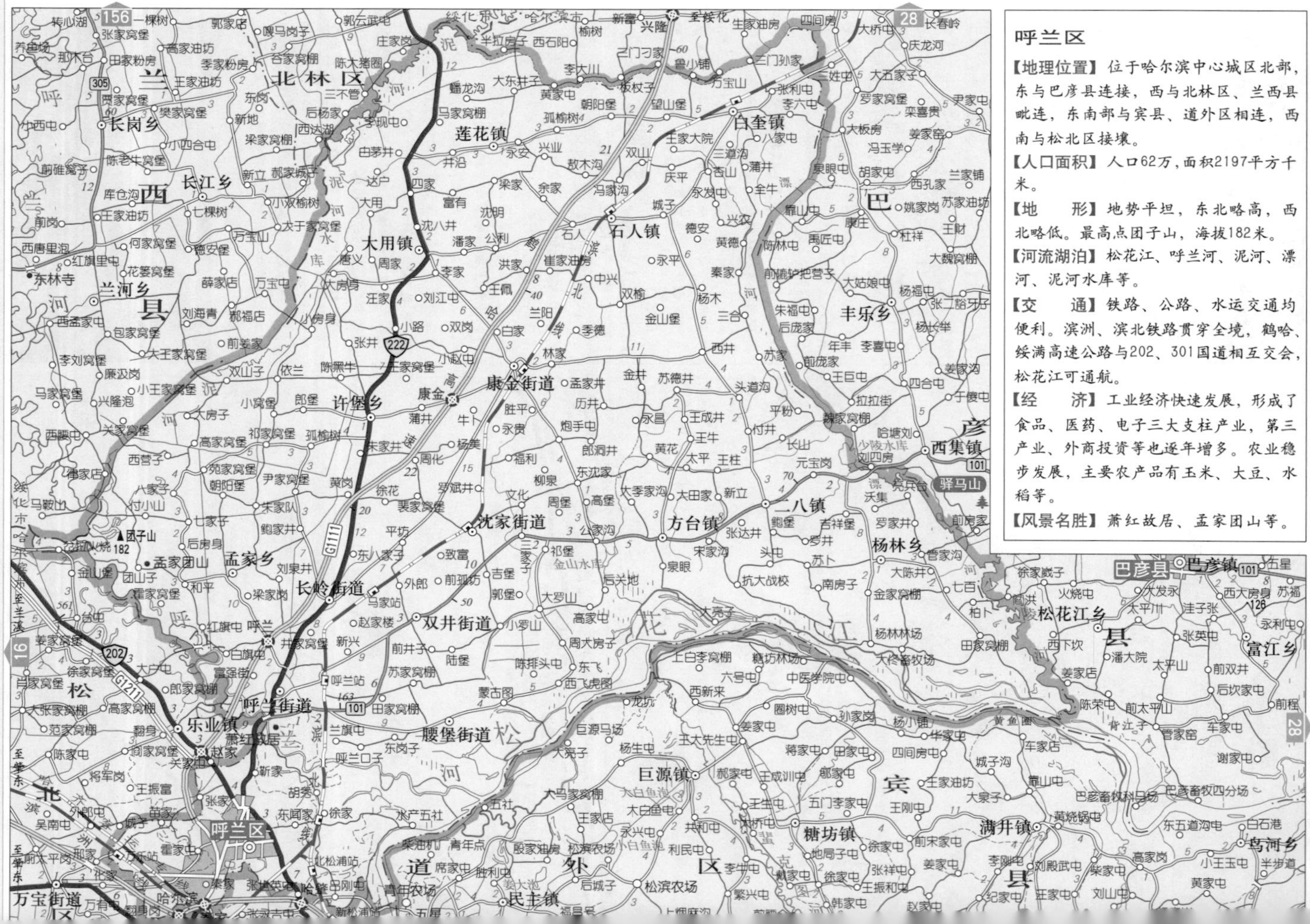

比例尺 1：480 000

4.8千米 0 4.8 9.6 14.4千米

高度表

0 50 100 200 300 400 500 600 800 1000 1200 1500米

【地理位置】地处哈尔滨市区东南部，东北与宾县相邻，东南与尚志市接壤，西南与五常市毗连，西与平房区、香坊区、双城区为邻。
【人口面积】人口58万，面积2445平方千米。
【地　　形】地势由东南向西北倾斜。西与西北部为平原，散布许多湿地、泡子，东部为低山丘陵，最高山峰大个岭，海拔827米。
【河流湖泊】阿什河、头道河、西泉眼水库、红星水库等。
【交　　通】交通便利，绥满高速、滨绥铁路和301国道横贯东西，哈同高速、221国道在北部过境，乡镇公路纵横交错。
【风景名胜】亚沟摩崖石刻像、金上京会宁府遗址、松峰山风景区、玉泉狩猎场等。

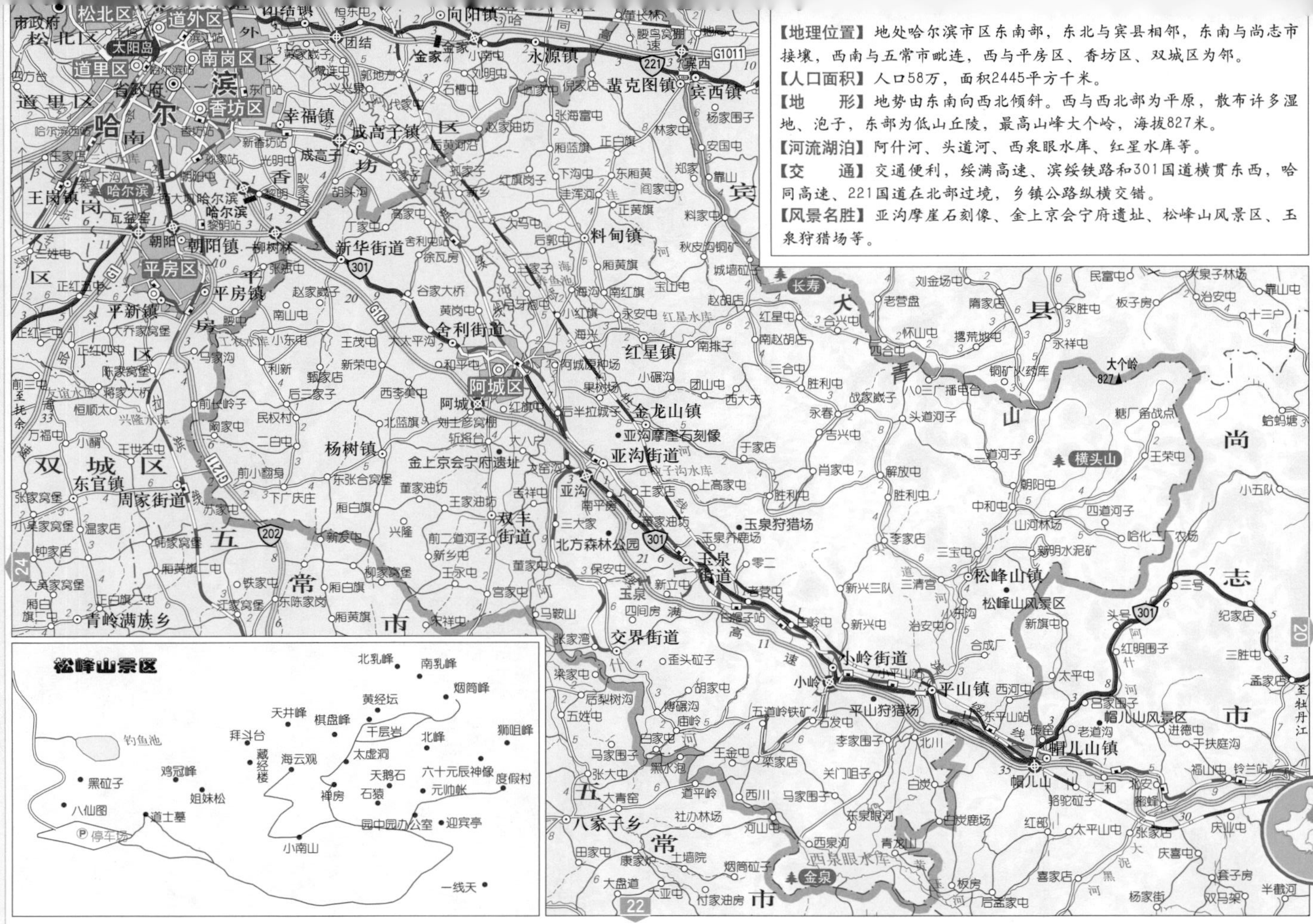

镜泊湖　国家级风景名胜区
二龙山　其他风景名胜区
牡丹峰　国家级自然保护区
哈尔滨　国家级森林、地质公园

比例尺　1：540 000
5.4千米　0　5.4　10.8　16.2千米

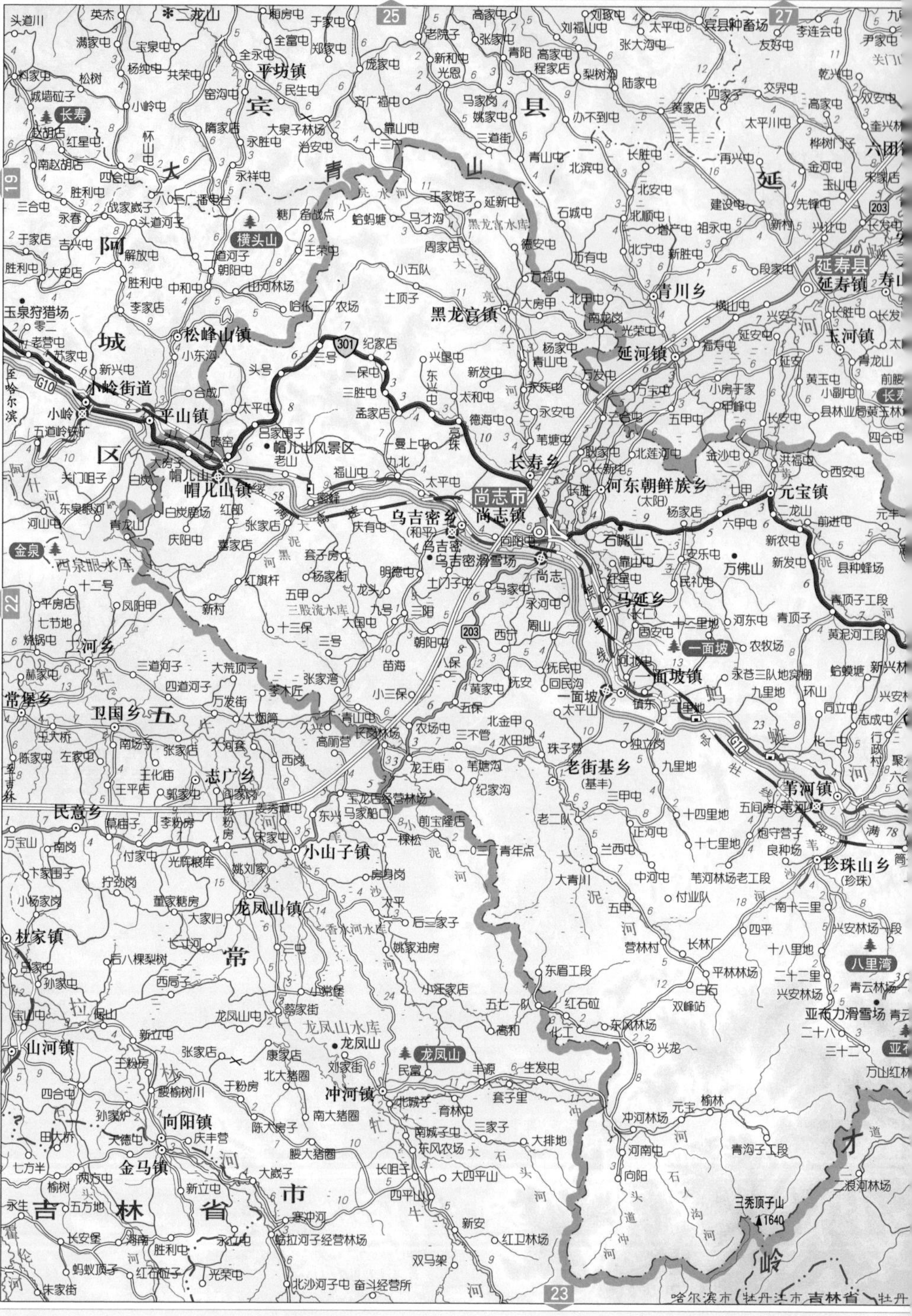

比例尺 1：760 000

7.6千米 0 7.6 15.2 22.8千米

高度表

0 50 100 200 300 400 500 600 800 1000 1200 1500米

【地理位置】 位于市境东北，东邻海林市，西靠阿城区，南与五常市接壤，北与延寿县、方正县、宾县相连接。

【人口面积】 人口62万，面积8891平方千米。

【地　　形】 为山地丘陵地貌，地势东高西低。东部为山区，西部为丘陵，境内四周环山，丘陵起伏。

【最高山峰】 三秃顶子山，海拔1640米。

【河流湖泊】 蚂蜒河、亮珠河、黄泥河，黑龙宫水库等。

【交　　通】 滨绥铁路、301国道、绥满高速公路东西贯穿全境，203省道由西北穿过，省道223为通向亚布力滑雪场的专线公路。尚志市作为哈牡之间唯一的副中心城市，已成为哈牡之间经济发展的黄金线。

【资　　源】 矿产资源有大理石、花岗岩、煤、铜、铁、银等。森林资源丰富，是全省重点林区和木制品集散地。莽原林海之间栖息着东北虎、黑熊、飞龙、林蛙等野生动物。生长着蕨菜、猴头蘑、元蘑等可食用野生植物和人参、平贝、刺五加等名贵野生中药材。

【经　　济】 经济以农业为主，初步构筑了以优质高效为核心的绿色产业，以名特优新为主导的特色产业，以生态建设为基础的林木产业，以规模养殖为途径的畜牧产业等四大主导产业。工业有建材、纺织、制药、木材加工、烟酒等。亚布力是我国最大酒花生产基地。“亚布力路”关东烟驰名中外。

【风景名胜】 一面坡、八里湾、亚布力国家森林公园、帽儿山风景区、乌吉密滑雪场、石嘴山、万佛山、亚布力滑雪场等。

【土特产品】 蘑菇、松子、人参、鹿茸、麝香、蜂蜜。

【景点介绍】 **亚布力滑雪场** 位于尚志市东南，距哈尔滨城区193千米。是目前我国最大的滑雪场。整个滑雪场处于群山环抱之中，林密雪厚，风景壮观。滑雪设备齐全。滑雪区内有15条高、中、初级雪道和30千米长的越野滑雪道，游人可进行高山滑雪、越野滑雪、也可乘旱地雪橇滑雪、骑雪地摩托、坐狗拉爬犁等，尽享北国冬天的无穷乐趣。

镜泊湖 国家级风景名胜区　　牡丹峰 国家级自然保护区　　服务区　　里程起讫点

二龙山 其他风景名胜区　　哈尔滨 国家级森林、地质公园　　出入口　　收费站

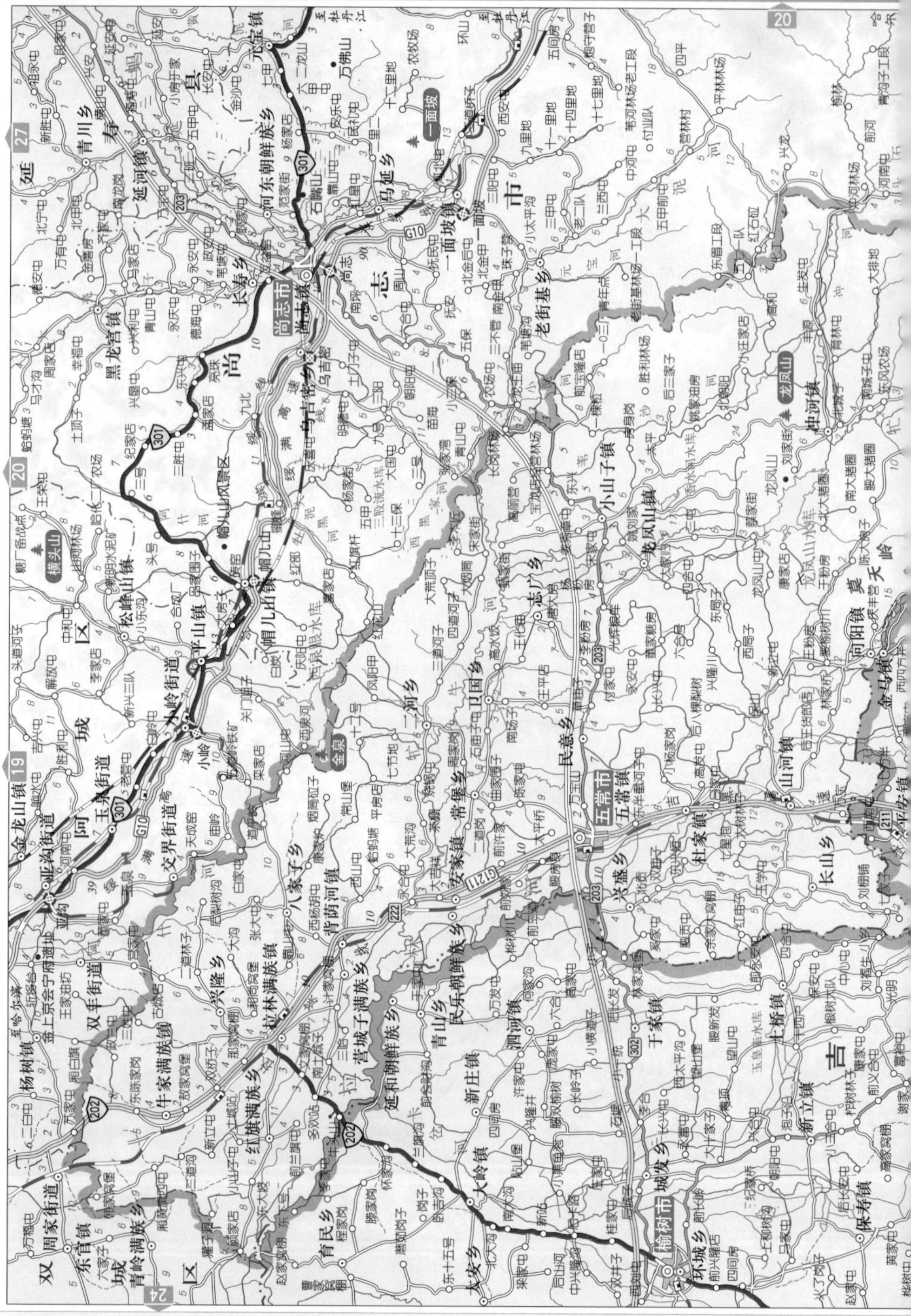

比例尺 1：780 000

7.8千米 0 7.8 15.6 23.4千米

高度表

0 50 100 200 300 400 500 600 800 1000 1200 1500米

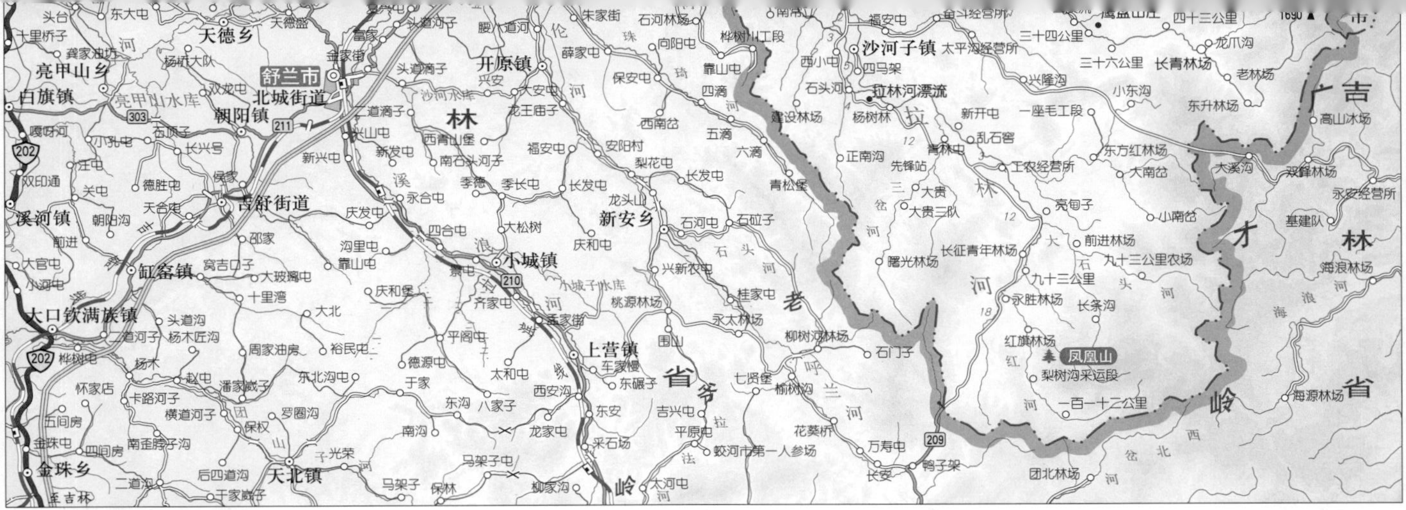

凤凰山

【地理位置】位于市境西南部。东部与尚志市相邻，北部与阿城区、双城区相接，西部、西南部、南部与吉林省毗邻。

【人口面积】人口101万，面积7512平方千米。

【地　　形】地处松嫩平原东南缘，东部为山地丘陵，北部和西部为平原。地势自东南向西北倾斜。

【河流湖泊】拉林河、牤牛河、苇沙河和龙凤山水库。

【交　　通】交通便利。拉滨铁路和202国道经过本境。203省道横穿过境，222省道与之在市区相交，于拉林满族镇与202国道相连。

【资　　源】矿产资源丰富，有磁铁、黄铜、沙金、石英石、水晶石、石英砂、大理石、建筑石、优质工程砂等。水资源和森林资源丰富，有红松，水曲柳、杨、桦、椴等树种。有人参、平贝、黄芪、刺五加等野生药用植物，野生动物有东北虎、紫貂、鹿、熊、狍子等。

【经　　济】是全国重要的商品粮基地，主要粮食作物有水稻、玉米、谷子、小麦等，水稻种植面积和产量居全省之首。“五常大米”享誉国内外。主要经济作物有甜菜、大麻、烤烟等。工业已形成中成制药、酿酒加工、轻纺化工、机械加工、电子建材、木制品、山产品加工等行业体系。

【风景名胜】龙凤山、凤凰山国家森林公园，鹰盘山庄、拉林河漂流等。

【土特产品】人参、鹿茸、羊肚蘑、刺嫩芽、榛蘑、山葡萄、榛子、橡子等。

【景点介绍】**凤凰山国家森林公园**　位于五常市东南，距五常城区150千米，是以原始针混交林为主的生态公园，区内生长着许多珍贵树种、山产珍品和珍稀动物。群山连绵，森林繁茂，峰峦叠障。以其东北大森林、大湿地、大冰雪、大峡谷为一体的森林公园远近闻名。有世界罕见的高山湿地、高山杜鹃，有飞流直下的高山峡谷瀑布群，是拉林河的发源地。

镜泊湖　国家级风景名胜区
二龙山　其他风景名胜区
牡丹峰　国家级自然保护区
哈尔滨　国家级森林、地质公园
服务区
出入口
里程起迄点
收费站

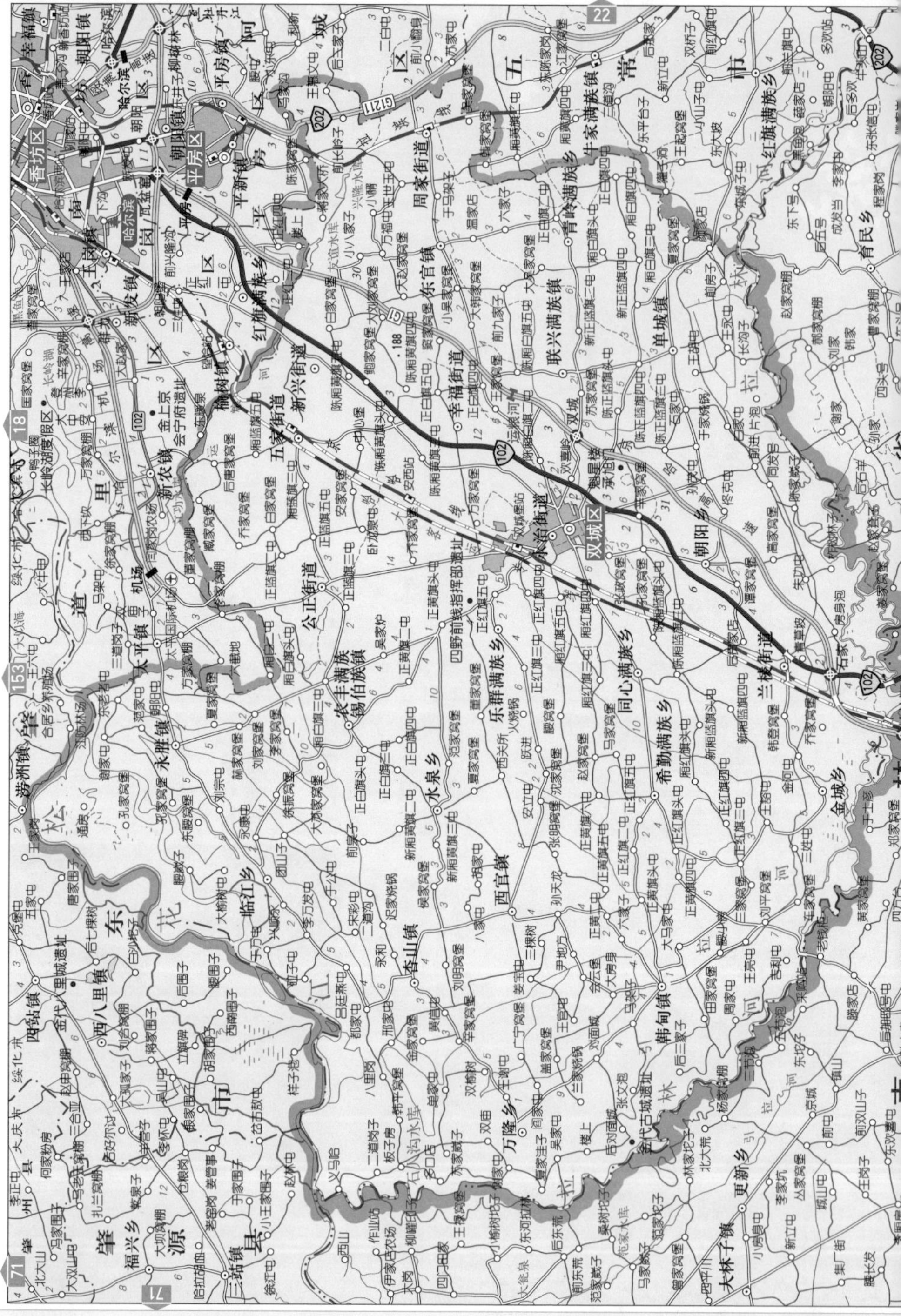

比例尺　1：500 000

5.0千米　0　5.0　10.0　15.0千米

高度表

0　50　100　200　300　400　500　600　800　1000　1200　1500米

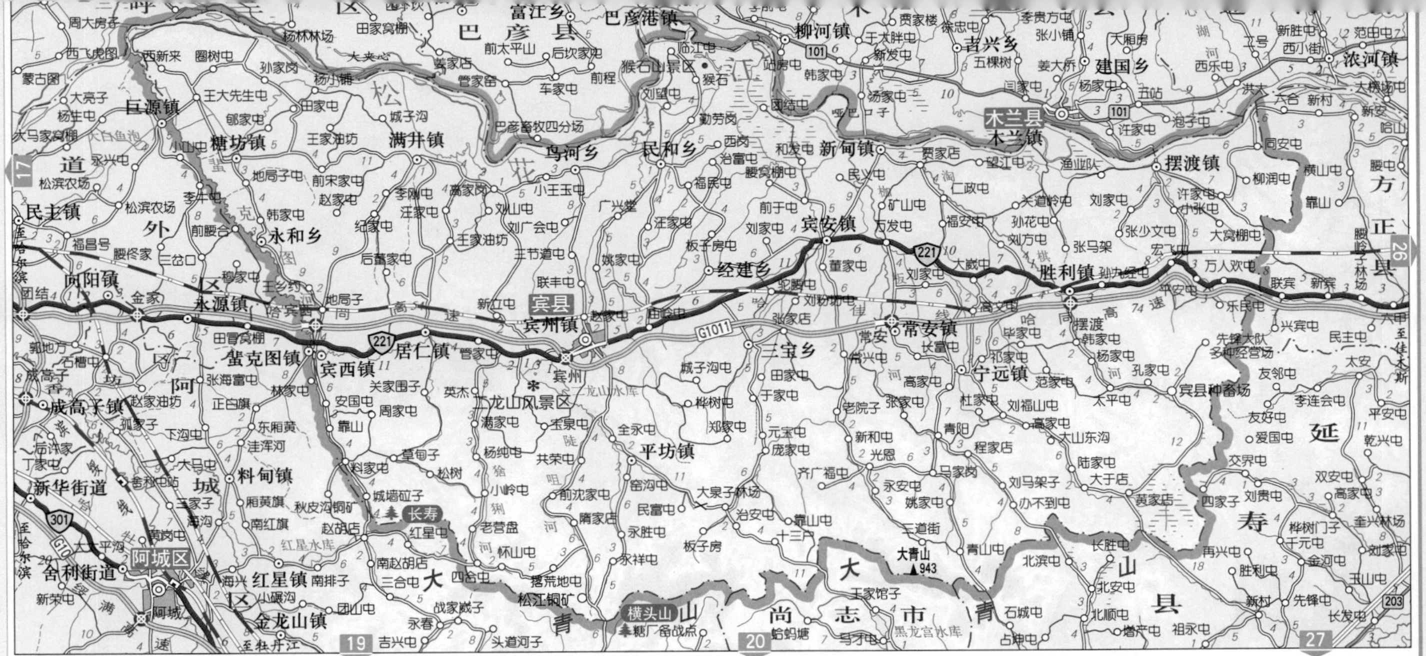

双城区

【地理位置】位于松嫩平原中部，东与阿城区、五常市接壤；南、西与吉林省为邻；西北、北与肇源县、肇东市相望；东北紧靠哈尔滨市辖区。

【人口面积】人口82万，面积3112平方千米。

【地　　形】地处松嫩平原东南部，地势平坦，呈东高西低状。

【河流湖泊】松花江、拉林河、引拉河、运粮河及石人沟水库等。

【交　　通】水、陆交通便捷。境内有哈大客运专线、京哈、拉滨两条铁路和京哈高速、102国道过境。松花江主航道经过，有停靠站。

【资　　源】矿产资源丰富，砖瓦用粘土分布较广，矿泉水储量丰富，还有石油、天然气等。

【经　　济】是全国重要粮食生产基地，全国最大奶牛养殖基地和全省最大畜产品生产基地。农作物有玉米、高粱、谷子、大豆、甜菜、向日葵、亚麻等。养貂业较盛。工业有机电、化工、医药、纺织、酿酒、食品等行业。

【风景名胜】四野前线指挥部遗址、魁星楼承旭门等。

宾县

【地理位置】东与方正县、延寿县接壤，南与尚志市相连，西与道外区、阿城区为邻，北与呼兰区、巴彦县、木兰县、通河县隔江相望。

【人口面积】人口63万，面积3845平方千米。

【地　　形】为山地丘陵地貌，地势东南部高，西北部低。

【河流湖泊】松花江、枷板河、二龙山水库。

【交　　通】哈同高速、221国道横贯全境，通往巴彦县高速与哈同高速境内相连。县乡公路连接成网。境内松花江通航。

【资　　源】矿藏有铜、铅、锌、石英石等。松江铜矿是省内最大铜矿。

【经　　济】工业有酿酒、纺织、电子、机械等行业，农作物有大豆、高粱、玉米等。有“大豆之乡”之称。是全国烤烟生产重点县和省黄牛生产基地之一。

【风景名胜】长寿国家森林公园、二龙山风景区、猴石山景区等。

【景点介绍】**二龙山风景区** 位于宾县城南5千米处。景区内大小龙山形似巨龙，两山山头直插入二龙湖中，恰似两条巨龙扑向湖心的珍珠岛，构成二龙戏珠的景观。

方正县

【地理位置】位于松花江中游南岸，东与依兰县、林口县接壤，南与延寿县、尚志市、海林市为邻，西与宾县相连，北隔松花江与通河县相望。
【人口面积】人口23万，面积2969平方千米。
【地　　形】境内地貌属低山丘陵区，三面环山，一面临水，总体南高北低。
【最高山峰】大秃顶子山，海拔1293米。
【河流湖泊】松花江、蚂蜒河、双凤水库等。
【交　　通】地处哈尔滨、佳木斯、鸡西、鹤岗4大城市一线中间地段，交通发达。哈同高速、221国道和203、309省道纵横交错组成主干交通网。
【资　　源】矿产资源有煤、油页岩、砂金、石英石、花岗岩、水晶、玄武岩、大理岩等。森林资源丰富，是黑龙江省木材主产区之一，有红松、落叶松、黄菠萝、紫椴、水曲柳等珍贵树种和狍子、黑熊、野猪、鹿等野生动物。
【经　　济】是黑龙江省水稻主产区之一。方正大米以其优良的品质名扬全国，有"富硒大米之乡"美誉。工业有亚麻原料加工、木材加工、皮革、农机等行业。
【风景名胜】太平山金代墓、莲花湖公园、方正湖公园等。

比例尺 1:580 000
5.8千米 0 5.8 11.6 17.4千米

高度表
0 50 100 200 300 400 500 600 800 1000 1200 1500米

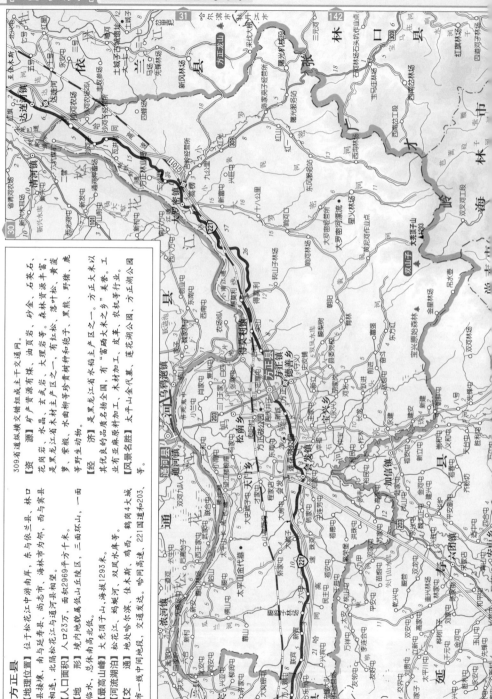

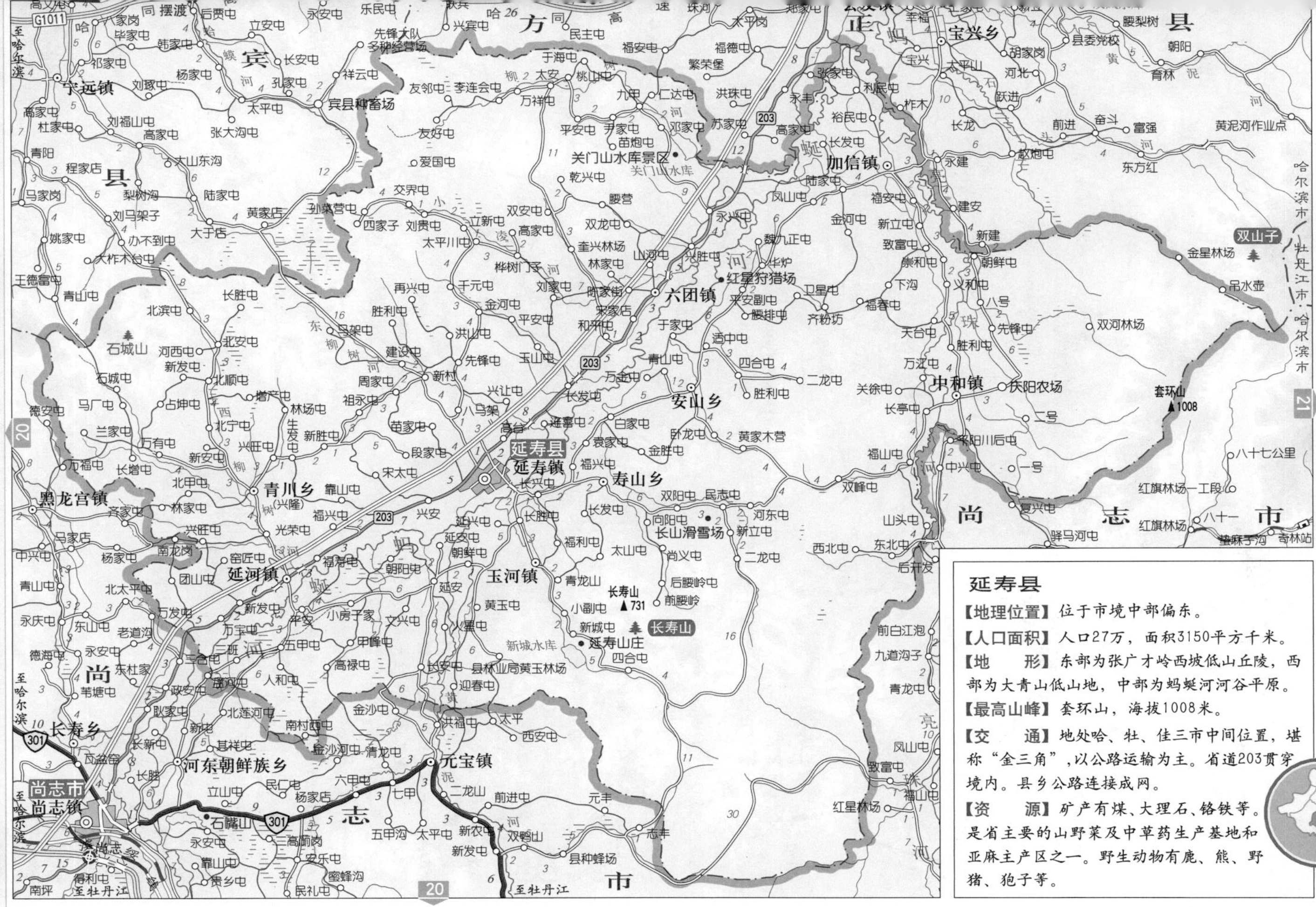

延寿县

【地理位置】位于市境中部偏东。

【人口面积】人口27万，面积3150平方千米。

【地　　形】东部为张广才岭西坡低山丘陵，西部为大青山低山地，中部为蚂蜒河河谷平原。

【最高山峰】套环山，海拔1008米。

【交　　通】地处哈、牡、佳三市中间位置，堪称“金三角”，以公路运输为主。省道203贯穿境内。县乡公路连接成网。

【资　　源】矿产有煤、大理石、铬铁等。是省主要的山野菜及中草药生产基地和亚麻主产区之一。野生动物有鹿、熊、野猪、狍子等。

镜泊湖　国家级风景名胜区
二龙山　其他风景名胜区
牡丹峰　国家级自然保护区
哈尔滨　国家级森林、地质公园

比例尺　1∶520 000

5.2千米　0　5.2　10.4　15.6千米

巴彦县

【地理位置】位于市境西北，南与宾县隔江相望，西与呼兰区为邻，北与绥化市北林区、庆安县交界，东与木兰县毗连。

【人口面积】人口71万，面积3135平方千米。

【地　　形】地势起伏，多岗坡地。整个地势是东高、西低、北岗、南平，中部多丘陵。

【河流湖泊】松花江、少陵河、泥河及江湾水库等。

【交　　通】滨北铁路穿越县境北部，鹤哈高速公路、101省道途经县境，县城有高速公路与哈同高速相接。松花江可通航。

【经　　济】工业主要有纺织、建材、制药、粮油加工、冶金机械、食品制造、橡胶化工、造纸印刷等产业。巴彦是农业大县，主产玉米、大豆、小麦、高粱，是全省大豆、亚麻及甜菜的主产区。

木兰县

【地理位置】位于松花江中游北岸，东与通河县相连，南与宾县以松花江主航道为界，西与巴彦县相邻，北与庆安县相依。

【人口面积】人口27万，面积3179平方千米。

【地　　形】北部为山区，南部为平原，大体呈东北高南低的地势。

【河流湖泊】松花江、少陵河、香磨山水库等。

【交　　通】101省道横贯境内南部，县乡公路连接成网。松花江可通航。

【资　　源】矿产资源有珍珠岩、角岗岩、花岗岩、石墨、水晶、铁、沙金、硅石、矿泉水等。林地面积广阔，有松、柞、槐、椴等树种。

比例尺　1∶480 000

4.8千米　0　4.8　9.6　14.4千米

高度表

0　50　100　200　300　400　500　600　800　1000　1200　1500米

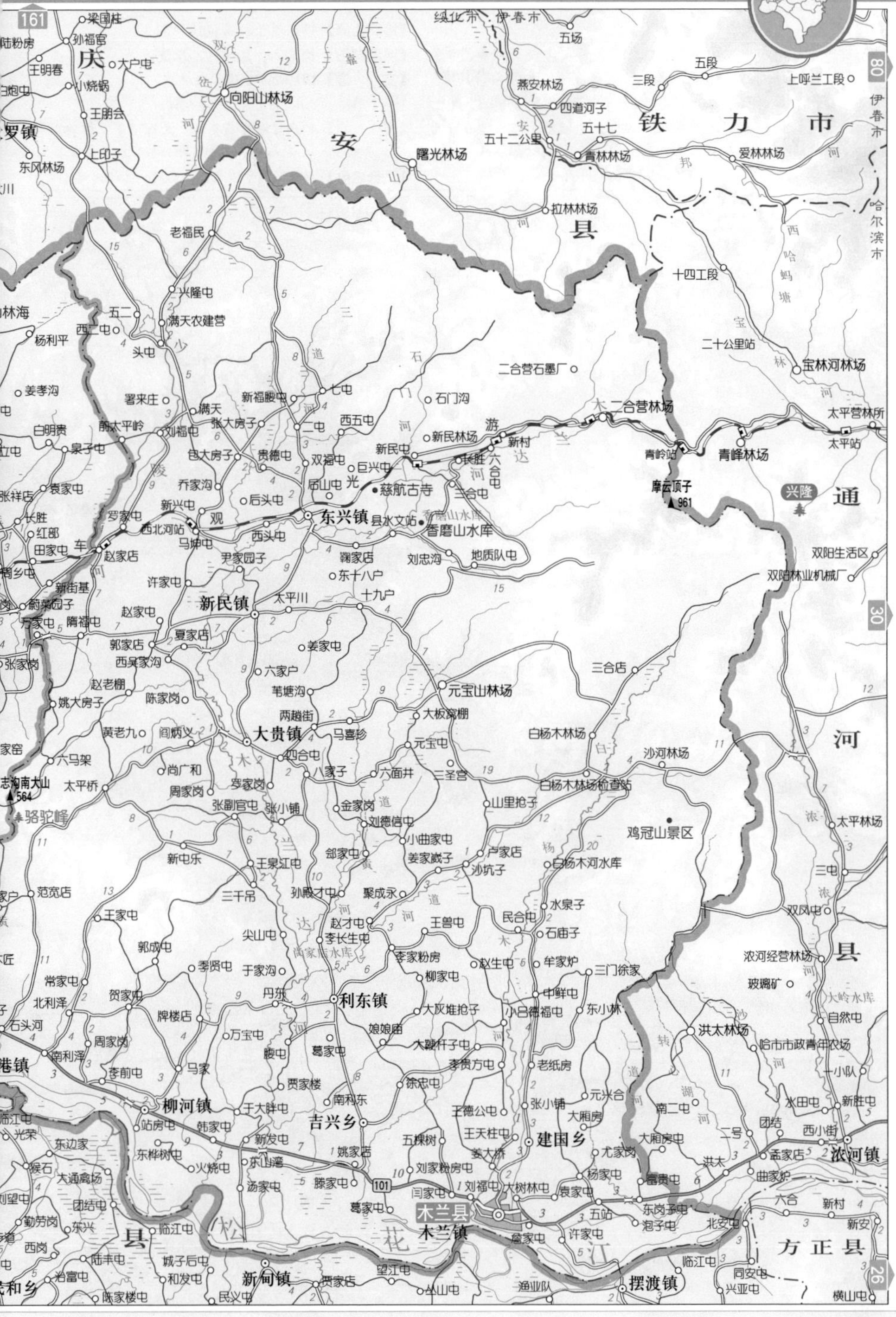

镜泊湖 国家级风景名胜区 | 牡丹峰 国家级自然保护区 | 服务区 | 里程起迄点
二龙山 其他风景名胜区 | 哈尔滨 国家级森林、地质公园 | 出入口 | 收费站

通河县

【地理位置】位于市境东北部，东邻依兰县，南与方正县、宾县隔江相望，西连木兰县、庆安县，北和铁力市、大箐山县接壤。

【人口面积】人口25万，面积5675平方千米。

【地　　形】地势西北高，东南低，由北向南倾斜，似马蹄形。北部为山区，中部为低山丘陵和山前台地；南部是松花江洪积、冲积平原。

【最高山峰】妈妈顶子，海拔1234米。

【河流湖泊】松花江、岔林河、跃进泡等。

【交　　通】101、203省道纵横境内。松花江可通航。有森
188千米。

【资　　源】矿产资源有石英石、大理石等。林地面积广
松、桦树等。还有鹿、熊等珍贵野生动物和蕨菜等野生植物

【风景名胜】兴隆、乌龙国家森林公园，岔林河漂流等。

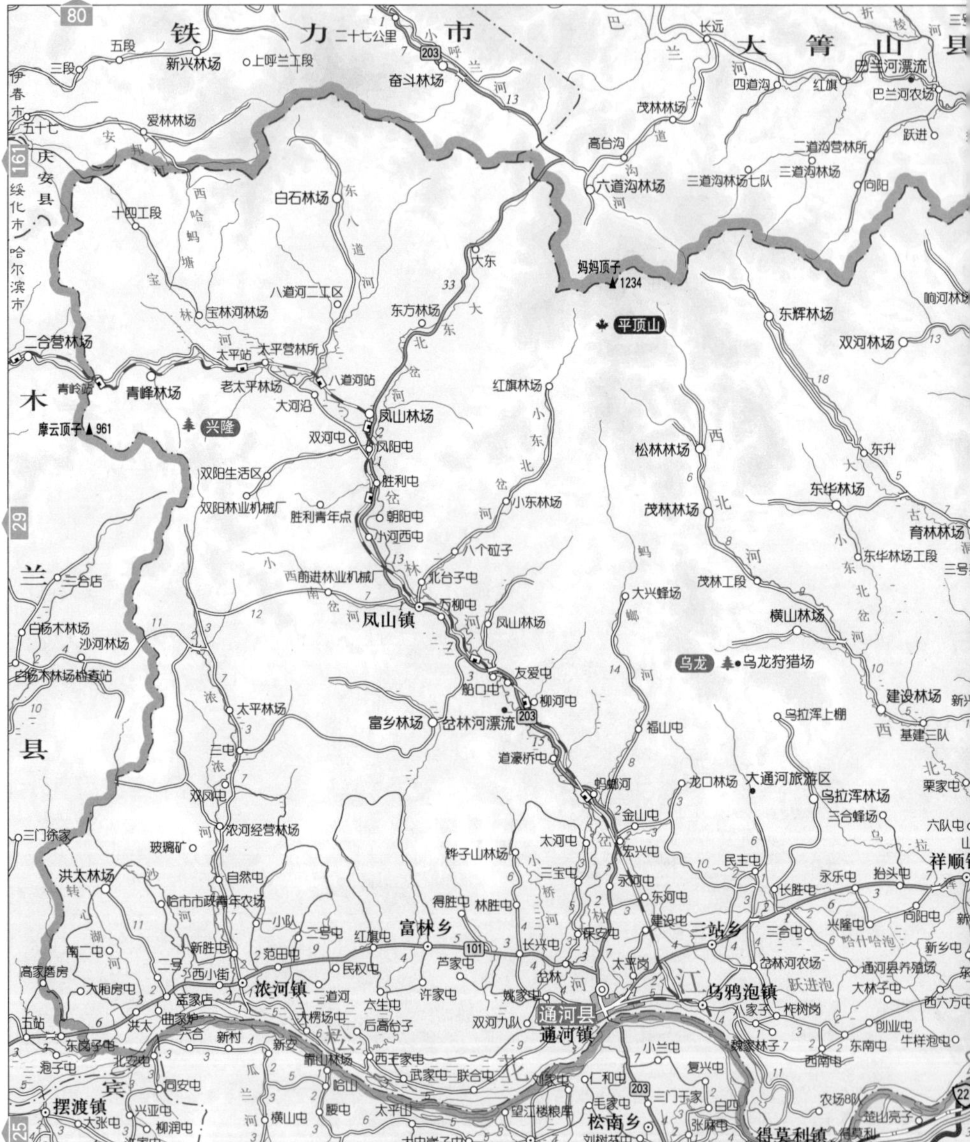

比例尺　1∶600 000

6.0千米　0　6.0　12.0　18.0千米

高度表

0　50　100　200　300　400　500　600　800　1000　1200　1500米

县

置】位于市境东北部，东与桦南县、勃利县相邻，南与林口县、方
壤，西连通河县，北接大箐山县、南岔县、汤原县、郊区。

积】人口41万，面积4616平方千米。

形】四面环山，形成了四周高，中间低的地形。

峰】火烧岗南山，海拔1028米。

泊】松花江、牡丹江、倭肯河、安兴水库、永发水库等。

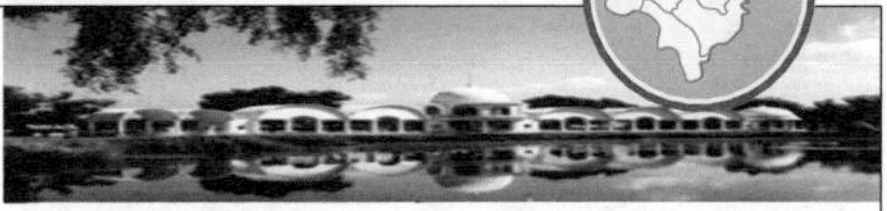

【交　　通】哈同高速与依七高速相接。221国道过境，101、307、308省道四通八达。松花江可通航。

【风景名胜】风情谷、补天遗柱、巴兰河漂流、牡丹江漂流。

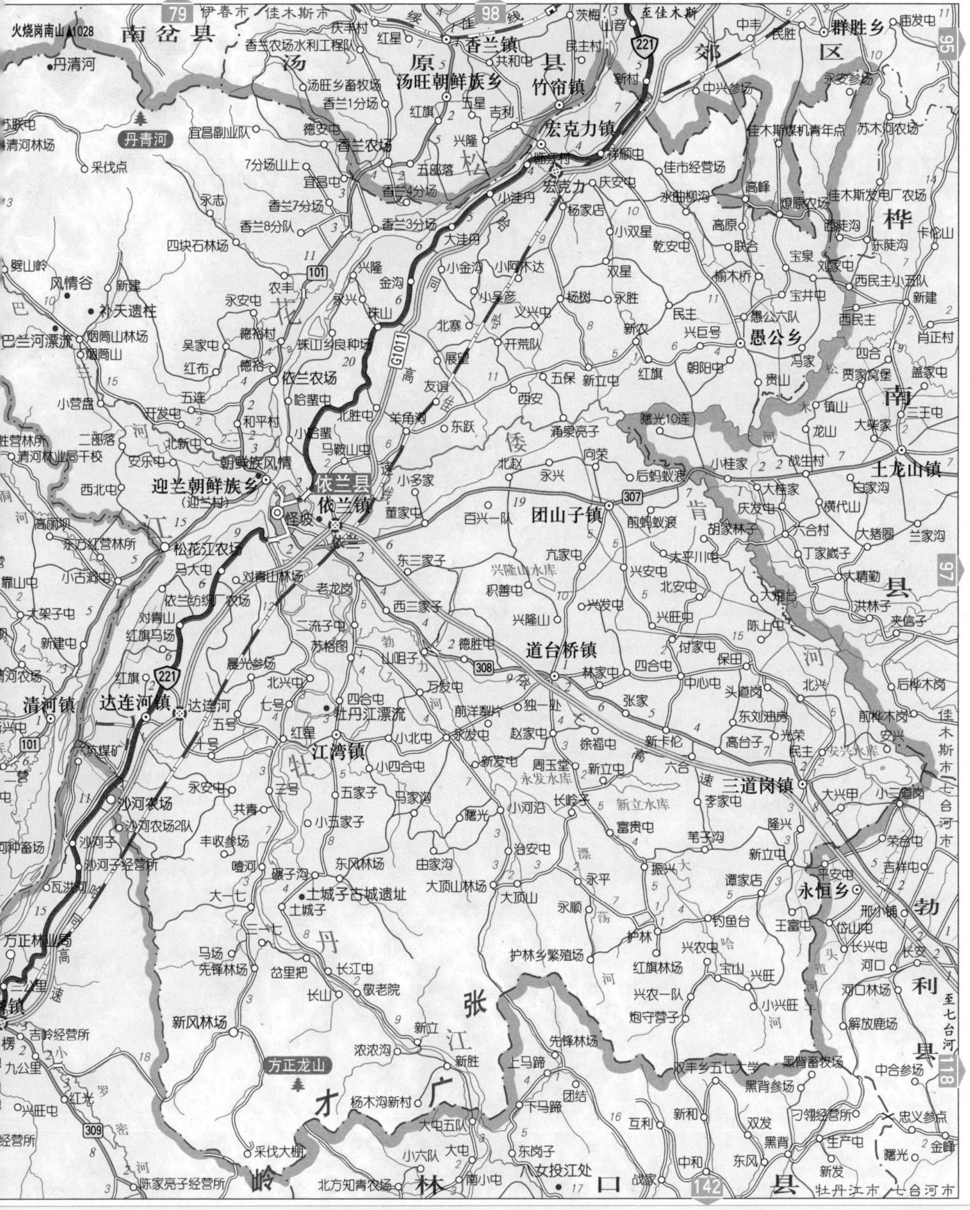

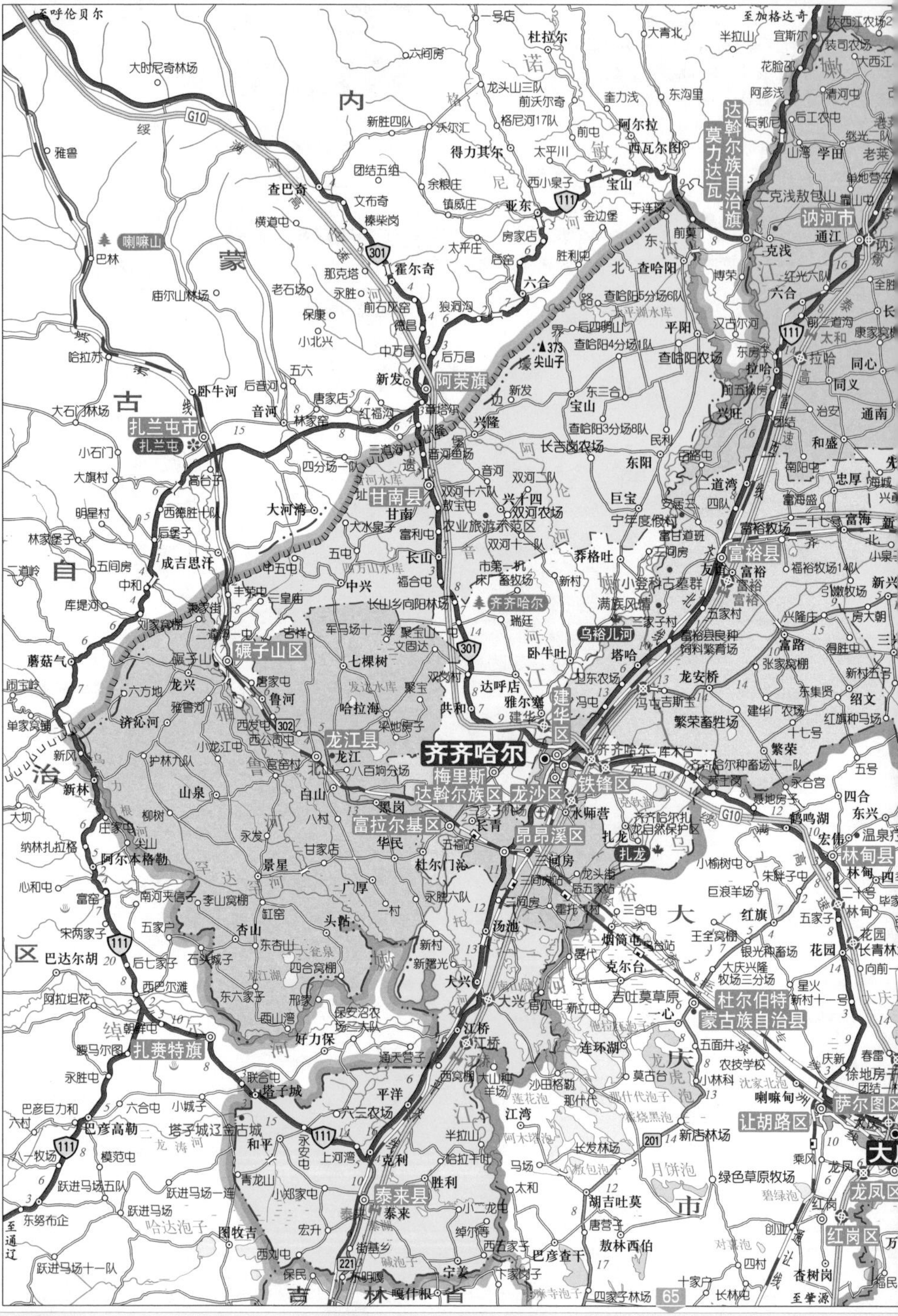

比例尺 1:1 650 000

16.5千米 0 16.5 33.0 49.5千米

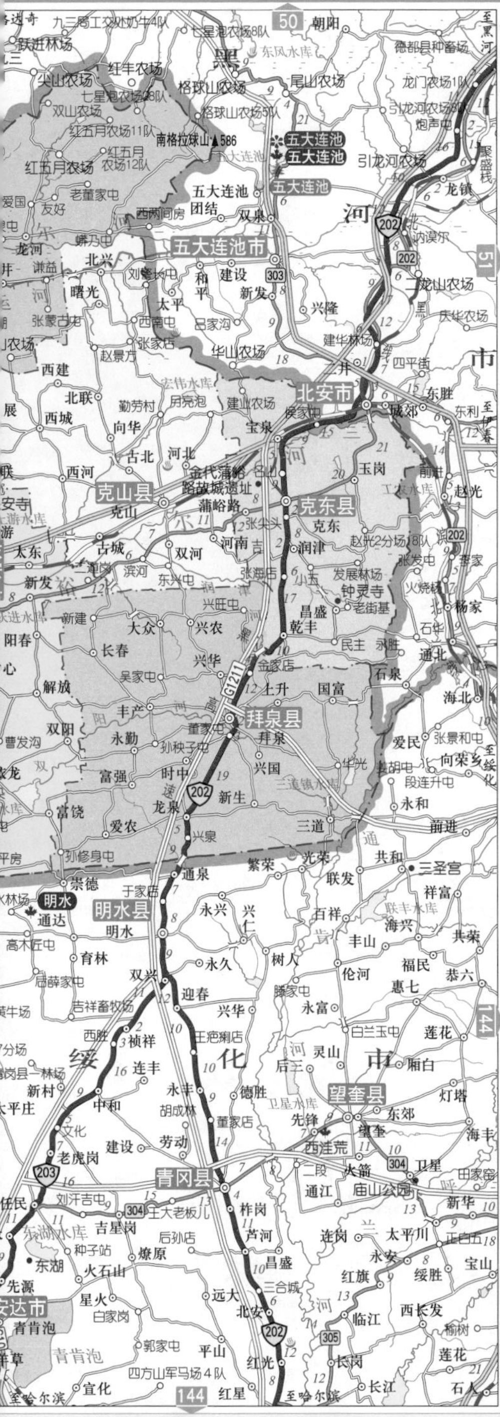

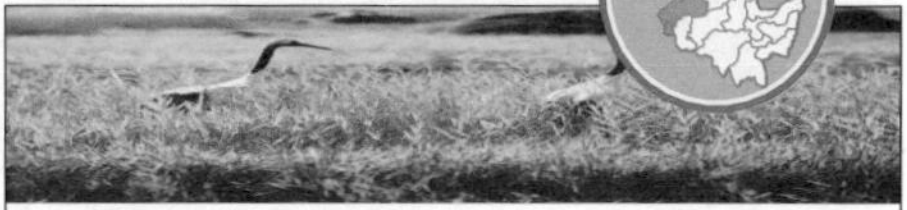

【地理位置】 位于黑龙江省西部，东南邻绥化市，南与大庆市、吉林省相接，西与内蒙古自治区接壤，北部和东部与黑河市为邻。

【行政区划】 辖建华、龙沙、铁锋、昂昂溪、富拉尔基、碾子山、梅里斯达斡尔族7区，讷河市，龙江、依安、泰来、甘南、富裕、克山、克东、拜泉8县。

【人口面积】 人口558万，面积44287平方千米。

【历史沿革】 古为室韦族祖先活动地区。金属东北路招讨司。元划归北辽东道。明隶福余卫。清康熙三十八年（1699年）黑龙江将军移驻。光绪三十三年（1907年）黑龙江将军改为行省，齐齐哈尔始为省治。1924年设齐齐哈尔市。1945年后历为嫩江省、里嫩省、黑龙江省省会，1954年改为省辖市。

【地　　形】 东、北、西三面为大兴安岭和小兴安岭余脉所环绕，境内为松嫩平原西部和大兴安岭东坡丘陵、平原地区。中部和南部为平原，湖泡众多并有大片沼泽分布。

【最高山峰】 南格拉球山，海拔为586米。

【河流湖泊】 嫩江、讷谟尔河、乌裕尔河、雅鲁河、罕达罕河和北部引嫩总干渠等，克钦湖、南山湖、跃进水库、双阳河水库、音河水库等。

【气　　候】 属大陆性季风气候区，四季分明，年平均气温0.8–3.6℃，年降水量390–498毫米，无霜期122–150天。

【交　　通】 齐齐哈尔是黑龙江省西部重要的交通枢纽，滨洲、平齐、齐北铁路在此交会，111、202、301国道在本境穿过，绥满、嫩泰高速交会境内。齐齐哈尔三家子机场已成为省内第二大航空港，现已开通直达北京、上海、广州、成都、沈阳等多条航线。

【资　　源】 齐齐哈尔幅员辽阔，土壤类型多样，土地肥沃，水草资源丰富。境内野生动植物种类繁多。矿产资源有石油、天然气、黄黏土、矿泉水等。

【风景名胜】 齐齐哈尔国家森林公园，扎龙国家级自然保护区，北山、碾子山等景区，东北路界壕边堡遗址、保安寺等。

扎龙自然保护区

镜泊湖 国家级风景名胜区　牡丹峰 国家级自然保护区　服务区　里程起迄点
二龙山 其他风景名胜区　哈尔滨 国家级森林、地质公园　出入口　收费站

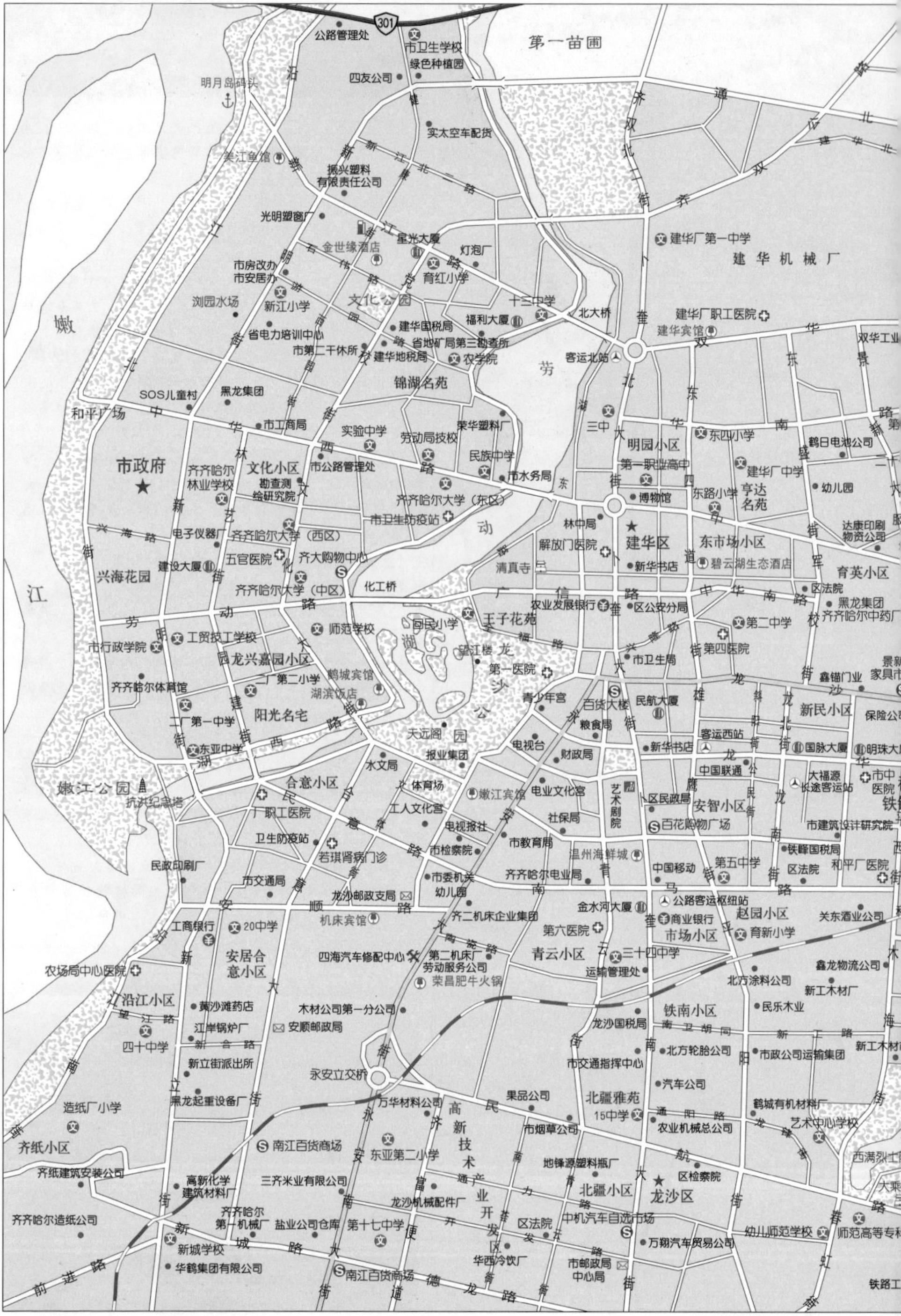
301
公路管理处
市卫生学校
绿色种植园
第一苗圃
四友公司
明月岛码头
实太空车配货
美江鱼馆
振兴塑料
有限责任公司
光明塑窗厂
金世缘酒店
星光大厦
灯泡厂
建华厂第一中学
建华机械厂
市房改办
市安居办
育红小学
浏园水场
新江小学
文化公园
十三中学
北大桥
建华厂职工医院
福利大厦
建华宾馆
省电力培训中心
建华国税局
市第二干休所
省地矿局第三勘查所
建华地税局
农学院
客运北站
双华工业
嫩
锦湖名苑
劳
SOS儿童村
黑龙集团
和平广场
三中
市工商局
实验中学
荣华塑料厂
东四小学
鹤日电池公司
明园小区
劳动局技校
民族中学
第一职业高中
建华厂中学
市政府
齐齐哈尔
林业学校
文化小区
市公路管理处
市水务局
亨达
名苑
勘查测
绘研究院
齐齐哈尔大学（东区）
博物馆
东路小学
幼儿园
林中局
市卫生防疫站
动
电子仪器厂
齐齐哈尔大学（西区）
解放门医院
建华区
东市场小区
达康印刷
物资公司
五官医院
齐大购物中心
建设大厦
新华书店
碧云湖生态酒店
兴海花园
清真寺
育英小区
化工桥
齐齐哈尔大学（中区）
区法院
江
农业发展银行
区公安分局
黑龙集团
齐齐哈尔中药厂
师范学校
王子花苑
回民小学
第二中学
工贸技工学校
市行政学院
龙兴嘉园小区
望江楼
第四医院
市卫生局
湖
第一医院
二厂第二小学
鹤城宾馆
齐齐哈尔体育馆
湖滨饭店
青少年宫
百货大楼
民航大厦
鑫锚门业
景新
家具市
阳光名宅
新民小区
天远阁
粮食局
客运西站
保险公司
二厂第一中学
东亚中学
电视台
报业集团
新华书店
财政局
国脉大厦
明珠大
水文局
中国联通
合意小区
大福源
长途客运站
市中
医院
铁轨
体育场
嫩江公园
抗洪纪念塔
嫩江宾馆
电业文化宫
艺术剧院
区民政局
安智小区
厂职工医院
工人文化宫
社保局
电视报社
百花购物广场
市建筑设计研究院
卫生防疫站
市教育局
市检察院
温州海鲜城
铁峰国税局
民政印刷厂
若琪肾病门诊
中国移动
第五中学
和平厂医院
区法院
齐齐哈尔电业局
市委机关
幼儿园
市交通局
龙沙邮政支局
金水河大厦
公路客运枢纽站
赵园小区
关东酒业公司
工商银行
20中学
机床宾馆
齐二机床企业集团
商业银行
市场小区
育新小学
第六医院
安居合
意小区
四海汽车修配中心
第二机床厂
劳动服务公司
青云小区
三十四中学
鑫龙物流公司
农场局中心医院
荣昌肥牛火锅
运输管理处
北方涂料公司
新工木材厂
沿江小区
黄沙滩药店
木材公司第一分公司
铁南小区
民乐木业
江岸锅炉厂
安顺邮政局
龙沙国税局
四十中学
新工木材市
市政公司运输集团
新立街派出所
北方轮胎公司
永安立交桥
市交通指挥中心
汽车公司
黑龙起重设备厂
果品公司
北疆雅苑
造纸厂小学
万华材料公司
鹤城有机材料厂
15中学
艺术中心学校
高
新
技
术
市烟草公司
农业机械总公司
齐纸小区
南江百货商场
东亚第二小学
西满烈士
地锋源塑料瓶厂
齐纸建筑安装公司
区检察院
高新化学
建筑材料厂
三齐米业有限公司
大乘
北疆小区
龙沙区
龙沙机械配件厂
齐齐哈尔造纸公司
齐齐哈尔
第一机械厂
盐业公司仓库
第十七中学
区法院
中机汽车自选市场
幼儿师范学校
师范高等专科
新城学校
万翔汽车贸易公司
华西冷饮厂
华鹤集团有限公司
南江百货商场
市邮政局
中心局
铁路工

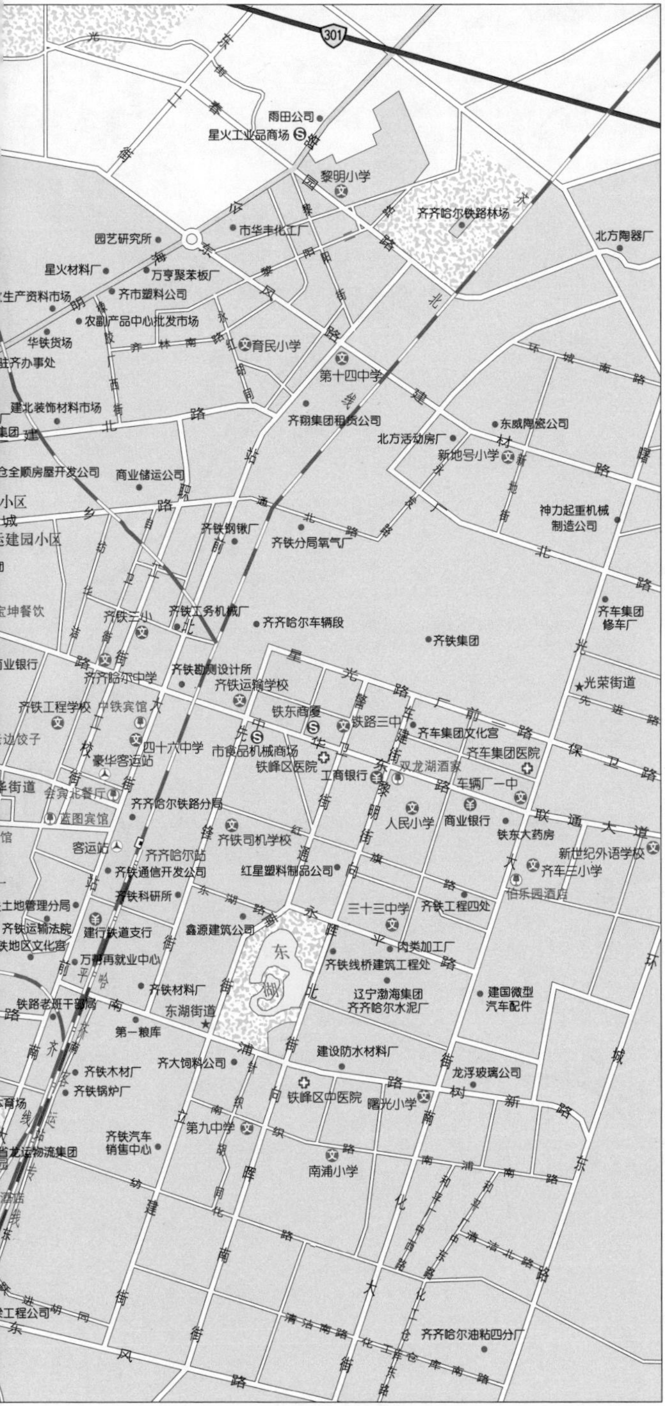

【城市特色】 齐齐哈尔，达斡尔语意为“边疆”、“天然牧场”，旧称“卜奎”，是一座历史悠久的文化古城。位于嫩江中游松嫩平原上，是黑龙江省第二大城市，黑龙江省西部地区的政治、经济、科技、文化、教育、商贸中心和重要的交通枢纽。齐齐哈尔具有雄厚的工业基础，装备工业基地、绿色食品之都、生态旅游之乡是齐齐哈尔城市品牌特色。2004年被评为“中国魅力城市”之一 。

【交　　通】 市内公共交通发达，多条长途汽车线路通往各县，齐齐哈尔火车站有通往北京、哈尔滨、长春、沈阳、大连等各大城市的快速列车；齐齐哈尔机场是黑龙江省第二大航空港，先后开通了北京、上海、广州、武汉、黑河、沈阳、大连、青岛、海拉尔等航线，并有直达俄罗斯的临时国际航线。嫩江5—10月可通航。

【风景名胜】 龙沙公园、嫩江公园、大乘寺等。

【景点介绍】 **龙沙公园** 龙沙公园始建于1904年，是黑龙江省建立最早的公园，因当时利用城西南部旧色基址，故称仓西公园。俗称西花园。1917年改称龙沙公园。龙沙公园内设五个游览区：文化游览区，有藏书楼、望江阁等建筑。劳动湖游览区，湖中有岛，岛中有湖。曲桥、拱桥逶迤，颇为壮观。望江楼座落于园内劳动湖东岸的假山上，建于1907年，是一座古典园林楼阁，它以精美别致的造型成为龙沙公园代表性建筑，是整个公园的游览中心。寿山祠是1926年为纪念民族英雄寿山将军而建，是龙沙公园的园中之园。

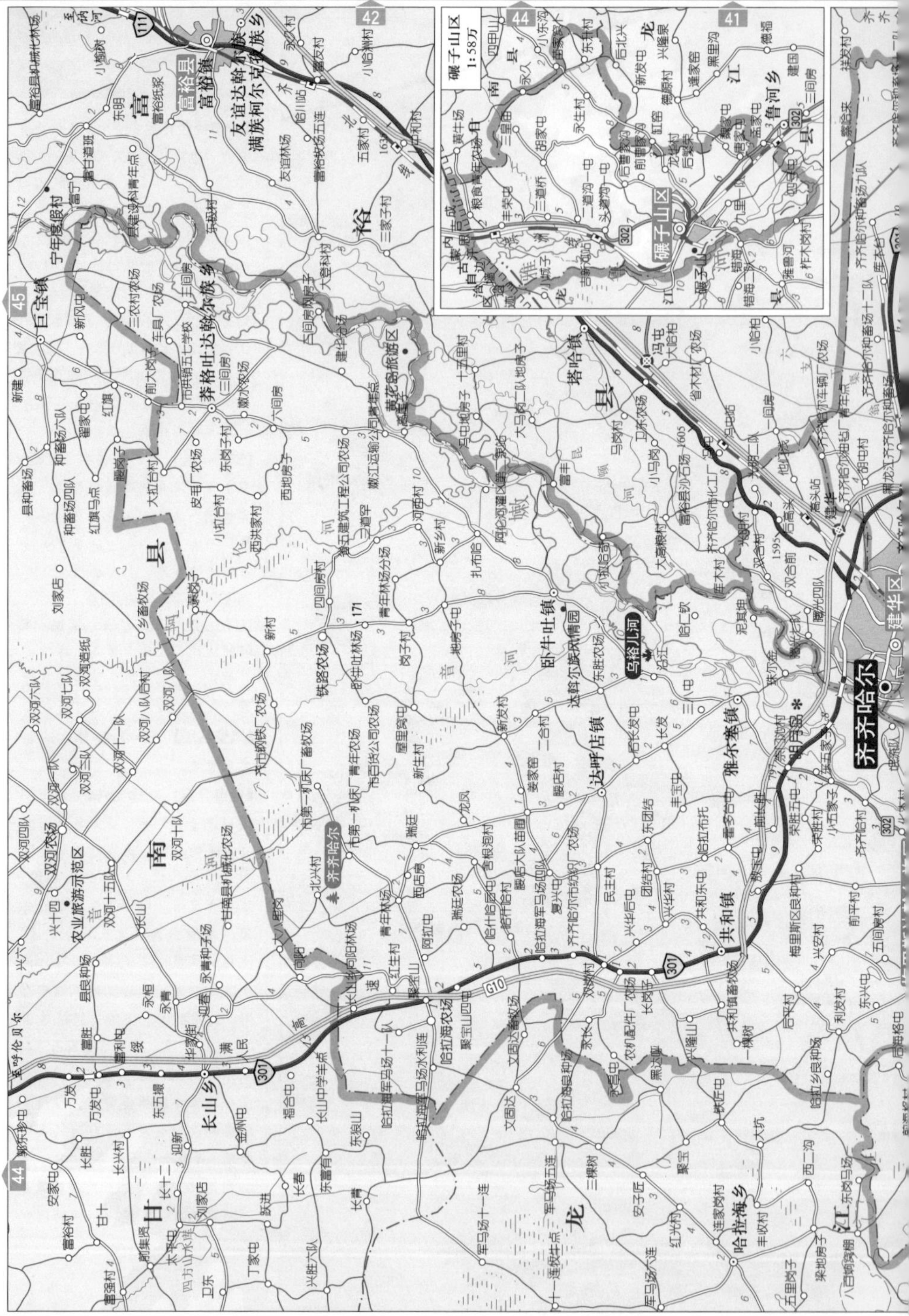

比例尺 1∶470 000

4.7千米 0 4.7 9.4 14.1千米

高度表

0 50 100 200 300 400 500 600 800 1000 1200 1500米

明月岛

【地理位置】 市辖区位于市境西南部。东靠富裕县、林甸县，南与泰来县、杜尔伯特蒙古族自治县接壤，西连龙江县，北接甘南县。碾子山区位于市境西部。

【人口面积】 人口143万，面积5582平方千米。

【地　　形】 地处松嫩平原西部，属山前平原。地域平坦辽阔。

【河流湖泊】 嫩江、乌裕尔河、阿伦河、音河及克钦湖等。

【交　　通】 铁路滨洲线、齐北线、平齐线在区内交会。绥满、嫩泰高速和111、301国道及302省道纵横境内。三家子机场有通往国内各大主要城市的航班。

【资　　源】 矿产资源有石油、天然气、黄黏土等。土地肥沃，是我国少有的黑土地地区之一。野生动植物种类繁多。产防风、人参、柴胡、刺五加、黄芪、甘草等中药材。

【经　　济】 是国家最早兴建的老工业基地之一。也是黑龙江省西部重要机械工业城市，形成了包括重型机械、冶金、化工、轻工、纺织、建材、食品、电子、医药等门类齐全的工业体系。

【土特产品】 木制家具、冰刀等。

【风景名胜】 齐齐哈尔国家森林公园、溪水森林公园、金三角森林公园、明月岛、扎龙国家级自然保护区、黄花岛旅游区等。

【景点介绍】 **明月岛** 位于齐齐哈尔市区西北约7千米的嫩江中游，是一座面积仅0.8平方千米的江心岛。其形状如同一弯明月倒映在水中，因而得名。与哈尔滨市太阳岛景区相携有姊妹岛之称，是北部边疆野趣盎然的自然风景区。明月岛被碧波环抱，盛夏时节，凭借轮船绕岛而行，水光树色相映成辉。在岛上中心地带，建有一组精巧典雅的古建筑，并环岛修建了目前全国最长的儿童游览列车铁路。

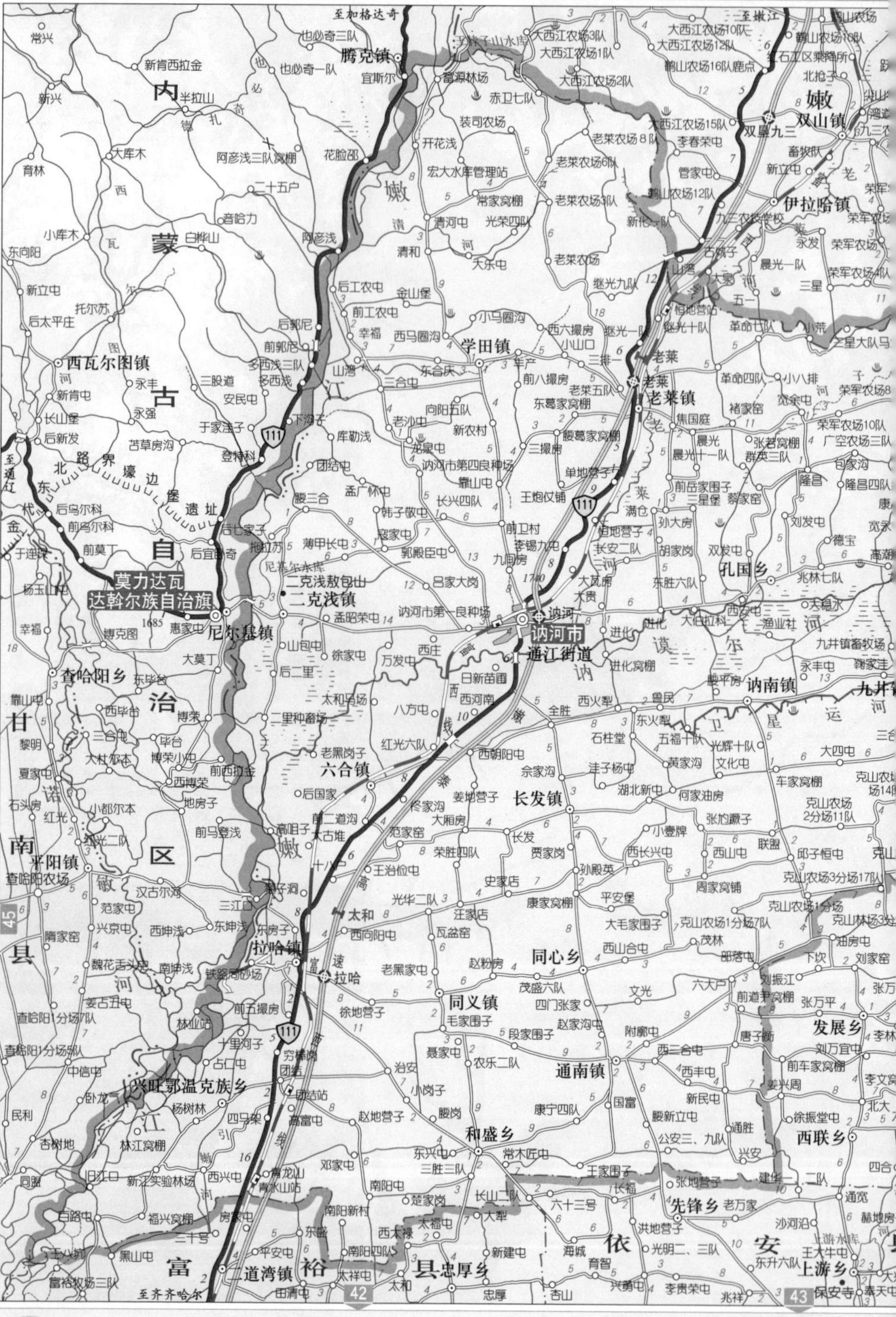

比例尺 1:620 000

6.2千米 0 6.2 12.4 18.6千米

高度表

0 50 100 200 300 400 500 600 800 1000 1200 1500米

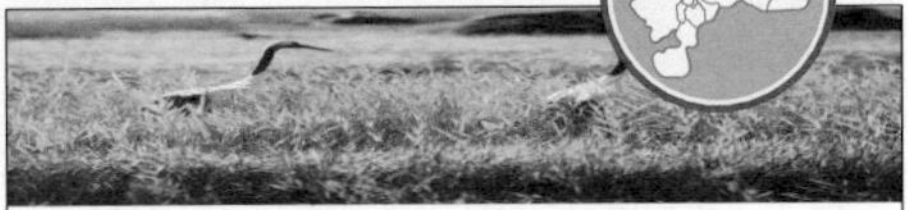

【地理位置】 位于市境北部，东临五大连池市、克山县，南接富裕县、依安县，西与甘南县、内蒙古自治区莫力达瓦达斡尔族自治旗隔江相望，北与嫩江市相邻。

【人口面积】 人口73万，面积6664平方千米。

【历史沿革】 清康熙二十八年（公元1689年）置布特哈旗。宣统二年（公元1910年）置讷河直隶厅，因境内讷谟尔河得名。1913年改设讷河县。1992年撤县设市（县级）。

【地　　形】 地处松嫩平原北部台地，北部地势渐高，西部嫩江沿岸和中部讷谟尔河两岸多低洼沼泽地。

【最高山峰】 南格拉球山，海拔596米。

【河流湖泊】 嫩江、讷谟尔河、卫星运河、老莱河、南阳河、尼基尔水库等。

【交　　通】 交通较发达。富西铁路、嫩泰高速和111国道纵贯全境，县乡公路连接成网。嫩江可季节性通航。

【资　　源】 矿产资源丰富，有高岭土、黄黏土、钾长石、硅藻土、沸石等。黄黏土储量和质量居世界首位。富含偏硅酸等物质的矿泉水储量巨大。森林面积辽阔，有松、桦、柞等树种。土地肥沃，水资源丰富。盛产黄芪、红花、平贝等中药材。

【经　　济】 以农业为主，畜牧业、渔业齐头并进，被国家命名为全国百名产粮大县、全国卫生城市、"中国马铃薯之乡"和"中国甜菜之乡"，是黑龙江省十强县（市）之一。素有"黑土明珠"、"北国粮仓"之美誉。讷河市已被列入全国和黑龙江省"大豆振兴计划"重点县。地方工业形成马铃薯、大豆、优质麦、畜产品、非金属矿五大产品开发系列。

【风景名胜】 二克浅敖包山、石底河火山熔岩地貌。

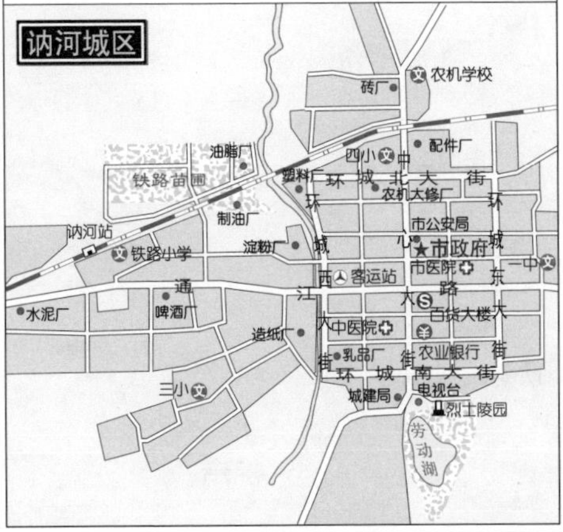

镜泊湖 国家级风景名胜区　　牡丹峰 国家级自然保护区　　服务区　　里程起迄点

二龙山 其他风景名胜区　　哈尔滨 国家级森林、地质公园　　出入口　　收费站

泰来县

【地理位置】位于市境最南部，东与大庆市杜尔伯特蒙古族自治县隔江相邻，南与吉林省相接，西与内蒙古自治区水陆两界，北与齐齐哈尔市区接壤。

【人口面积】人口30万，面积4061平方千米。

【地　　形】处松嫩平原西部，地势西北略高，中部平坦宽阔，东南低洼。

【河流湖泊】嫩江、乌裕尔河、托力河、南山湖、宏胜水库等。

【交　　通】平齐铁路，嫩泰高速、111国道、221省道贯通南北，县乡公路连接成网。嫩江可通航。

【资　　源】地处草原地区，芦苇资源丰富，野生药材较多；盛产甘草、防风、黄芩、桔梗、柴胡、龙胆草等。野生动物有狼、狐、黄羊、山鸡等。地下蕴藏着石油、天然气等矿藏。

【经　　济】工业有原油、机制纸、乳制品、羽绒产品、啤酒、水泥、汽车配件、变压器等行业。为半农半牧县。农产品主要有水稻、玉米、瓜果、花生、绿豆、葵花等。畜牧业以饲养黄牛、马、绵羊为主。

【风景名胜】塔子城辽金古城、江桥抗战遗址、蒙古族风情等。

比例尺 1:630 000

6.3千米 0 6.3 12.6 18.9千米

高度表

0 50 100 200 300 400 500 600 800 1000 1200 1500米

龙江县

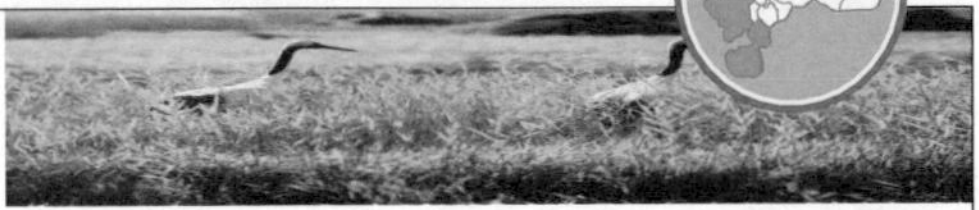

【地理位置】 位于市区西侧，东临齐齐哈尔市区、泰来县，北与甘南县接壤，西北、西南和南部与内蒙古自治区扎兰屯市、扎赉特旗毗连。

【人口面积】 人口60万，面积6197平方千米。

【地　　形】 地处松嫩平原西缘与大兴安岭东坡过渡地带。东部为冲积平原，西部为丘陵。

【最高山峰】 朝阳山，海拔606米。

【交　　通】 滨洲铁路、302省道过境，县乡公路构成四通八达的交通网。

【经　　济】 是全国粮食生产百强县之一和著名的杂粮产区，盛产玉米、大豆、高粱、水稻、中草药等杂粮和经济作物，是全省畜牧大县。中国东北细毛绒山羊基地县，素有“绿色肉羊之乡”和“绿色米业基地”的美誉。

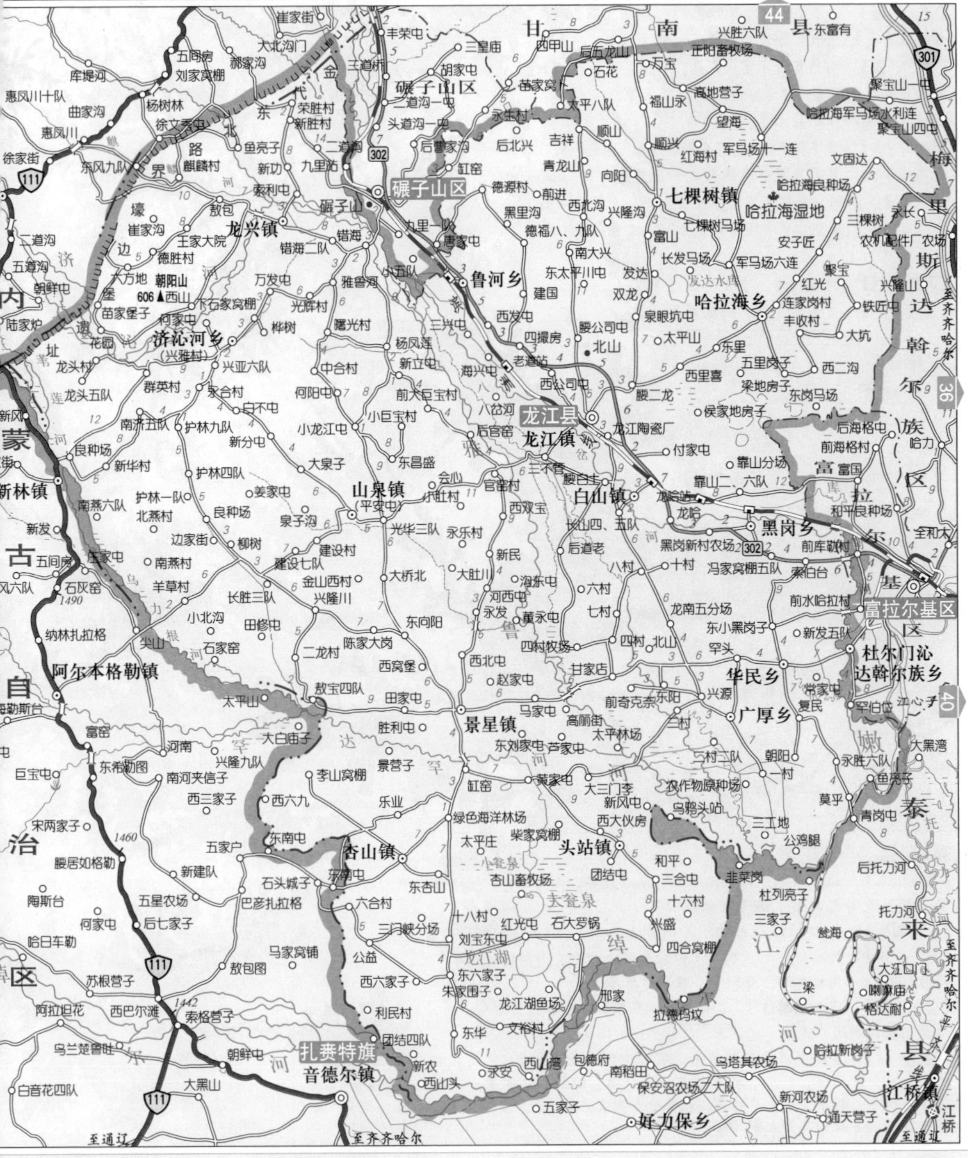

镜泊湖 国家级风景名胜区　　牡丹峰 国家级自然保护区
二龙山 其他风景名胜区　　哈尔滨 国家级森林、地质公园

比例尺　1∶730 000

7.3千米　0　7.3　14.6　21.9千米

富裕县

【地理位置】 位于市境中部。东与依安县接壤，南与林甸县毗邻，西与甘南县、齐齐哈尔市区隔嫩江相望，北与讷河市相连。

【人口面积】 人口27万，面积4335平方千米。

【地　　形】 地处松嫩平原的北部，多泡沼沙丘。境内地形多属冲积波状平原，东北部有平缓漫岗。

【河流湖泊】 嫩江、乌裕尔河、引嫩河、北部引嫩总干渠等。

【交　　通】 是齐齐哈尔北部交通枢纽。齐北、富西两条铁路在县城交会，嫩泰高速、111国道和302省道从境内通过。

【资　　源】 自然资源丰富。森林、水域、苇塘、草原面积辽阔，草原盛产羊草、龙胆草、芦苇等。矿产有草炭土、石英砂、矿泉水等。

【经　　济】 为半农半牧县。是全国商品牛基地县和黑龙江省商品粮、芦苇及渔业基地县之一。盛产大豆、玉米、小麦、水稻、高粱、谷糜等粮食作物。畜牧业以奶牛饲养为主，被誉为“中国鲜奶之乡”。工业以轻工和食品加工为主。

【风景名胜】 满族风情、宁年度假村等。

【土特产品】 富裕老窖酒、柳编制品。

依安县

【地理位置】 位于市境中南部。东与拜泉县分界，南与林甸、明水县接壤，西与富裕县为邻，北与克山县、讷河市毗连。

【人口面积】 人口49万，面积3780平方千米。

【地　　形】 处松嫩平原北缘，北部和东部为台地，西部和南部为平原。

【河流湖泊】 乌裕尔河、双阳河、双阳河水库等。

【交　　通】 齐北铁路过境，302省道横贯东西，为本县交通主干道，县乡公路组成的交通运输网四通八达。

【经　　济】 全县经济以农业为主，有“中国紫花油豆角之乡”之称。盛产小麦、玉米、大豆、水稻等，经济作物有葵花、油豆角、甜菜、豆麻等，畜牧业主要有猪、羊、黄牛、奶牛、鹅等。是重要的商品粮基地和肉类产品基地。工业主要有食品、陶瓷、机械、建材、亚麻制品、木制品等。

比例尺　1∶540 000

5.4千米　0　5.4　10.8　16.2千米

高度表

0　50　100　200　300　400　500　600　800　1000　1200　1500米

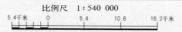

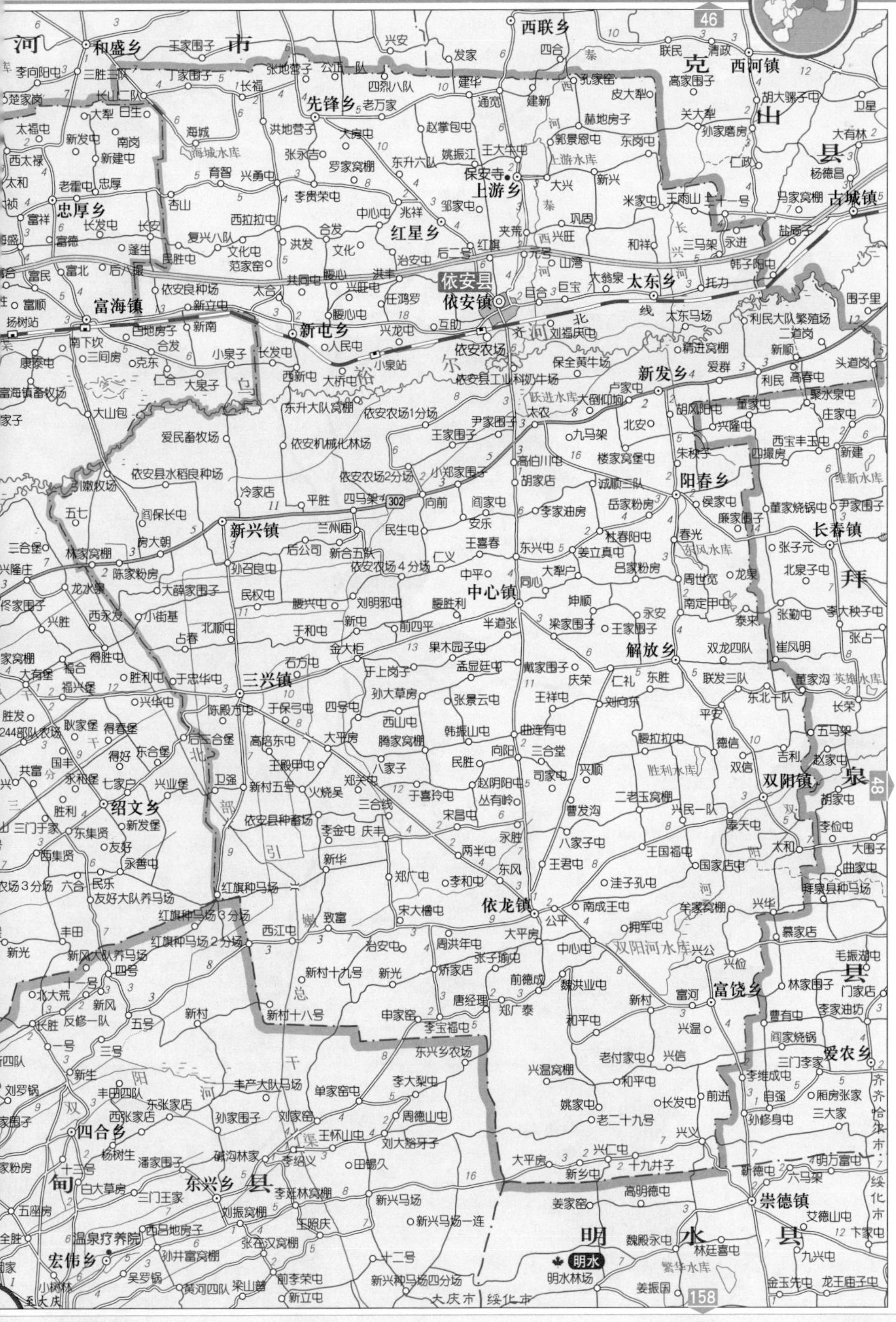

镜泊湖 国家级风景名胜区
牡丹峰 国家级自然保护区
服务区
里程起迄点
二龙山 其他风景名胜区
哈尔滨 国家级森林、地质公园
出入口
收费站

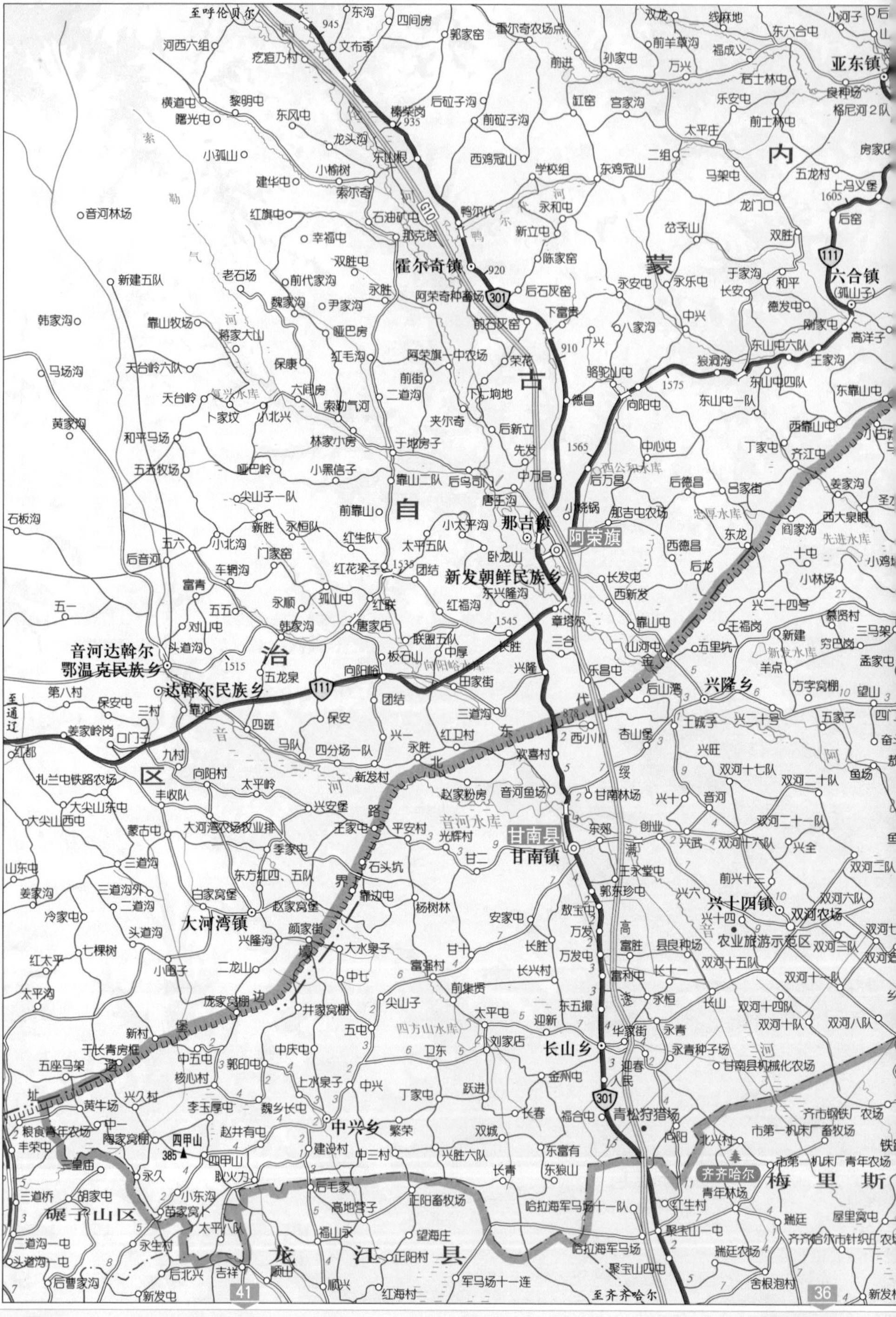

比例尺 1：580 000

5.8千米 0 5.8 11.6 17.4千米

高度表

0 50 100 200 300 400 500 600 800 1000 1200 1500米

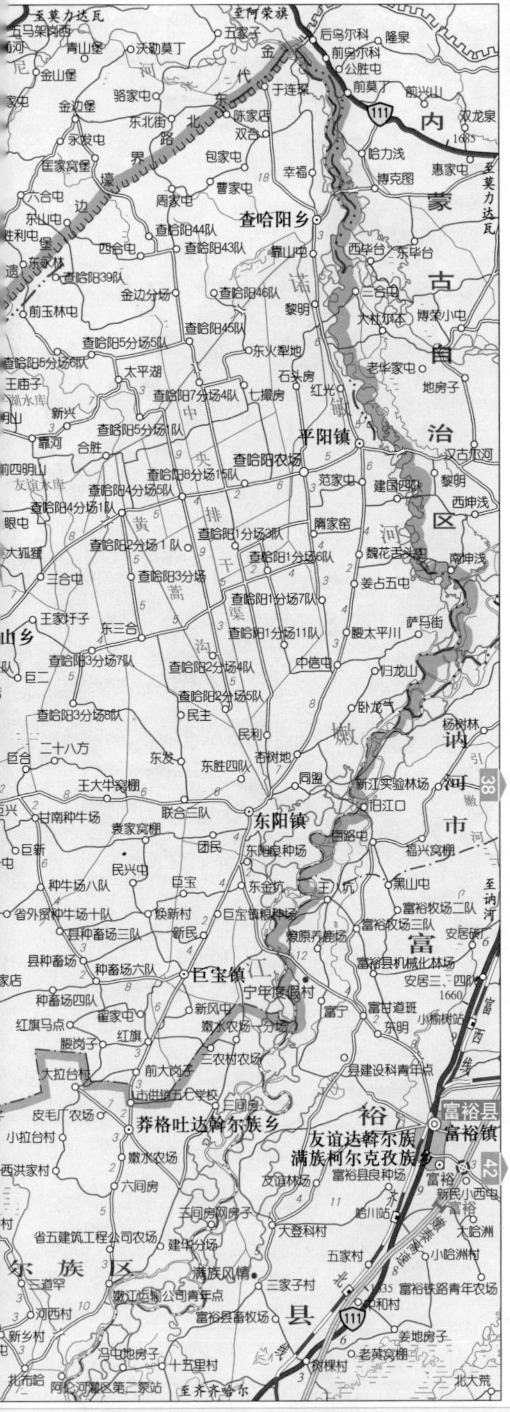

【地理位置】　位于市境的西北。东临诺敏河、嫩江同内蒙古自治区莫力达瓦自治旗、讷河市、富裕县隔水相望，南与龙江县、梅里斯达斡尔族区接壤，西、西北与内蒙古自治区扎兰屯市、阿荣旗毗连。

【人口面积】　人口39万，面积4384平方千米。

【地　　形】　地处大兴安岭和嫩江冲积平原的过渡地带，西部、北部丘陵起伏，南部、东部平原辽阔。全县地形东长西短，略呈斜三角，且西北高，东南低，缓缓递降。

【最高山峰】　四甲山，海拔385米。

【河流水库】　嫩江、诺敏河、音河、阿伦河及音河水库、太平湖水库等。

【交　　通】　绥满高速、301国道纵贯境内，县乡公路纵横交错连接成网，四通八达。夏季嫩江、诺敏河有水运之便。

【资　　源】　水资源非常丰富，不仅有一江三河水系及音河水库等大中小型水库，还有大量沟渠。为水产养殖和水稻种植提供了得天独厚的天然有利条件。矿产资源储藏丰富，品位高，主要矿产有辉绿岩、珍珠岩、玛瑙石、碧玉、瓷土、高岭土等，还有储量可观的石油、煤炭资源。

【经　　济】　以农业为主，盛产大豆、小麦、水稻、玉米等粮食作物和葵花、白瓜、黑瓜、甜菜、亚麻、云豆等经济作物及甘草、贝母、板蓝根、防风、党参等中草药材。是全国商品粮生产基地，素有“鱼米之乡、粮薯之地、大豆之家”的美誉。工业主要有粮食加工、食品加工、机械制造、建材、民间工艺等门类。

【风景名胜】　金代东北路界壕边堡遗址、青松狩猎场、农业旅游示范区。

【土特产品】　柳编制品、乳制品、白酒等。

【景点介绍】　**青松狩猎场**　位于甘南县长山乡境内，建于1988年，是全封闭狩猎场。这里森林茂密、灌木丛生、水清草绿、环境幽静，是狩猎、垂钓、观光的好去处。

镜泊湖 国家级风景名胜区　牡丹峰 国家级自然保护区　服务区　里程起迄点
二龙山 其他风景名胜区　哈尔滨 国家级森林、地质公园　出入口　收费站

克山县 克东县

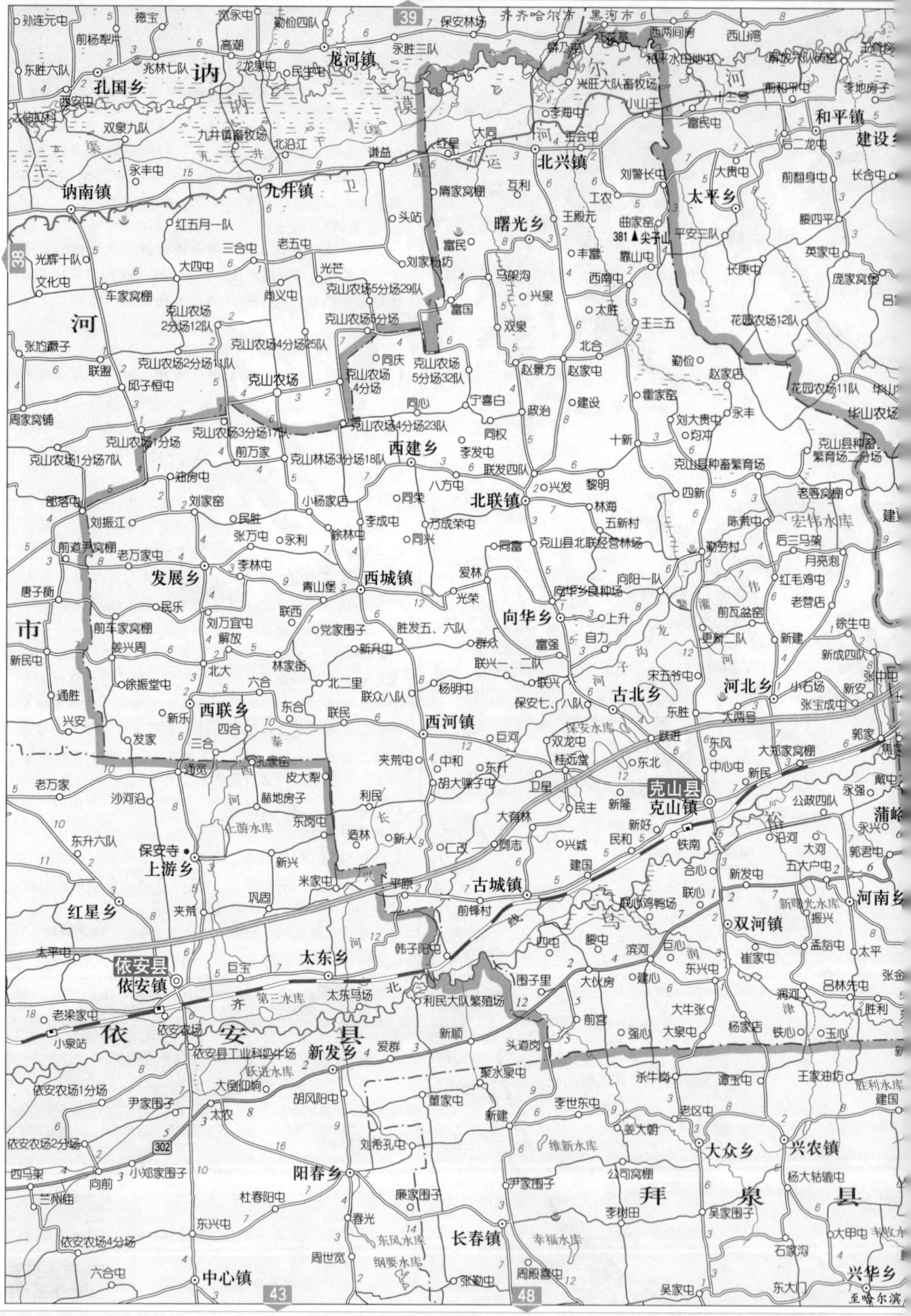

比例尺 1:540 000

5.4千米 0 5.4 10.8 16.2千米

高度表

0 50 100 200 300 400 500 600 800 1000 1200 1500米

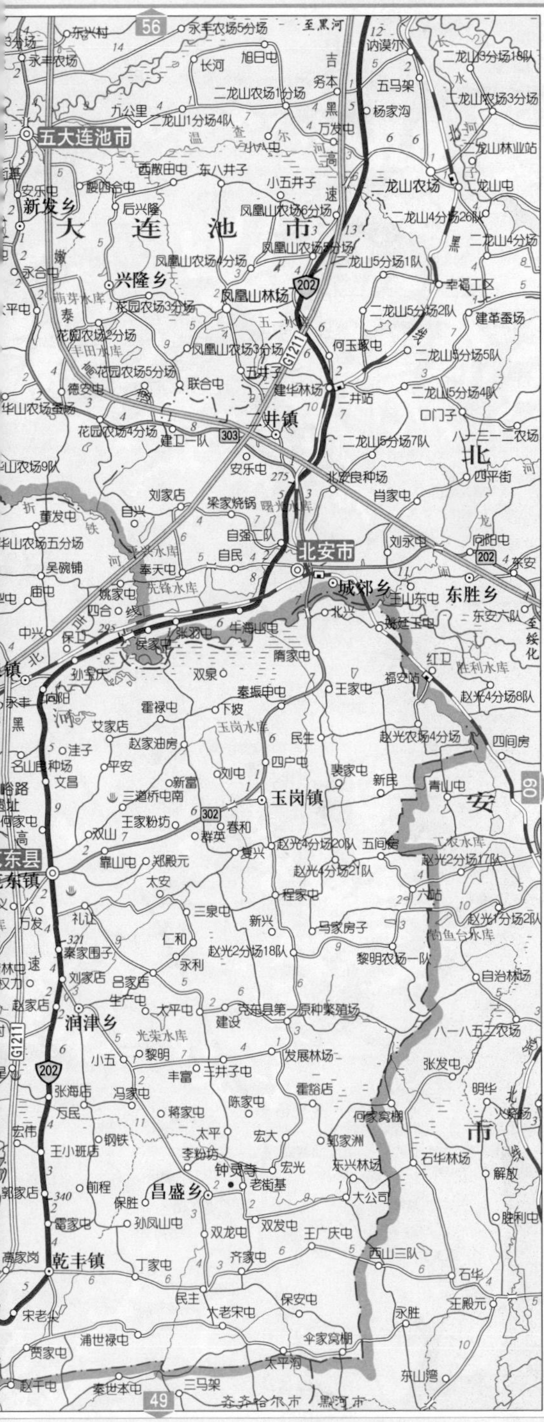

克山县

【地理位置】位于市境东北部。东靠克东县、五大连池市，南与拜泉县接壤，西连讷河市、依安县，北与讷河市毗连。

【人口面积】人口49万，面积3632平方千米。

【地　　形】地处松嫩平原北部小兴安岭山前台地，地势东北高、西南低。东北为漫岗丘陵区，西南部为平川低洼地。

【最高山峰】尖子山，海拔381米。

【河流湖泊】讷谟尔河、乌裕尔河、润津河、宏伟水库等。

【交　　通】齐北铁路过境，302省道沿乌裕尔河南岸穿过南部。县乡公路连接村镇，形成便利的交通网络。

【资　　源】境内蕴藏着丰富的矿产资源，有高岭土、石英砂、紫泥、矿泉水等。水资源充足。还有木耳、蘑菇、蕨菜等野生植物。

【经　　济】农业生产条件得天独厚，是全国重点商品粮基地、大豆基地、马铃薯基地。以盛产两豆（大豆、土豆）、一麦（小麦）、亚麻、甜菜闻名，被誉为“北国粮仓”。

克东县

【地理位置】位于市境东部。东邻北安市，南与拜泉县接壤，西靠克山县、拜泉县，北与五大连池市接壤。

【人口面积】人口30万，面积2083平方千米。

【地　　形】地处小兴安岭与松嫩平原过渡带。地势北高南低。全县可分为低山丘陵、漫岗状山前倾斜平原、河漫滩地、沟谷滩地、熔岩山丘等5种地貌类型。

【河流湖泊】乌裕尔河、润津河、折铁河和光荣水库、玉岗水库等。

【交　　通】交通便利，公路、铁路四通八达，齐北铁路横贯全境。吉黑高速、202国道、302省道纵横境内，县乡公路连接成网。

【经　　济】经济以农业为主，盛产大豆、玉米、马铃薯、水稻、甜菜、粮豆薯等，是黑龙江省重要商品粮基地。初步形成了以建材、食品为主体，以机械、化工、医药、豆腐乳、烟花、岩棉、水泥为支柱，种类较为齐全的产业体系。

【景点介绍】**金代蒲峪路故城遗址**　蒲峪路故城位于乌裕尔河南岸，现蒲峪路镇古城村西约300米处，是一座曾经辉煌、但经受过战乱的古城，是金上京路下辖的四个路址中保存最为完整的一个古城遗址，金代的北方军事重镇，我国金代东北边界的地理坐标。

镜泊湖 国家级风景名胜区　牡丹峰 国家级自然保护区　服务区　里程起迄点
二龙山 其他风景名胜区　哈尔滨 国家级森林、地质公园　出入口　收费站

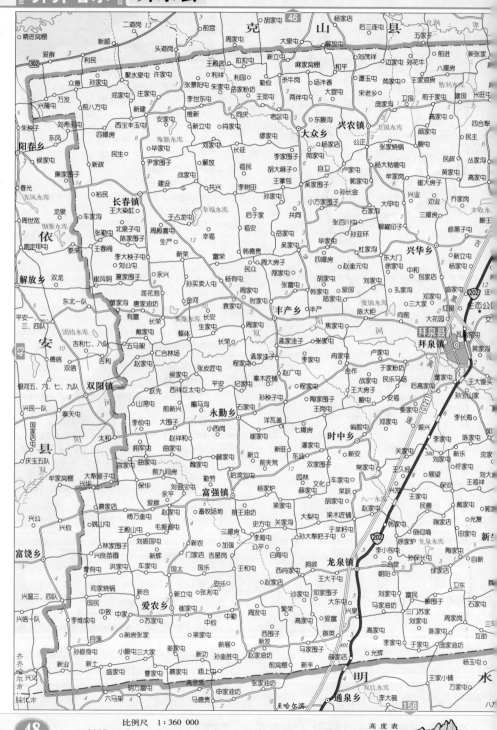

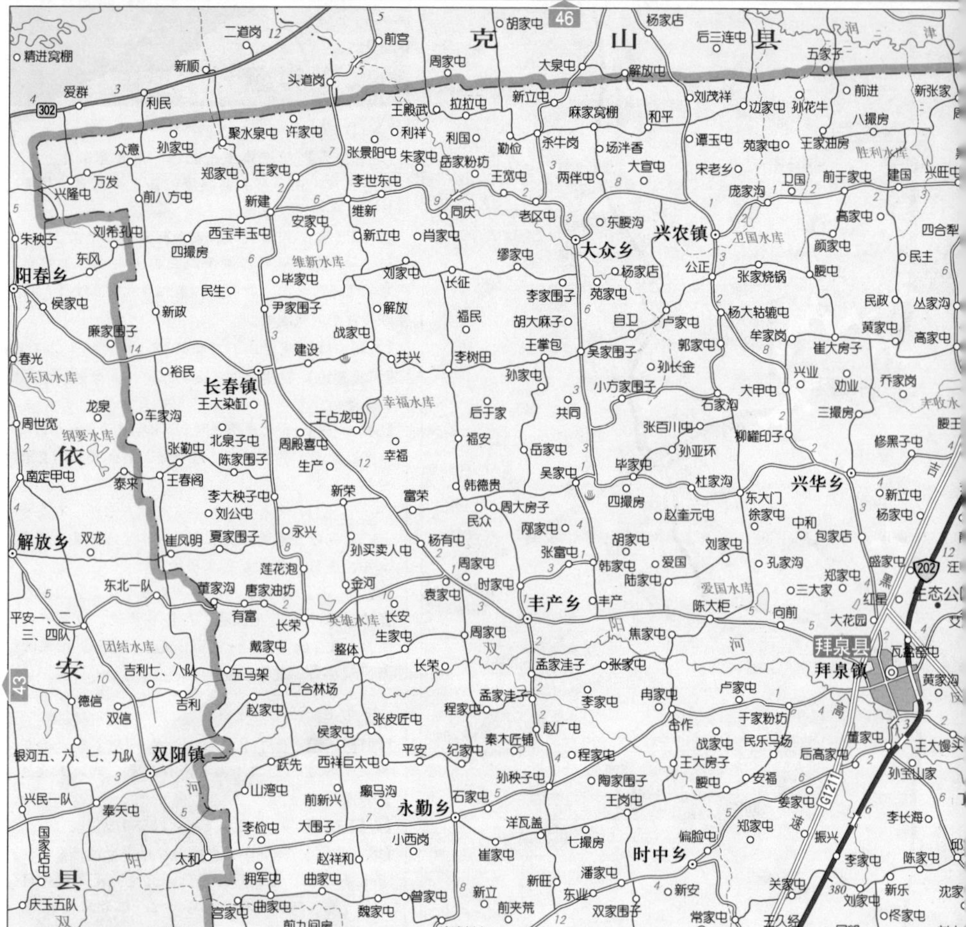

比例尺 1∶360 000

3.6千米 0 3.6 7.2 10.8千米

高度表

0 50 100 200 300 400 500 600 800 1000 1200 1500米

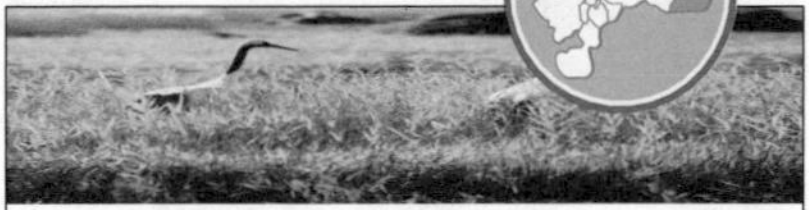

【地理位置】 位于市境东南部。南接明水县，北邻克山县、克东县，西连依安县，东与北安市、海伦市毗邻。

【人口面积】 人口58万，面积3569平方千米。

【地 形】 地处小兴安岭余脉与松嫩平原的过渡地带，多为丘陵平原地貌形态。地势东高西低，坡度较缓。

【河流湖泊】 双阳河、通肯河、三道沟子、三道镇水库、八一水库、自治水库等。

【交 通】 吉黑高速、202国道纵贯南北，县乡公路连接各乡镇，交通便利。

【资 源】 土壤以黑土为主，黑钙土、草甸土为辅，土壤结构与基础肥力较好。矿产资源有膨润土、石英砂、红黏土、硅化铜、草炭等。膨润土蕴藏丰富，储量居全国之首。水利资源较丰富。

【经 济】 经济以农业为主，主要粮食作物有玉米、小麦、大豆、谷子等。是黑龙江省小麦、大豆主产区之一和全国重点商品粮基地之一。经济作物有亚麻、大麻、芸豆、向日葵、白瓜子等。向日葵产量居全省之首。工业已形成了食品、纺织、化工等行业为主的工业体系，还有机械、造纸、皮革、酿酒、制糖、亚麻加工等行业。

【土特产品】 草柳编织、亚麻絮、颗粒粕、三道镇大蒜、利民大葱等。

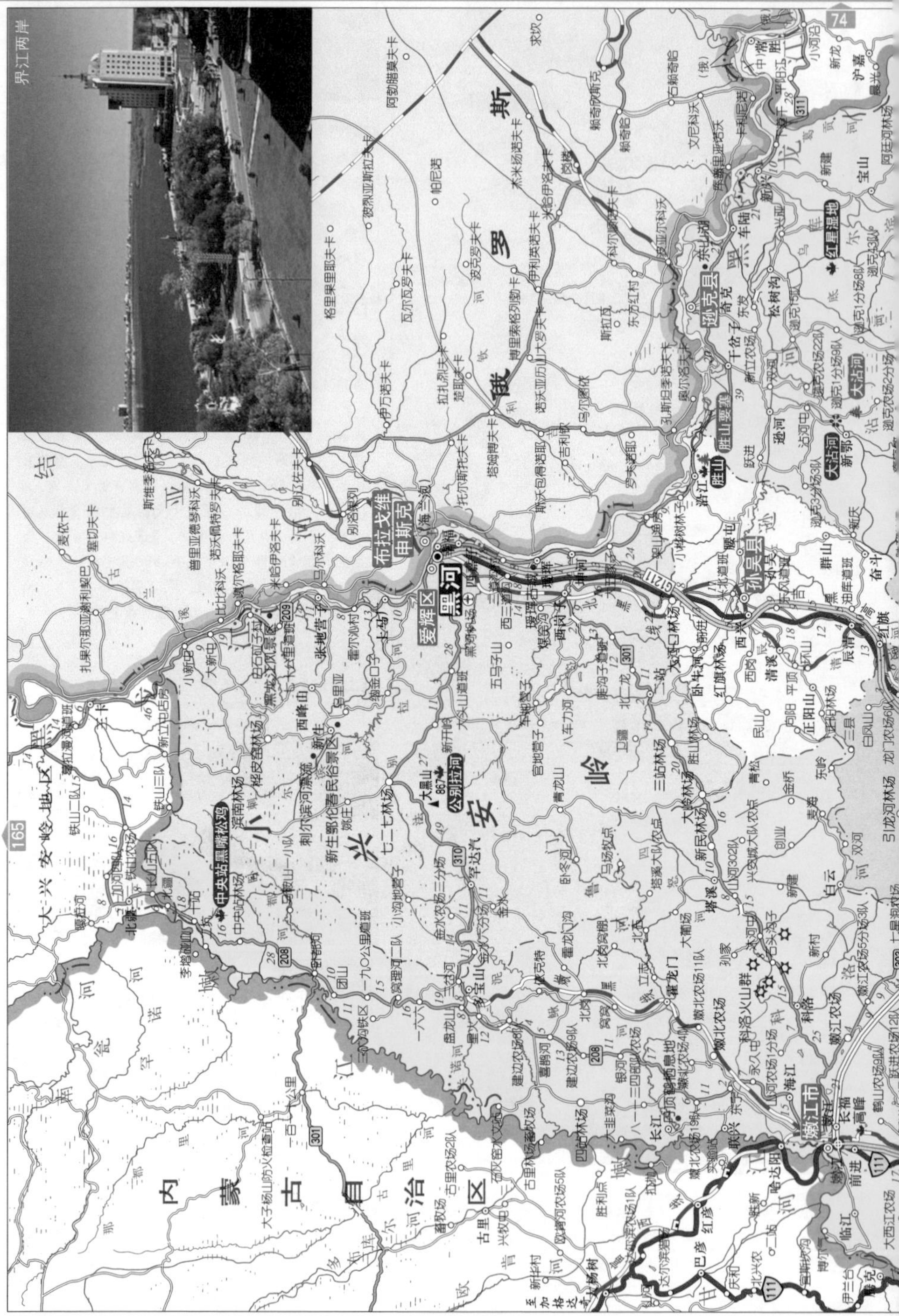

比例尺 1:1 990 000

19.9千米 0 19.9 39.8 59.7千米

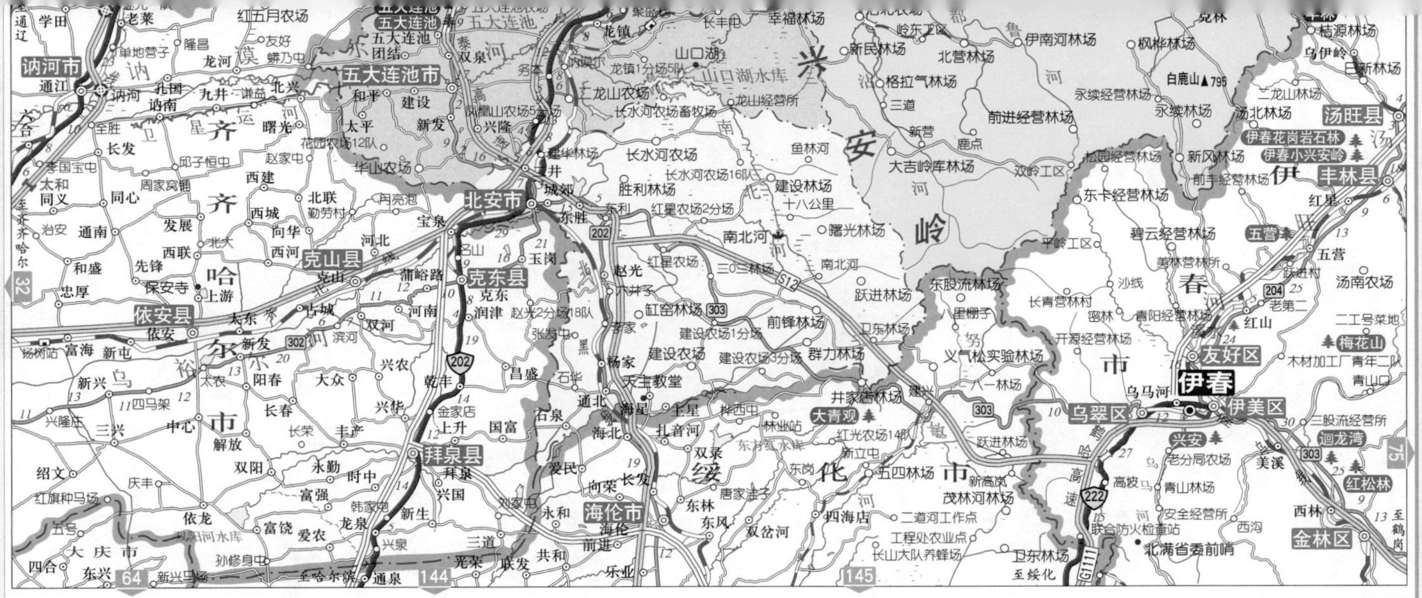

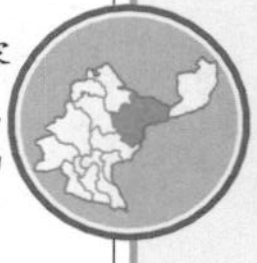

【地理位置】　地处黑龙江省北部，东北与俄罗斯相望，南与伊春市、绥化市接壤，西与齐齐哈尔市、内蒙古自治区相邻，北与大兴安岭地区呼玛县相连。

【行政区划】　辖爱辉区，北安、五大连池、嫩江3市，逊克、孙吴2县。

【人口面积】　人口171万，面积68285平方千米。

【历史沿革】　清康熙二十二年（1683年），于黑龙江东岸置黑龙江将军，治瑷珲城，二十三年移治西岸新瑷珲城（现瑷珲镇），二十九年移治墨尔根城（今嫩江镇），在新瑷珲城留驻瑷珲副都统，辖境包括江东六十四屯地区。光绪二十六年（1900年）江东六十四屯地区被沙俄霸占，1908年撤瑷珲副都统。1912年改置黑河道，治大黑河屯。1913年改瑷珲县，属黑河道。1945年属黑龙江省。1949年设黑河区。1967年为黑河地区驻地。1980年析黑河镇、幸福公社置黑河市。1993年升地级市，设爱辉区。

【地　　形】　地域的东北部为大兴安岭北部余脉，东南部是小兴安岭北部，地势西北高、东南低，地貌类型有低山丘陵和台地。

【最高山峰】　大黑山，海拔为867米。

【河流湖泊】　黑龙江、嫩江、逊河、讷谟尔河、科洛河、乌裕尔河、库尔滨河、沾河和五大连池、山口湖水库、库尔滨水库等。

【气　　候】　属寒温带大陆性季风气候，冬长夏短。年平均气温0.4—0.5℃。年降水量480—550毫米。无霜期93—128.5天。

【交　　通】　交通发达，铁路有北黑、嫩黑、富西、滨北线。嫩泰、吉黑高速公路过境，202国道纵贯南北，208、301、303、310、311多条省道构成公路主干网。黑河港是黑龙江中上游重要港口，黑河机场是中国最北航空港。

【资　　源】　主要矿产有铜、金、玛瑙石、珍珠岩、石英石、花岗岩等。金和沙金储量丰富。森林资源和水资源丰富。野生动物有狐狸、黄鼬、獾子、驼鹿、熊、飞龙等。山野特产有木耳、猴头菇、蜂蜜、金针菜、五味子、平贝等。

【风景名胜】　五大连池风景名胜区、五大连池国家地质公园、五大连池、红星湿地国家级自然保护区、胜山要塞、大沾河国家森林公园、科洛火山群、山口湖风景区、沾河漂流、东山湖风景区、南北河自然保护区、瑷珲古城遗址等。

镜泊湖　国家级风景名胜区
二龙山　其他风景名胜区
牡丹峰　国家级自然保护区
哈尔滨　国家级森林、地质公园
服务区
出入口
里程起迄点
收费站

黑河城区

【城市特色】 位于小兴安岭南麓，三面环山。是我国著名的边境口岸开放城市，位于黑龙江南岸，与俄罗斯布拉戈维申斯克(海兰泡)隔江相望，边境贸易经济地位十分重要。黑河市山川秀丽、景色优美，是别具北国特色的净土观光带。

【交　　通】 市内公共交通便捷，每日有开往哈尔滨、齐齐哈尔、大庆等城市和县区的长途汽车。黑河港有通往俄罗斯布拉戈维申斯克(海兰泡)的航班。

【风景名胜】 黑龙江公园、王肃公园、大黑河岛国贸城。

【景点介绍】 **黑龙江公园** 建成于2001年7月，景色优美。东宽西窄，呈带状，全长3100米。是黑河最具有现代城市风采的部分。

镜泊湖 国家级风景名胜区
二龙山 其他风景名胜区
牡丹峰 国家级自然保护区
哈尔滨 国家级森林、地质公园
服务区
出入口
里程起讫点
收费站

孙吴县

【地理位置】 位于小兴安岭北麓，黑龙江右岸。东邻逊克县，南接五大连池市，西连嫩江市，北靠爱辉区，东北以黑龙江为界与俄罗斯相望。

【人口面积】 人口10万，面积为4318平方千米。

【地　　形】 地处小兴安岭西北麓。境内山峦起伏，属于低山丘陵区。地势西南部高，东北部低，由西南向东北逐渐倾斜。

【最高山峰】 南松木山，海拔753米。

【河流湖泊】 黑龙江、逊河、卧牛河、辰清河等。

【交　　通】 北黑铁路、吉黑高速、202国道纵贯全境，311省道过境。黑龙江可通客货轮。

【风景名胜】 胜山国家级自然保护区、四季屯满族风情等。

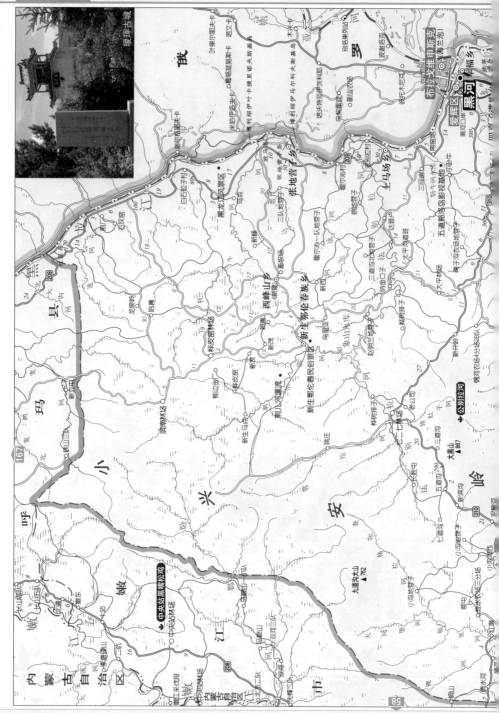

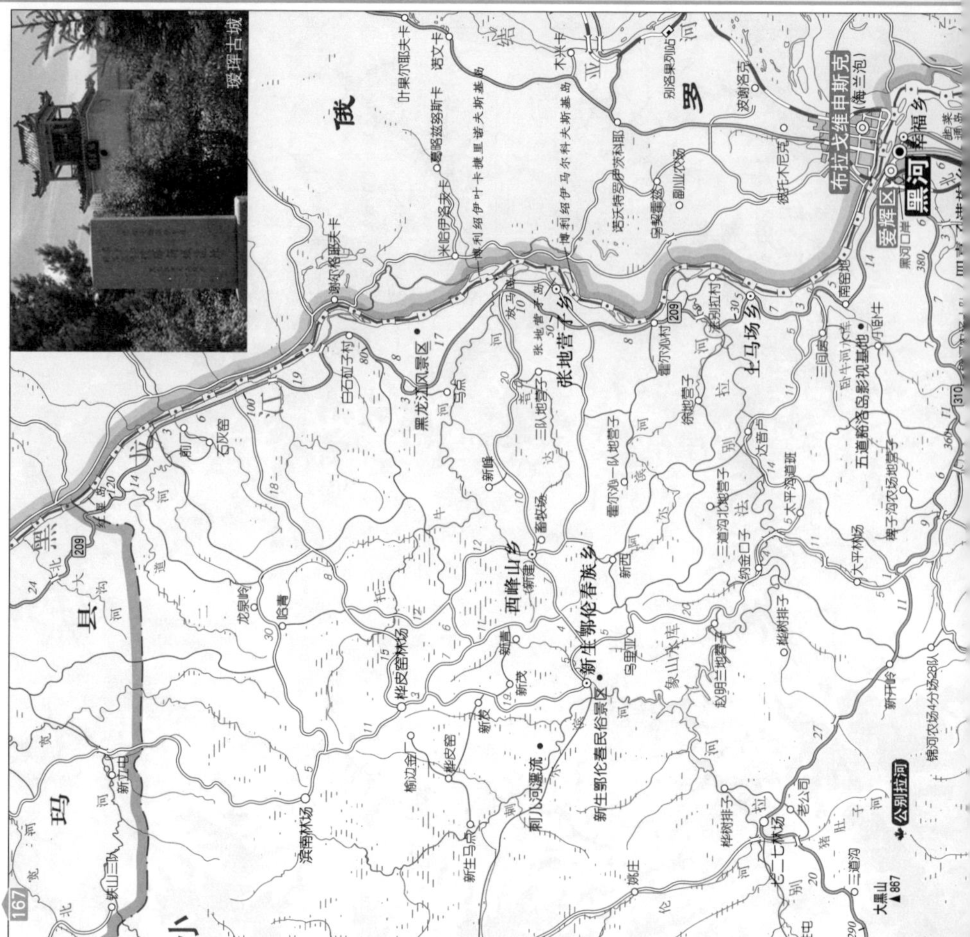

比例尺　1：730 000

7.3千米　0　7.3　14.6　21.9千米

高度表

0　50　100　200　300　400　500　600　800　1000　1200　1500米

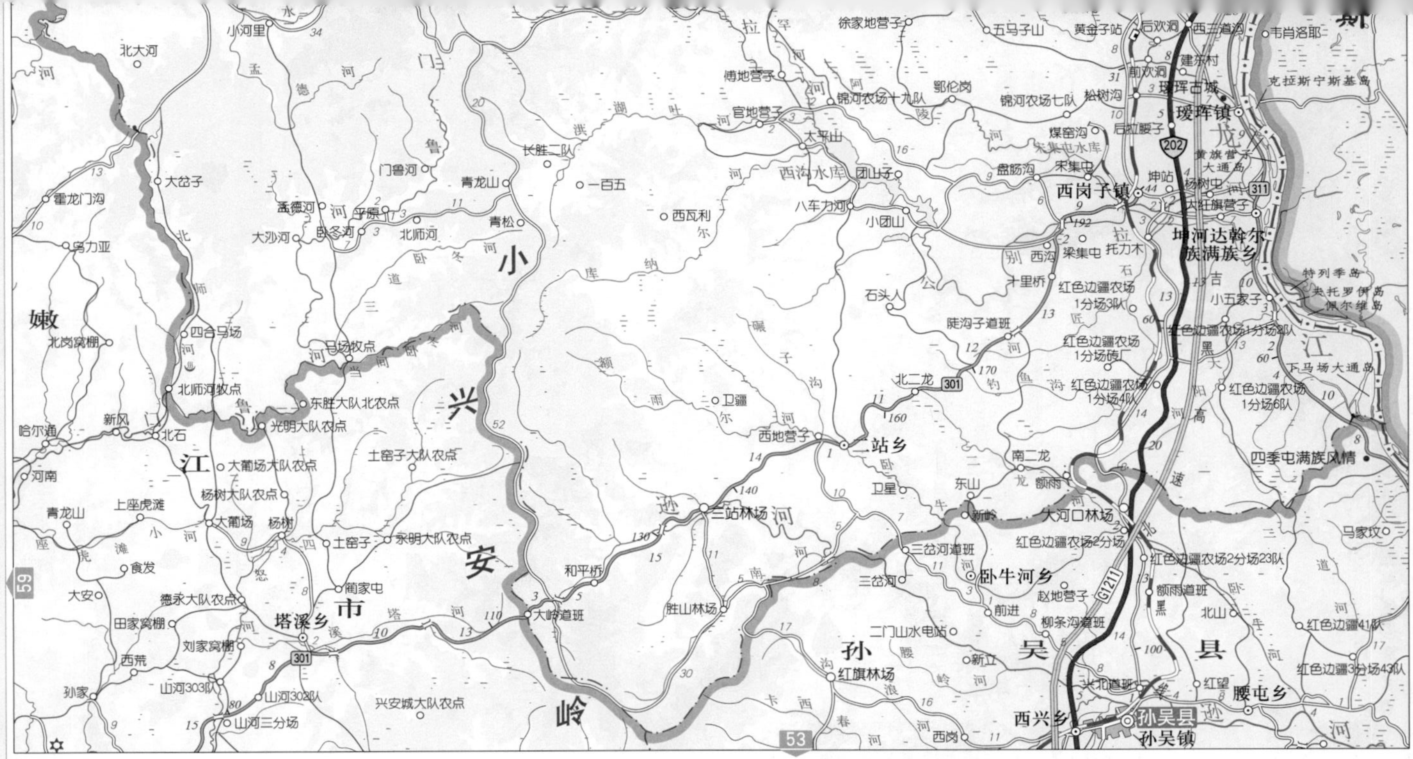

【地理位置】 位于市境的东北部，东隔黑龙江与俄罗斯相望，南与孙吴县相连，西、西南与嫩江市为邻，北与呼玛县相接。

【人口面积】 人口19万，面积14446平方千米。

【地　　形】 境内西部为低山丘陵区，东部为丘陵和黑河盆地。最高山峰大黑山，海拔867米。

【河流湖泊】 黑龙江、法别拉河、公别拉河、托牛河等，水库有宋集屯水库、象山水库、西沟水库。

【交　　通】 北黑铁路、吉黑高速公路、202国道的终点。209、301、310、311省道以城区为起点呈放射状分布境内，构成了发达、便利的交通网。黑河至哈尔滨有航空线开通。黑龙江航运黑河港是重要的港口和对俄贸易口岸。

【经　　济】 黑河是国家级边境经济合作区，对俄贸易已有百余年历史，一度被誉为“万国商埠”。黑河口岸为国家一类开放口岸。黑河的工业主要有乳品、食品、粮油加工、建材、玛瑙加工等门类。

【景点介绍】 **瑷珲古城** 位于瑷珲镇，是清朝第一位将军驻地。原名新城寨，是当时沿江最大的城镇。游览古城瑷珲，可见到古瑷珲海关、古城墙遗址、古魁星阁等，是全国重点文物保护单位和爱国主义教育基地。

镜泊湖 国家级风景名胜区　牡丹峰 国家级自然保护区　服务区　里程起迄点
二龙山 其他风景名胜区　哈尔滨 国家级森林、地质公园　出入口　收费站

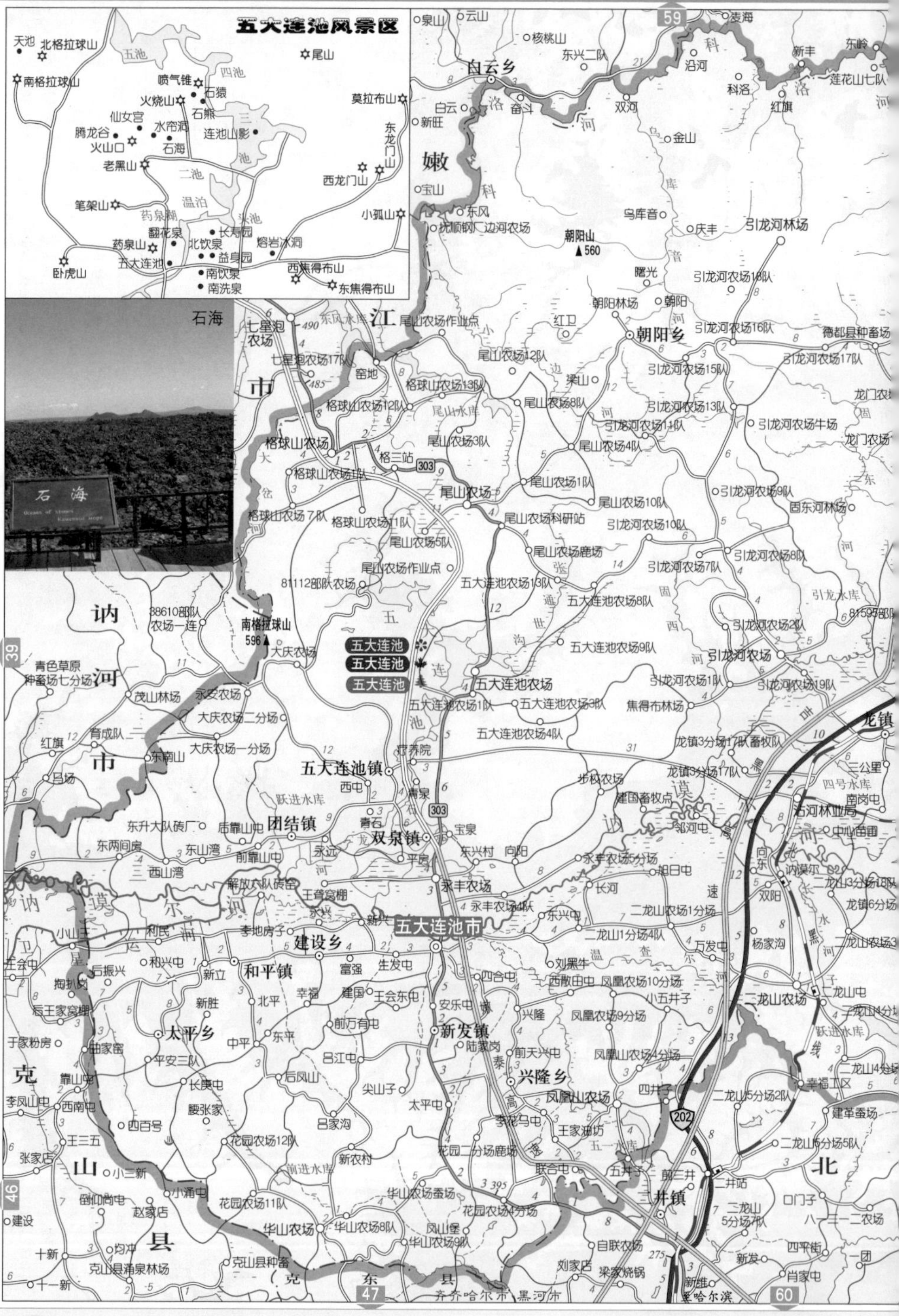

比例尺 1:570 000

5.7千米 0 5.7 11.4 17.1千米

高度表

0 50 100 200 300 400 500 600 800 1000 1200 1500米

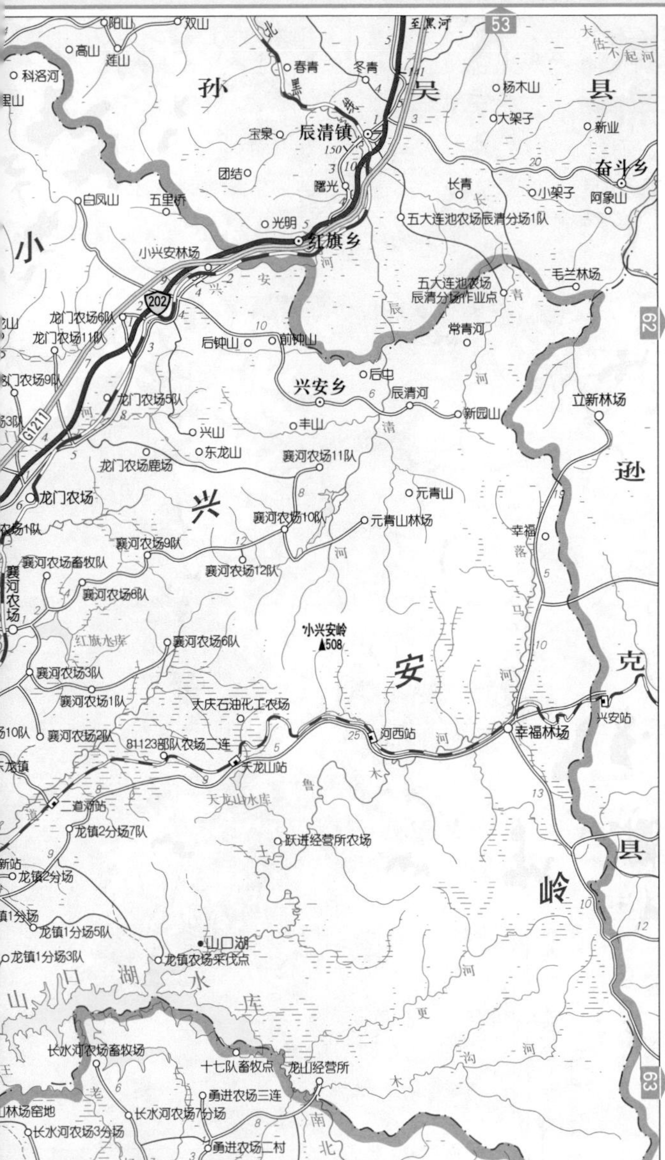

【地理位置】 位于市境西南部。东邻逊克县，南接北安市、克东县、克山县，西与讷河市毗连，西北与嫩江市隔河相望，北与孙吴县接壤。

【人口面积】 人口36万，面积9874平方千米。

【地　　形】 境内地形为火山熔岩台地和波状台地，地势大体为东北高，西南低；有14座火山锥体，火山地貌完整。

【最高山峰】 南格拉球山，海拔596米。

【河流湖泊】 讷谟尔河、科洛河、小边河、土鲁木河，五大连池、山口湖水库、五七水库、引龙水库、跃进水库等。

【交　　通】 地处交通要道，北黑铁路、吉黑高速公路、202国道并行贯穿全境，嫩泰高速与吉黑高速相接。303省道和县乡公路构成的公路网，四通八达，交通便利。

【资　　源】 自然资源极为丰富，矿产有铁、沙金、铜、硫、脉石英等。盛产五味子、防风、贝母等中药材和猴头菇、木耳、人参、金针菜等山珍。矿泉水为世界三大冷矿泉之一。有“矿泉水之乡”之称。

【经　　济】 经济以农、林、牧为主，是国家商品粮基地之一，是黑龙江省重要的木材生产基地，是国家重要的瘦肉型猪生产基地。工业经济初步形成了农副产品加工、矿泉饮料、酿造、采矿、建材业为主的门类比较齐全的工业体系。

【风景名胜】 五大连池风景名胜区、国家级自然保护区和国家地质公园，山口湖风景区。

【景点介绍】 **五大连池风景名胜区** 我国著名的火山旅游胜地、国家风景名胜区，被誉为“中国第四纪火山博物馆”，为国家级自然保护区，国家地质公园，五大连池由14座火山组成，东西长约36千米，南北宽约25千米。池水从北面的五池经四池、三池、二池入头池，再注入石龙河南下汇入讷谟尔河。

镜泊湖 国家级风景名胜区　牡丹峰 国家级自然保护区　服务区　里程起迄点
二龙山 其他风景名胜区　哈尔滨 国家级森林、地质公园　出入口　收费站

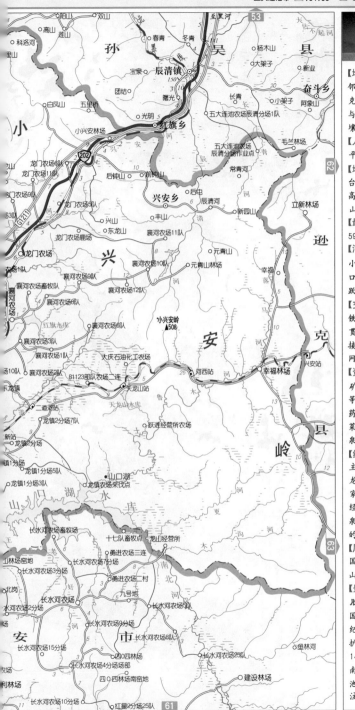

【地理位置】 位于市境西北部，东与爱辉区和孙吴县毗邻；南与讷河市、五大连池市相连。西傍嫩江，与内蒙古自治区莫力达瓦自治旗和鄂伦春自治旗隔江相望，北与呼玛县为邻。

【人口面积】 人口50万，面积15109平方千米。

【地　　形】 地处大兴安岭北部嫩江东岸丘陵和松嫩平原北部台地。北部为丘陵、东部为科洛火山群台地，南、西部为波状平原和嫩江河谷平原。

【河流湖泊】 河流有嫩江、卧都河、门鲁河、科洛河、老莱河、泥鳅河、奋斗水库等。

【交　　通】 富西铁路、嫩黑铁路相交于县境；嫩泰高速公路终点，111国道和208、301、303、310省道为主干线，构成了四通八达的公路网。

【资　　源】 矿产资源有铜、金、钼、钨、铁、锌、银、镍、珍珠岩等，铜的储量居黑龙江省之首，居全国第三位，珍珠岩的品位居东北之首。珍稀保护鸟类有黑鹳、鸳鸯、花尾榛鸡(飞龙)、金雕等。珍稀鱼类有哲罗鱼、鸭罗鱼、鳜鱼、细鳞鱼等。森林资源丰富，有柞、白桦、黑桦、落叶松、樟子松、杨树、柳树等主要树种。水资源丰富，嫩江纵贯西境。

【经　　济】 工业主要有农副产品加工、矿产资源开发、能源工业产业。嫩江市是我国麦豆主产区，商品粮生产基地，有中国“大豆之乡”的美誉。

【风景名胜】 高峰森林公园、科洛火山群。

比例尺　1：930 000

9.3千米　0　9.3　18.6　27.9千米

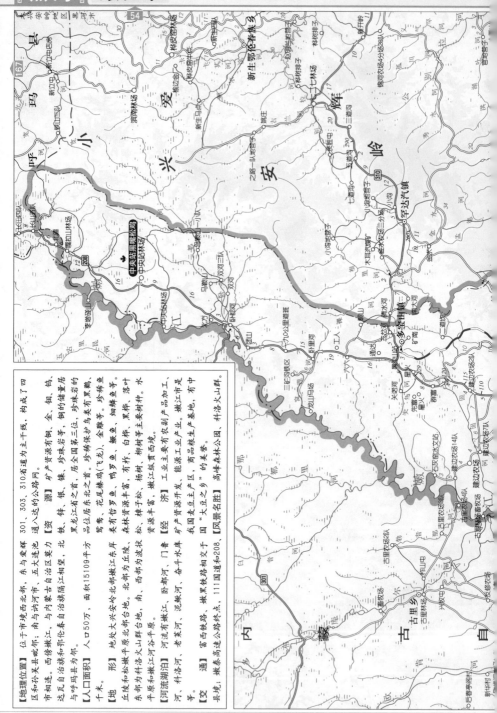

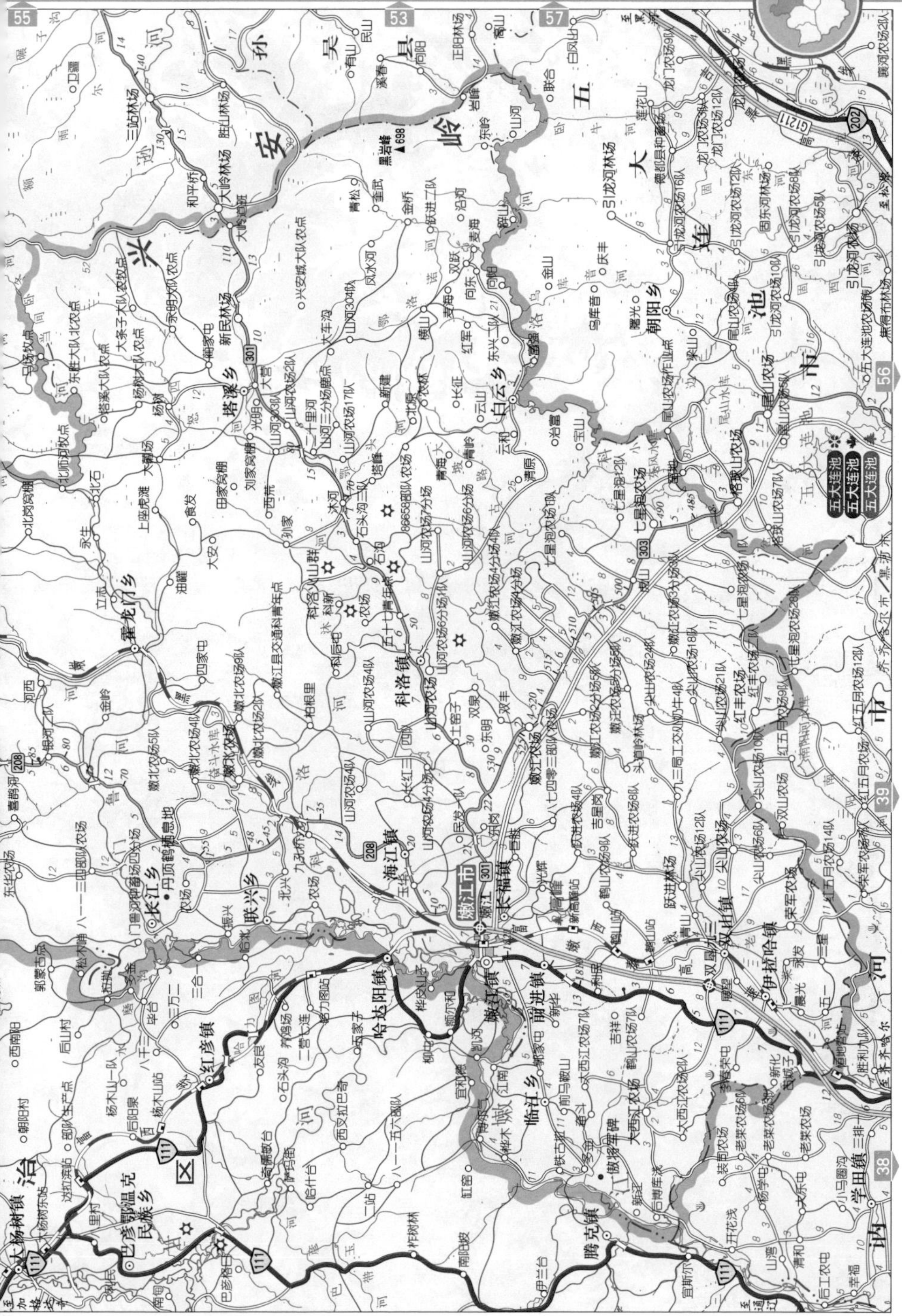

镜泊湖 国家级风景名胜区	牡丹峰 国家级自然保护区
二龙山 其他风景名胜区	哈尔滨 国家级森林、地质公园
服务区	里程起讫点
出入口	收费站

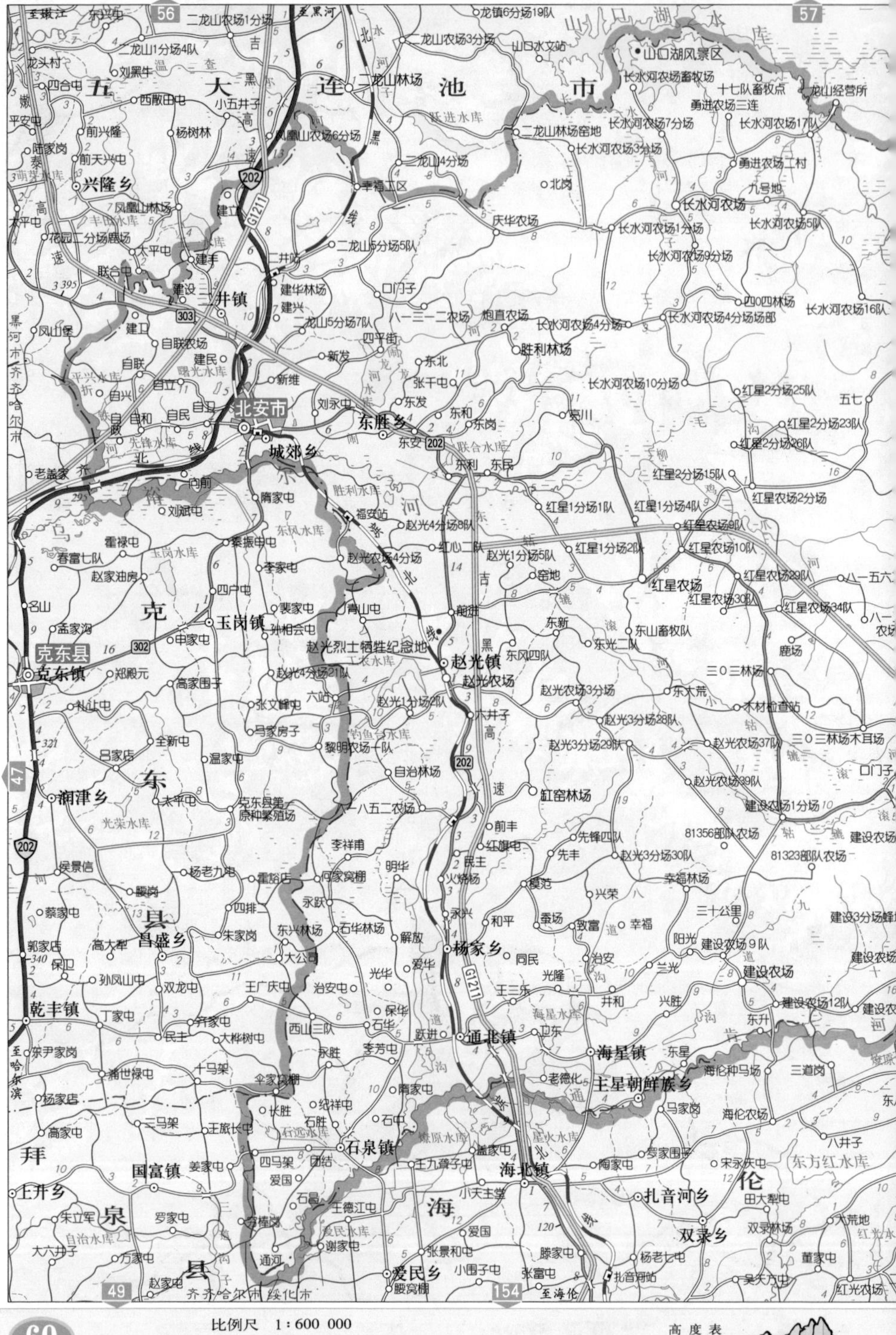

比例尺 1:600 000

6.0千米 0 6.0 12.0 18.0千米

高度表

0 50 100 200 300 400 500 600 800 1000 1200 1500米

【地理位置】 位于市境西南部，东连逊克县、绥棱县，南与海伦市以通肯河为界，西与克东县、拜泉县为邻，北与五大连池市相接。

【人口面积】 人口46万，面积7194平方千米。

【地　　形】 地处松嫩平原北部、小兴安岭西侧山前丘陵台地。属山地、丘陵、平原地貌区。地势总趋势是东高西低、北高南低，由东北向西南倾斜。全市地形分为三个分区：东部低山区、中部丘陵区、西部和南部平岗宽谷区。

【河流湖泊】 通肯河、乌裕尔河、南北河和山口湖水库、闹龙河水库等。

【交　　通】 地处黑龙江省北部的中心地带，是中俄、东欧国际贸易大通道上至关重要的中转站，是我国最北部的交通枢纽。滨北铁路和北黑铁路在此交会，吉黑、前嫩高速、202国道、202、303省道构成主要交通网。具有“南通省会，北连边疆，东靠林海，西接粮仓”的交通优势。

【资　　源】 森林资源丰富，有杨、榆、白桦、红松、黄波罗、胡桃秋等树种。野生动物有野猪、狍子、山鸡等，盛产刺五加、五味子、黄芪等中药材，还有金针菜、蕨菜、猴头菇、木耳、榛子等山产品。地下水贮量丰富，水质较好，适于农田灌溉。

【经　　济】 农业是市域经济的支柱产业。主要盛产大豆、玉米、小麦、水稻、马铃薯、甜菜、亚麻及杂粮杂豆，是高油高蛋白大豆的主产区，已被列入黑龙江省大豆振兴计划。全市草原辽阔，发展畜牧业优势明显。金星乳业集团、完达山乳业集团、黑龙江省益民集团、九三油脂集团等大企业集团先后落户北安。

【风景名胜】 南北河自然保护区、山口湖风景区、赵光烈士牺牲纪念地等。

【景点介绍】 **山口湖风景区** 位于五大连池市和北安市境内。库区四周青山环绕，林木繁茂，宽阔的水域中不时分布着大小不等的库弯、孤岛，形成了优美动人的山水相兼、丛林相连的自然风光。

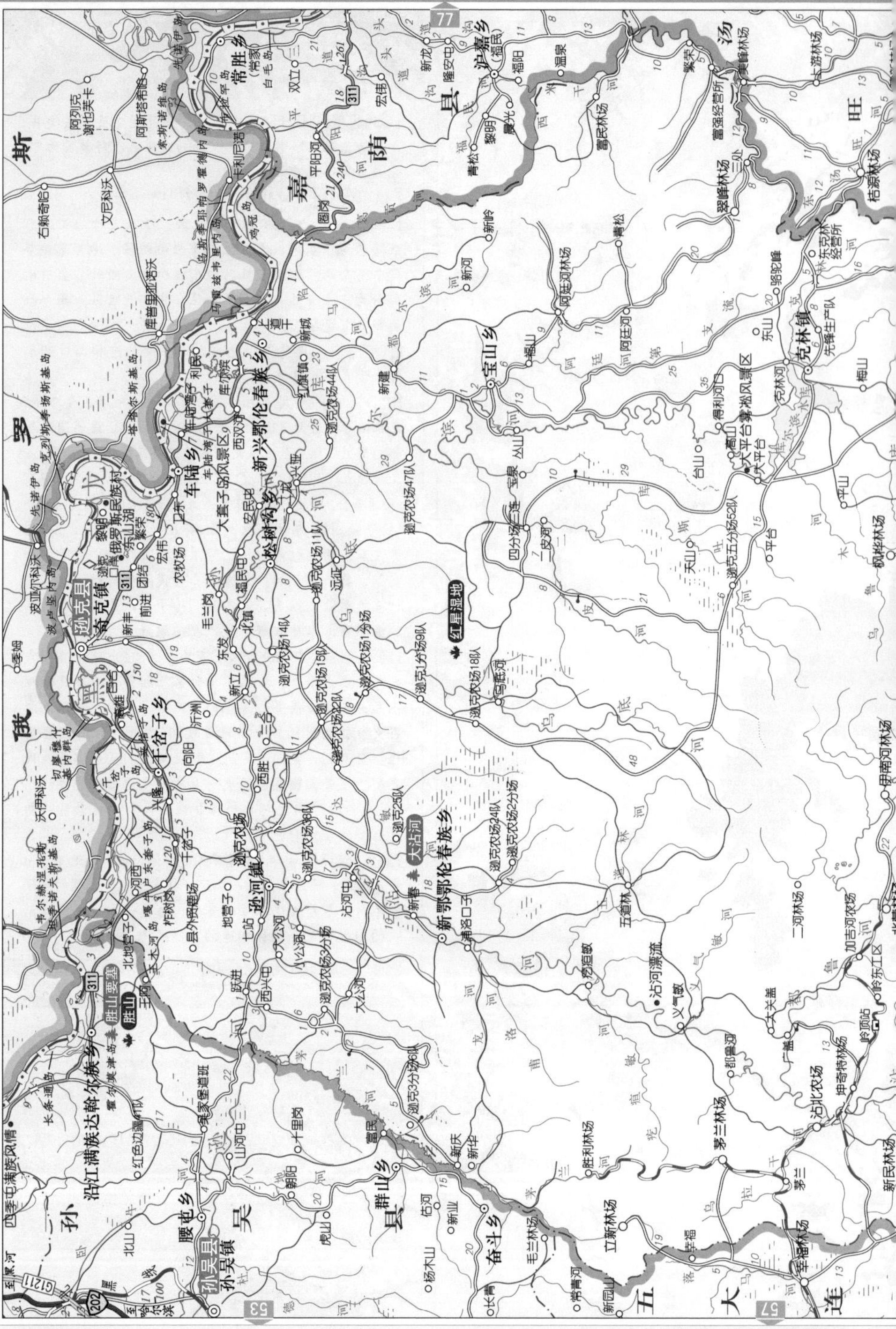

比例尺 1:880 000

8.8千米 0 8.8 17.6 26.4千米

高度表

0 50 100 200 300 400 500 600 800 1000 1200 1500米

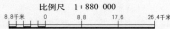

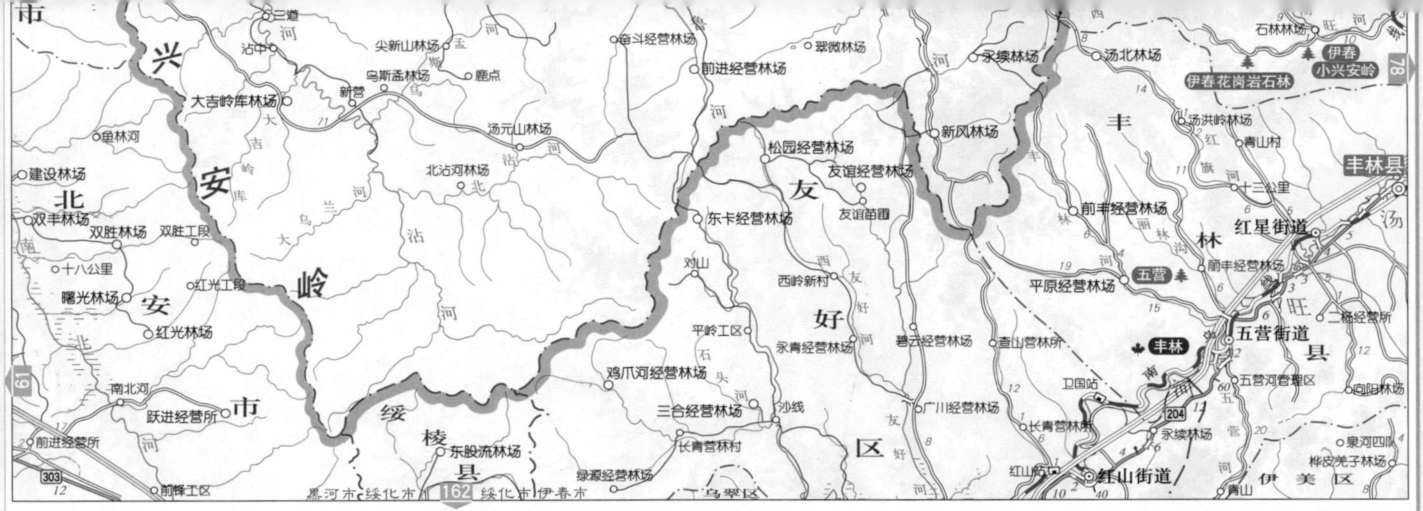

【地理位置】 位于黑龙江中游南岸，东邻嘉荫县、伊春市区，南接绥棱县，西连北安市、五大连池市、孙吴县，北隔黑龙江与俄罗斯相望。

【人口面积】 人口10万，面积17344平方千米。

【地　　形】 地处小兴安岭北部低山和丘陵台地。地势南高北低。北部为黑龙江和逊河河谷平原。中部为丘陵和熔岩台地，南部为低山，其特点是：山脊平缓，连绵起伏，呈低山丘陵地貌形态。

大平台雾凇

【最高山峰】 白鹿山，海拔795米。

【河流湖泊】 黑龙江、逊河、沾河、库尔滨河、茅兰河、乌底河及库尔滨水库等。

【交　　通】 交通以公路为主，311省道沿黑龙江穿过本县，县乡公路与之相连，构成放射状公路网。黑龙江水运方便，年运期在125天左右，通过江海联运，抵达朝鲜、韩国和日本港口。逊克口岸是集国贸、地贸、民贸多功能于一体的国家一类口岸。

【资　　源】 境内矿产资源种类多，储量丰，品质高，极具开发潜力。盛产的红玛瑙闻名海内外，有"红玛瑙之乡"的美誉。有大理石、白云石、石灰石、石英砂等非金属矿，以及金、银、铜、钨、钼、铝、锌、锡等金属矿。森林覆盖率高，主要树种有红松、白桦、柞、椴等。野生动物有鹿、狍子、黑熊、飞龙鸟等。产鳇鱼、大马哈鱼等名贵鱼类。

【经　　济】 经济以农业为主，产小麦、大豆、玉米等。是全国第一批50个商品粮基地县之一、全国100个小水电电气化试点县之一以及省内有名的鱼米之乡。工业有矿产开发、木材加工、乳制品、工艺美术等。

【风景名胜】 大沾河国家森林公园，大平台雾凇风景区、东山湖、沾河漂流等。

【景点介绍】 **大平台雾凇风景区** 位于库尔滨电站以下沿河两岸长约8～10千米处，雾凇景观宽约2千米，最大面积可达20多平方千米。冬季，这里的气温多在零下30℃以下，由于水库的容量大，河流落差大，经过电站的水流急，发电时河水温度高、气温低、雾浓重，又加上两岸林深树密，因此才形成了这样罕见的大范围雾凇景观。每年11月份开始出现，至翌年3月末结束，观赏期长达120天，最佳时间也有90余天，每天早晨开始到中午时间都可以观赏到美丽的雾凇景观。

镜泊湖 国家级风景名胜区
二龙山 其他风景名胜区
牡丹峰 国家级自然保护区
哈尔滨 国家级森林、地质公园
服务区
出入口
里程起迄点
收费站

【地理位置】位于黑龙江省西南部，松嫩平原中部，西、北与齐齐哈尔市相连，东与绥化市相邻，南隔嫩江、松花江与吉林省白城市、松原市相望。

【行政区划】辖萨尔图、龙凤、让胡路、大同、红岗5区，肇州、肇源、林甸3县和杜尔伯特蒙古族自治县。

【人口面积】人口282万，面积21643平方千米。

【历史沿革】1960年以原安达县地和肇州县部分区域置安达市(地级)，由松花江专区代管。1965年安达市由省直辖。1979年更名大庆市，以大庆油田得名。

【地　　形】地处松嫩平原中部，地域平坦开阔。无山丘，多沼泽、湖泊分布。

【河流湖泊】松花江、嫩江；大庆水库、大龙虎泡、南引水库、哭泪泡等。

【气　　候】属于北温带大陆性季风气候，年平均气温3.5℃，年平均降水量445毫米，无霜期145天左右。

【交　　通】通让、滨洲铁路在境内相会，绥满、大广高速穿境，301、203国道和201、305省道与县乡公路连接，形成公路交通主干网。

【风景名胜】大庆国家森林公园、铁人王进喜同志纪念馆、扎龙国家级自然保护区、松基三井、黑山狩猎场、大庆、莲花湖风景区等

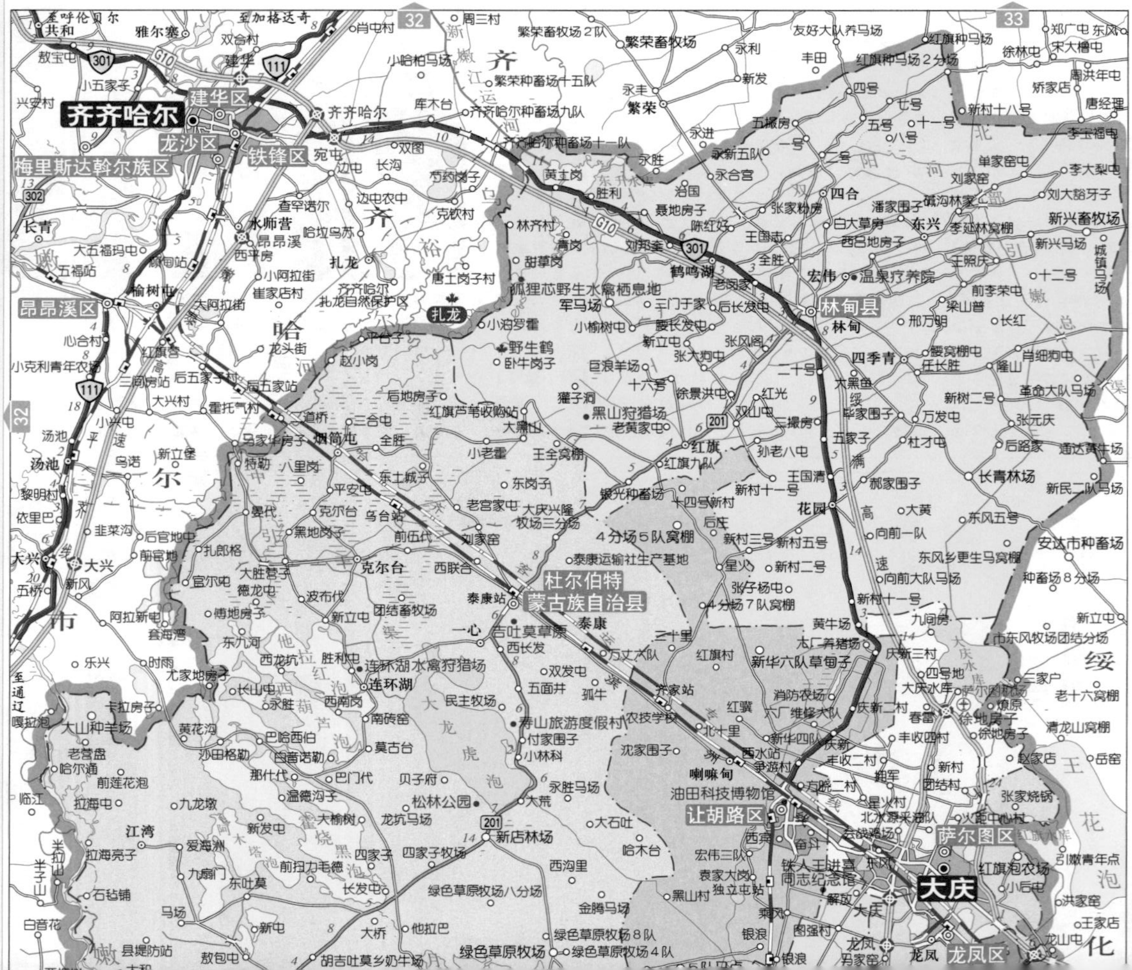

比例尺　1：860 000

8.6千米　0　8.6　17.2　25.8千米

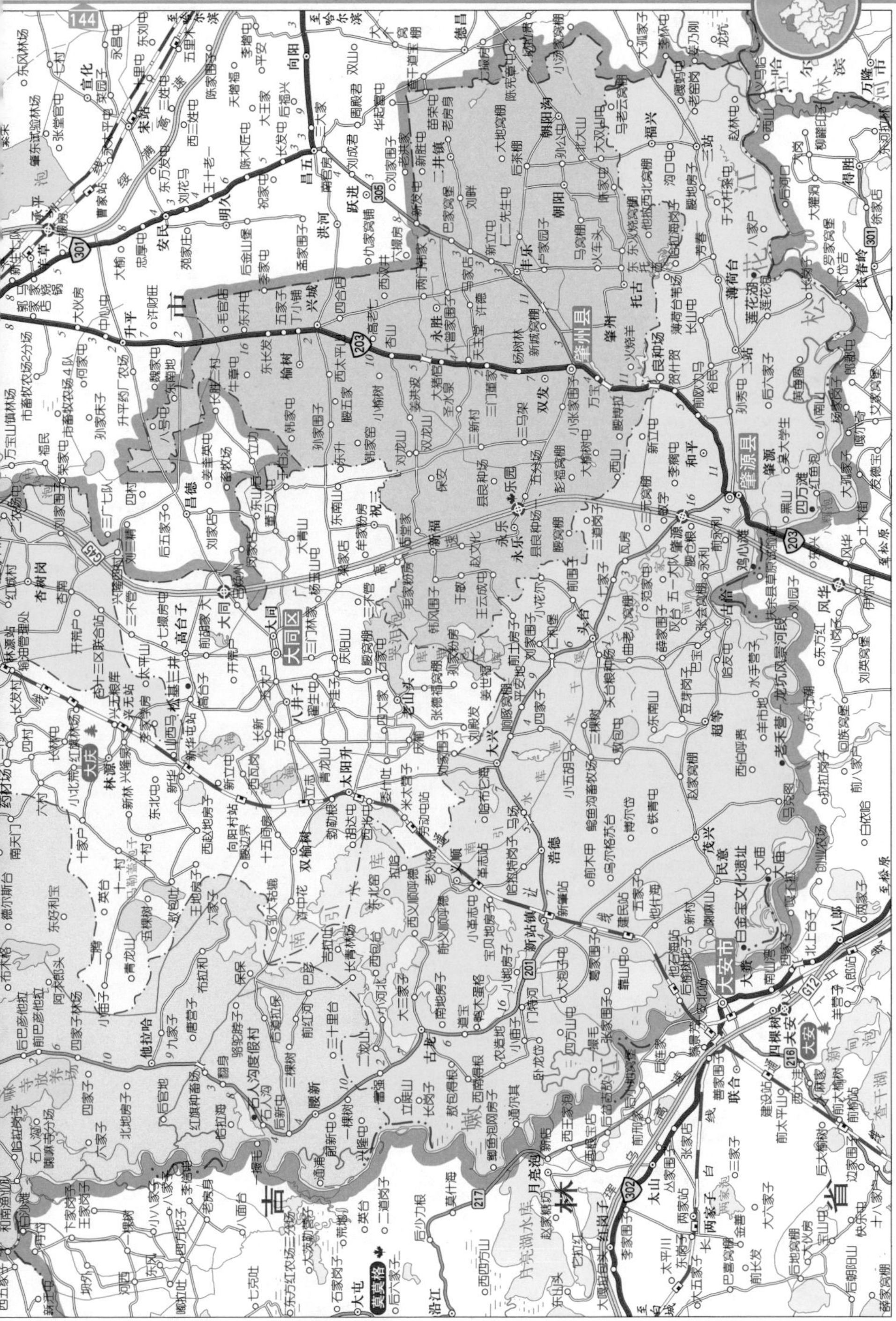

镜泊湖 国家级风景名胜区
二龙山 其他风景名胜区
牡丹峰 国家级自然保护区
哈尔滨 国家级森林、地质公园
服务区
出入口
里程起迄点
收费站

大庆城区

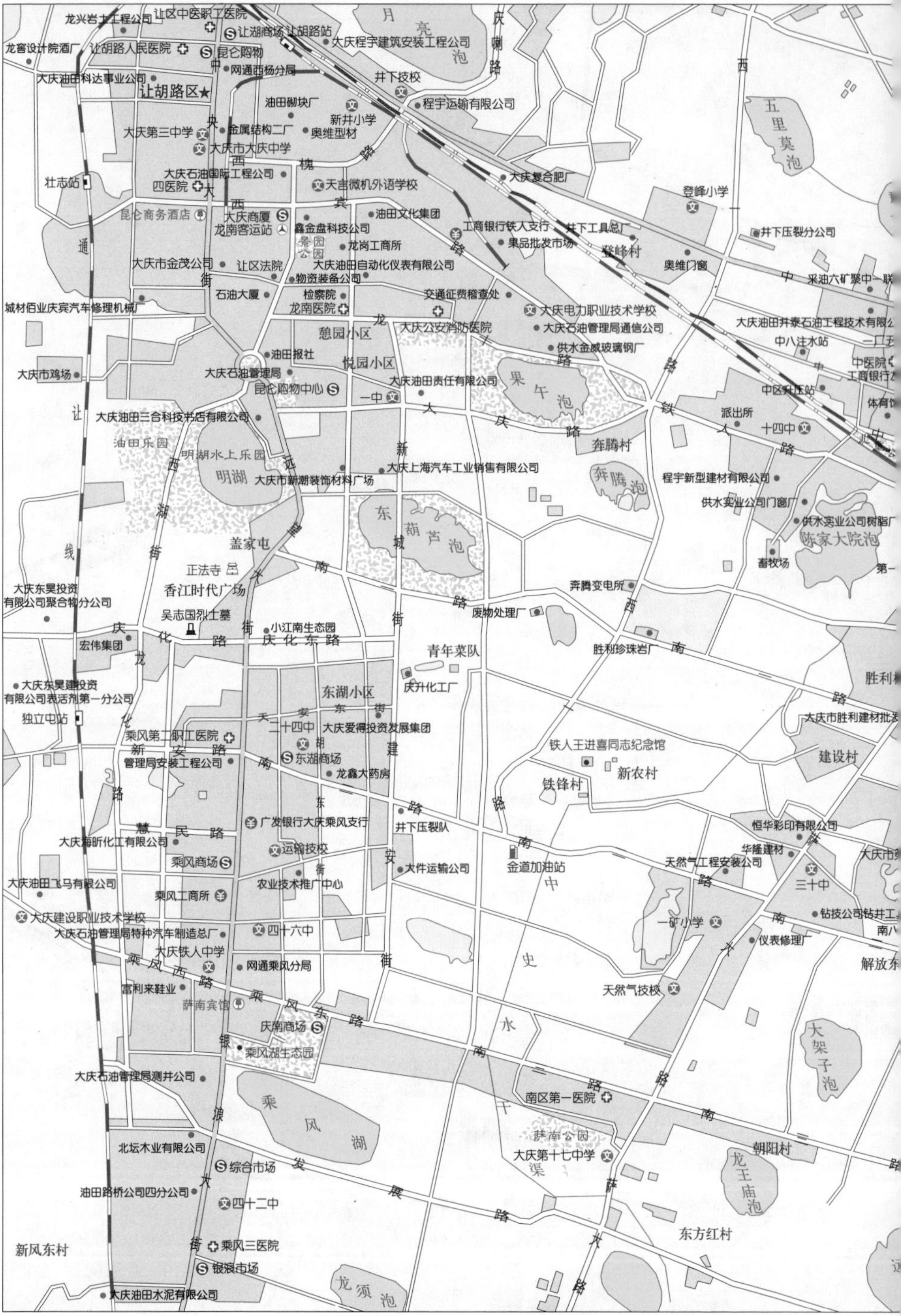
龙兴岩土工程公司
让区中医职工医院
让湖商场
让胡路站
龙窖设计院酒厂
让胡路人民医院
昆仑购物
网通西杨分局
大庆油田科达事业公司
让胡路区
大庆程宇建筑安装工程公司
井下技校
月亮泡
庆虹路
程宇运输有限公司
油田砌块厂
新井小学
大庆第三中学
金属结构二厂
奥维型材
大庆市大庆中学
中央大街
西槐路
西宾路
大庆石油国际工程公司
四医院
壮志站
天吉微机外语学校
大庆复合肥厂
登峰小学
五里莫泡
昆仑商务酒店
大庆商厦
龙南客运站
油田文化集团
鑫金盘科技公司
景园公园
龙岗工商所
工商银行铁人支行
井下工具总厂
果品批发市场
登峰村
井下压裂分公司
奥维门窗
大庆市金茂公司
让区法院
大庆油田自动化仪表有限公司
物资装备公司
采油六矿聚中一联
石油大厦
检察院
龙南医院
交通征费稽查处
大庆电力职业技术学校
城材佰业庆宾汽车修理机械厂
大庆公安消防医院
大庆石油管理局通信公司
大庆油田井泰石油工程技术有限公司
憩园小区
龙路
供水金威玻璃钢厂
中八注水站
油田报社
悦园小区
果午泡
中医院
工商银行
大庆市鸡场
大庆石油管理局
大庆油田责任有限公司
中区升压站
昆仑购物中心
一中
大庆路
铁路
派出所
体育馆
让通线
大庆油田三合科技书店有限公司
十四中
油田乐园
明湖水上乐园
新路
奔腾村
明湖
大庆上海汽车工业销售有限公司
大庆市新潮装饰材料广场
西湖街
远望大街
程宇新型建材有限公司
奔腾泡
供水实业公司门窗厂
东城葫芦泡
供水实业公司树脂厂
陈家大院泡
盖家屯
畜牧场
正法寺
南路
香江时代广场
奔腾变电所
大庆东昊投资有限公司聚合物分公司
西路
废物处理厂
吴志国烈士墓
小江南生态园
庆化路
庆化东路
胜利珍珠岩厂
宏伟集团
青年菜队
胜利村
东湖小区
庆升化工厂
大庆东昊建投资有限公司表活剂第一分公司
大庆市胜利建材批发
独立屯站
天安街
二十四中
大庆爱得投资发展集团
乘风第二职工医院
新安路
胡路
东湖商场
建设村
铁人王进喜同志纪念馆
管理局安装工程公司
新建街
新农村
龙鑫大药房
铁锋村
慧民路
广发银行大庆乘风支行
井下压裂队
恒华彩印有限公司
大庆海昕化工有限公司
华隆建材
运输技校
南路
天然气工程安装公司
乘风商场
大件运输公司
金道加油站
三十中
大庆油田飞马有限公司
农业技术推广中心
乘风工商所
一矿小学
钻技公司钻井工
大庆建设职业技术学校
四十六中
仪表修理厂
大庆石油管理局特种汽车制造总厂
大庆铁人中学
中史水南二干渠
解放东
乘风西路
网通乘风分局
富利来鞋业
天然气技校
萨南宾馆
乘风东路
庆南商场
乘风湖生态园
大架子泡
大庆石油管理局测井公司
南区第一医院
南路
乘风湖
北坛木业有限公司
萨南公园
大庆第十七中学
朝阳村
综合市场
发展路
龙王庙泡
油田路桥公司四分公司
银浪大街
四十二中
萨大路
东方红村
乘风三医院
新风东村
银浪市场
龙须泡
大庆油田水泥有限公司

色】大庆是一座因油而生，因油而兴的工业城市，主城面积大，而且不居中。大庆是我国最大的“石油城”和重化工业基地，我国内陆首家“国家环境保护模范城市”，得联合国迪拜改善居住环境良好范例奖和中国人居环境范

通】大庆市的城区交通是以城市公共交通为主，以出租，拥有客运线路58条，滨洲、通让铁路在城区西北交会。

【风景名胜】铁人王进喜同志纪念馆、果成寺、油田乐园等。

【景点介绍】**油田乐园** 位于城区西部，西湖街与通让铁路之间，乐园东隔西湖街是明湖水上乐园。占地100万平方米，规模宏大，是我国第一个以世界各类型文化为内容的大型园林公园，以异域建筑风格和风土人情为特色，表现世界七大产油国的石油文化。是欣赏异域风情和科普教育的理想之地。

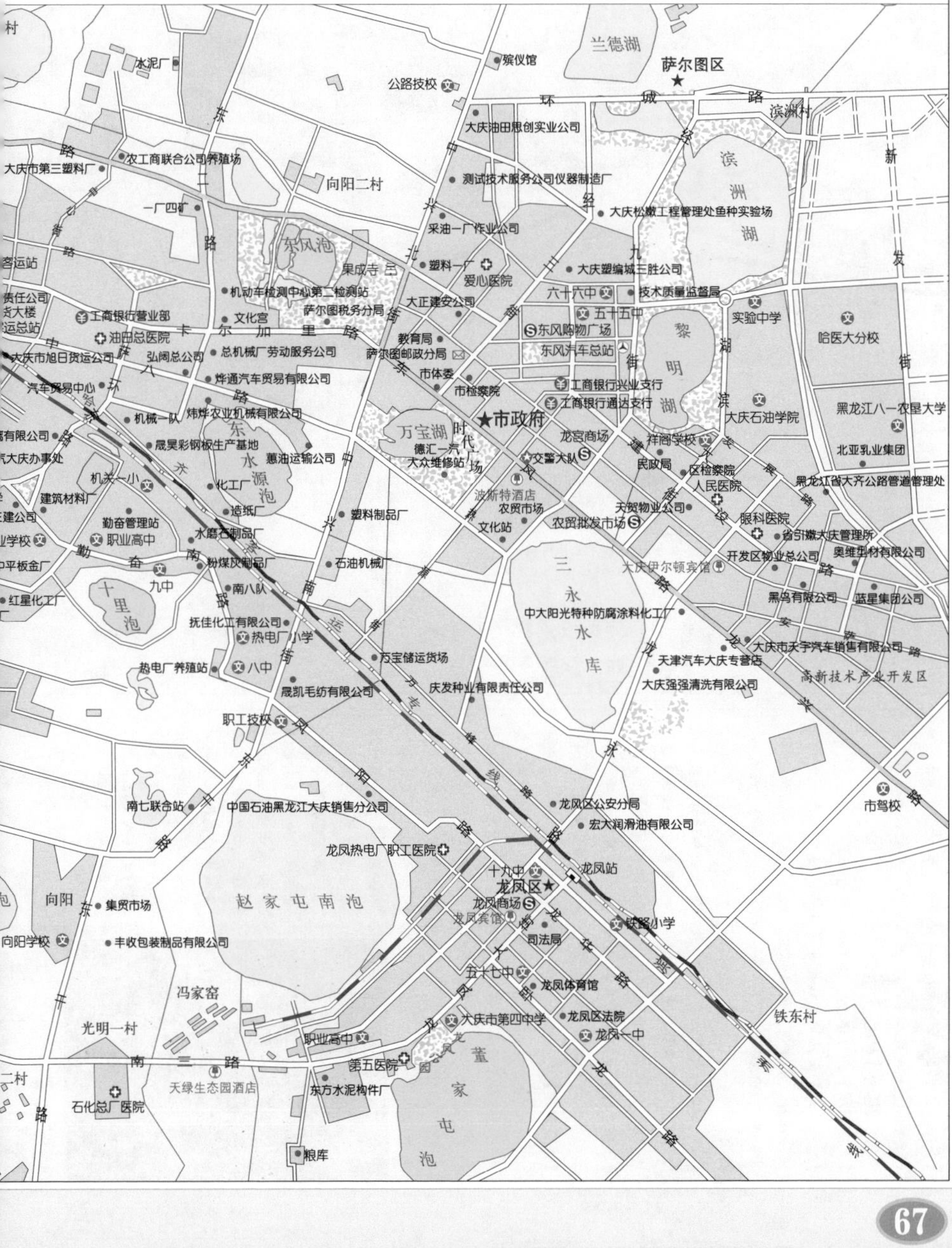

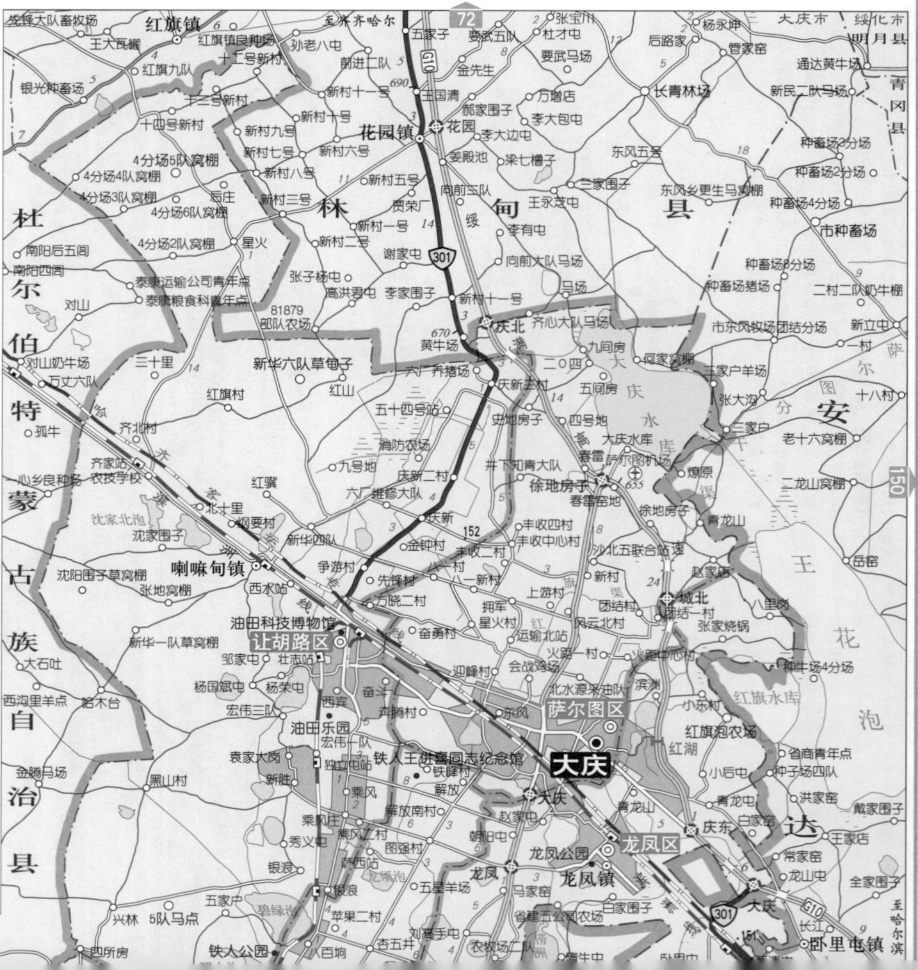

【地理位置】大庆市辖区位于市境中部偏东，东与安达市、肇州县相连，南与肇源县相接，西与杜尔伯特蒙古族自治县毗邻，北与林甸县相通。

【人口面积】人口135万，面积5311平方千米。

【地　　形】大庆地处松嫩平原中部，境内分布大量的湖泊、水库，其中有些为咸水湖，人工沟渠将湖泊相连接，主要有大庆水库、南引水库、哭泪泡、碧绿泡、东大海、西大海等。

【交　　通】大庆交通发达。铁路滨州线和通让线在此相交，哈齐客运专线过境。大广高速纵贯南北，绥满高速过境，301国道在境北部通过，县乡公路四通八达。

【风景名胜】大庆国家森林公园、油田科技博物馆、铁人王进喜同志纪念馆、松基三井、油田乐园、南湖公园等。

【景点介绍】　**铁人王进喜同志纪念馆**　位于大庆市解放二街8号。1971年为了纪念中国工人阶级的先锋战士——铁人王进喜，建成了“铁人王进喜同志英雄事迹陈列室”。1989年在此基础上建成了纪念馆。全馆总占地面积5.4万平方米，其中绿地面积3万平方米，主馆建筑面积1240平方米。在主馆前面广场平台上，两大片草坪间，耸立着一尊铁人王进喜手持刹把的高大塑像。展览室共陈列了200余幅照片和300多件珍贵实物，展示出了铁人的主要经历，他在大庆石油会战中的英雄业绩和大庆人学习铁人精神的情况。是铁人精神、大庆精神的传播基地和爱国主义教育的生动课堂。

大庆油田风光

比例尺　1∶500 000

5.0千米　0　5.0　10.0　15.0千米

高度表

0 50 100 200 300 400 500 600 800 1000 1200 1500米

镜泊湖 国家级风景名胜区　牡丹峰 国家级自然保护区　服务区　里程起迄点
二龙山 其他风景名胜区　哈尔滨 国家级森林、地质公园　出入口　收费站

肇源县

【地理位置】位于大庆市南部。北与杜尔伯特蒙古族自治县、大同区相连，东与肇州县、肇东县、双城区接壤，西、南与吉林省隔江相望。

【人口面积】人口48万，面积4120平方千米。

【地　　形】地处松嫩平原南部，地势低平，县境南部一带多牛轭湖和沼泽分布。地形地貌特征为南北狭窄，东西伸长，略呈羊角状。

【河流湖泊】有松花江、嫩江、南引水库、库里泡水库等。

【交　　通】通让铁路由县境西北部过境，大广高速过境，203国道、201省道纵横境内。嫩江、松花江可通航。

【资　　源】资源丰富，地下有石油和天然气。境内草原辽阔，水草丰富，是国家商品牛和商品鱼基地县。盛产地丁、玉竹等野生药材，芦苇资源丰富。

【风景名胜】大庙、莲花湖、鸡心滩、四万滩等。

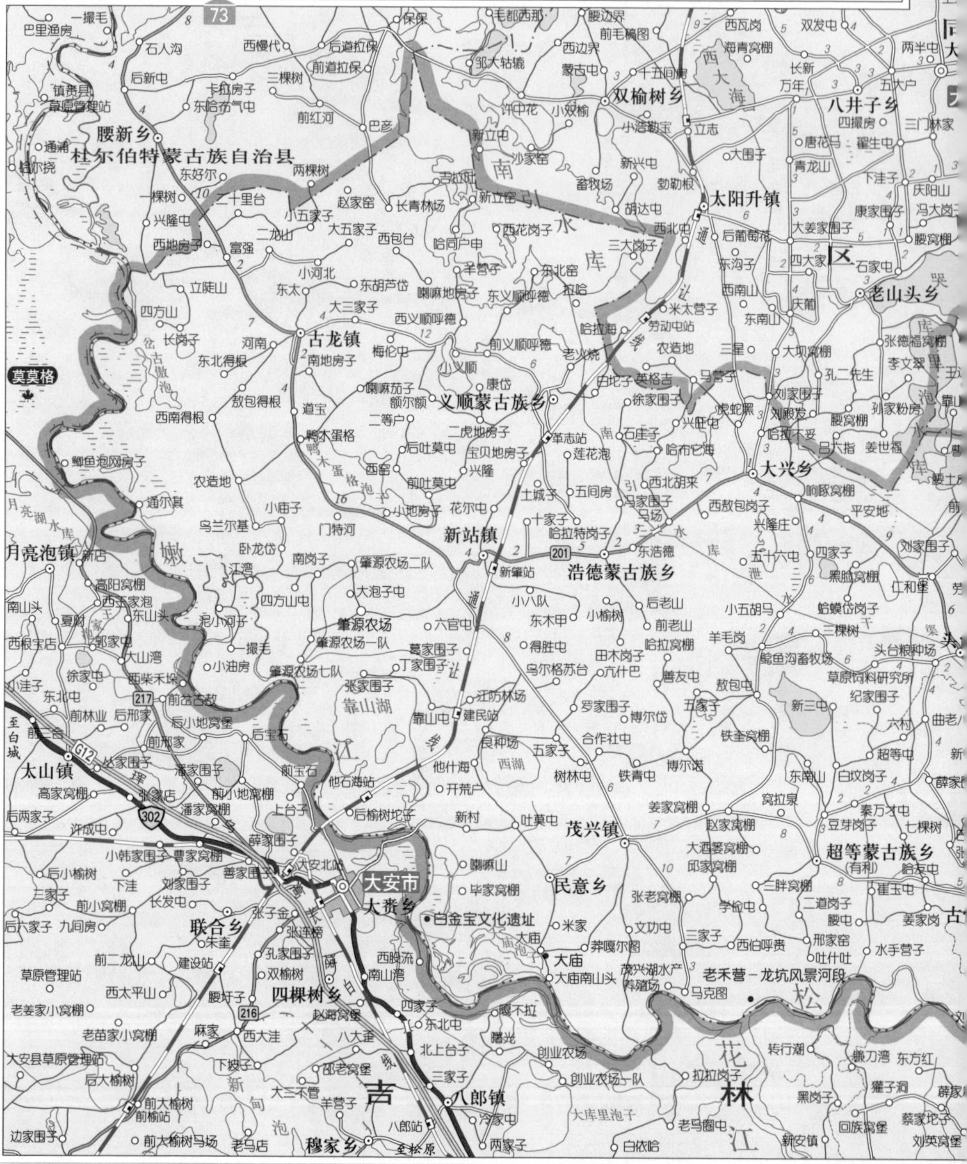

比例尺 1:520 000

5.2千米 0 5.2 10.4 15.6千米

高度表

0 50 100 200 300 400 500 600 800 1000 1200 1500米

肇州县

【地理位置】位于大庆市南部。东与肇东县相邻，南与肇源县为界，西与大同区相接，北与安达市相望。

【人口面积】人口47万，面积2445平方千米。

【地　　形】地处松嫩平原南部，地势低平，多盐碱地，草原广阔。

【交　　通】交通以公路为主，大广高速、203国道纵贯南北，305省道与县乡公路构成公路交通网。乡镇均有公路相连。

【资　　源】土质肥沃，农业发达，草原辽阔，是国家重要商品粮生产基地和商品牛基地县之一。盛产防风、龙胆草、柴胡等中药材和天然硝、碱等。

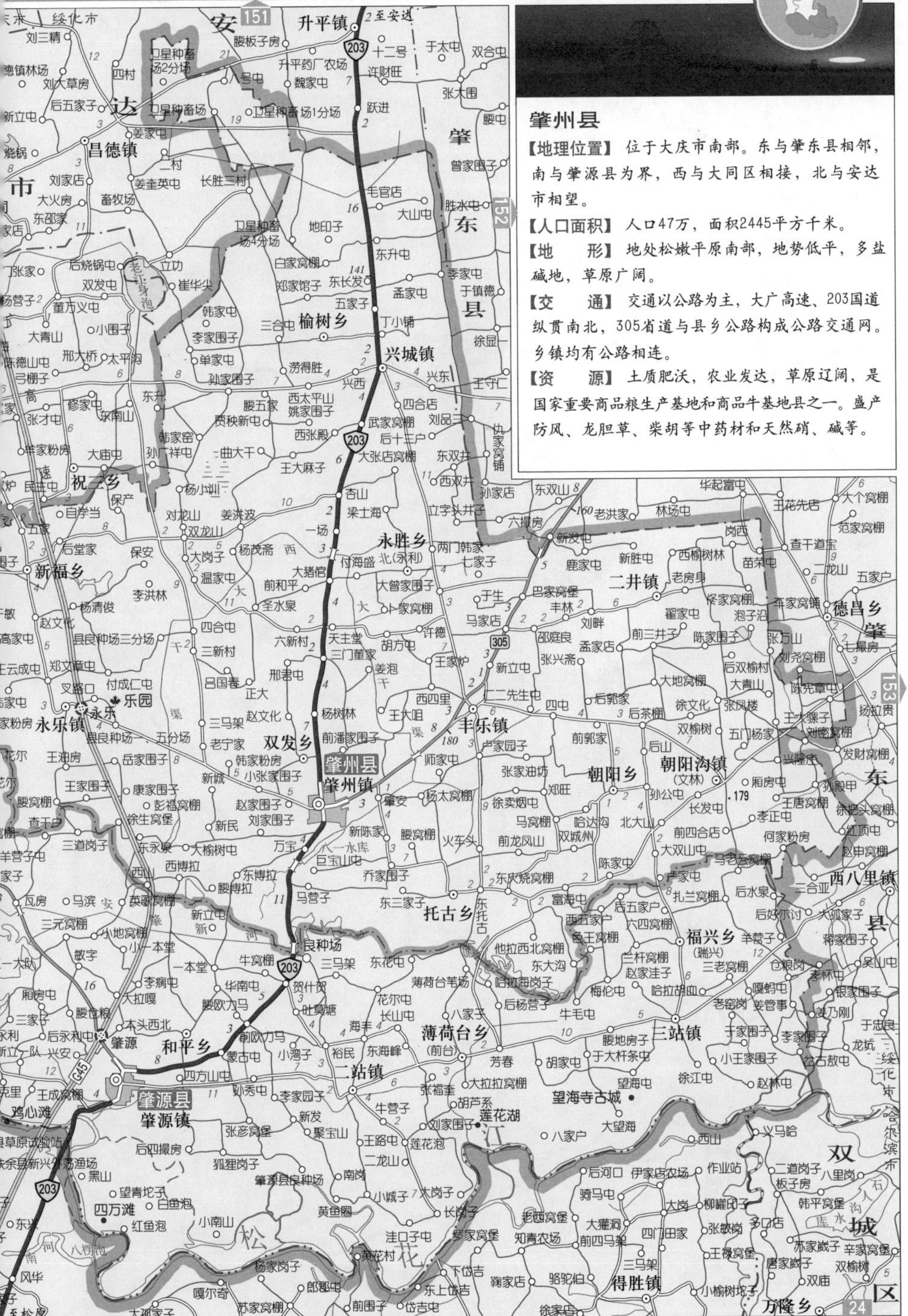

镜泊湖 国家级风景名胜区
二龙山 其他风景名胜区
牡丹峰 国家级自然保护区
哈尔滨 国家级森林、地质公园
服务区
出入口
里程起讫点
收费站

林甸县 杜尔伯特蒙古族自治县

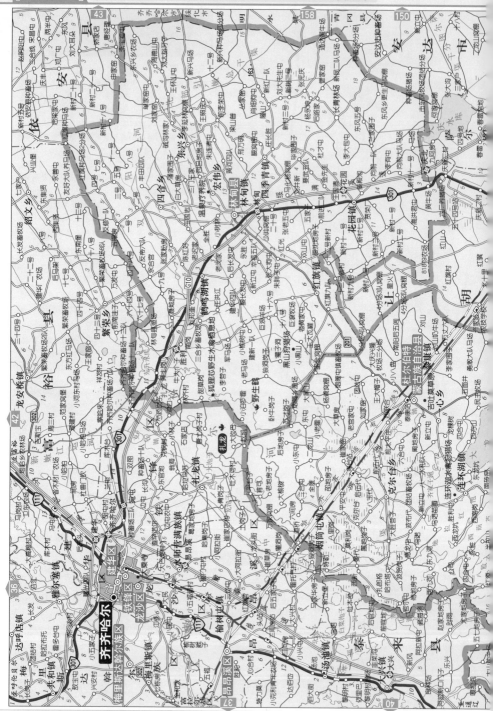

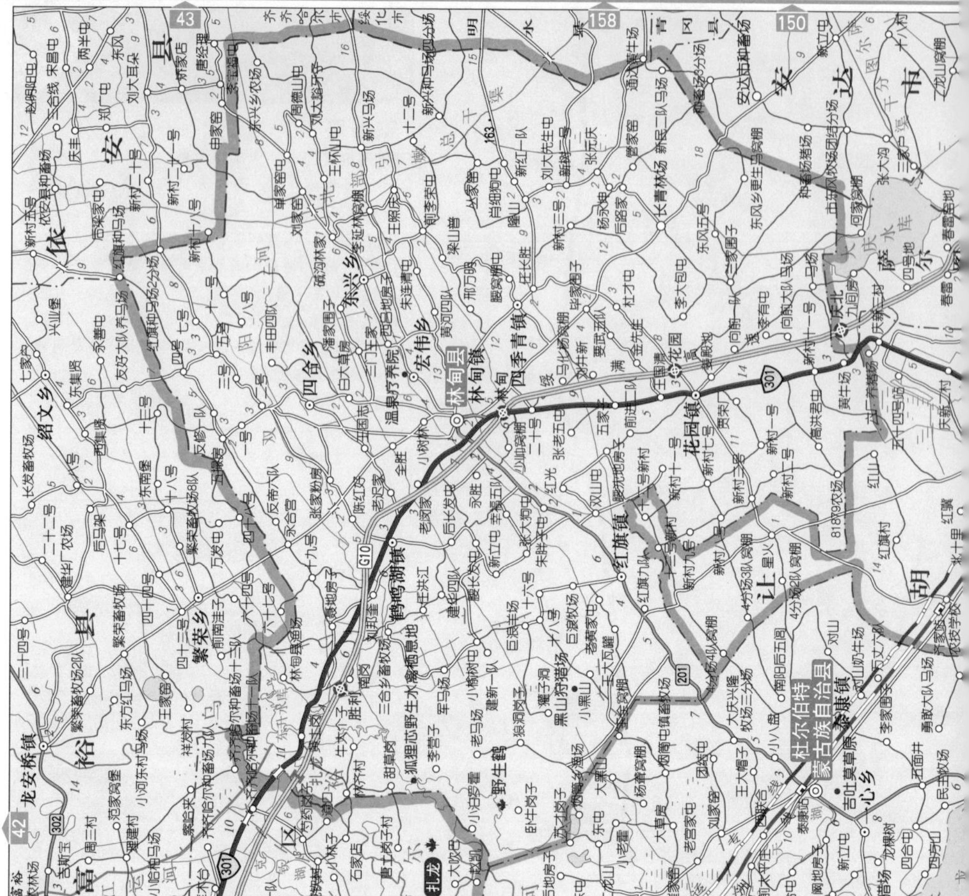

比例尺 1:690 000

6.9千米 0 6.9 13.8 20.7千米

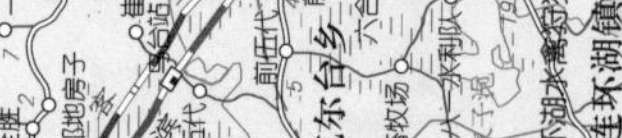

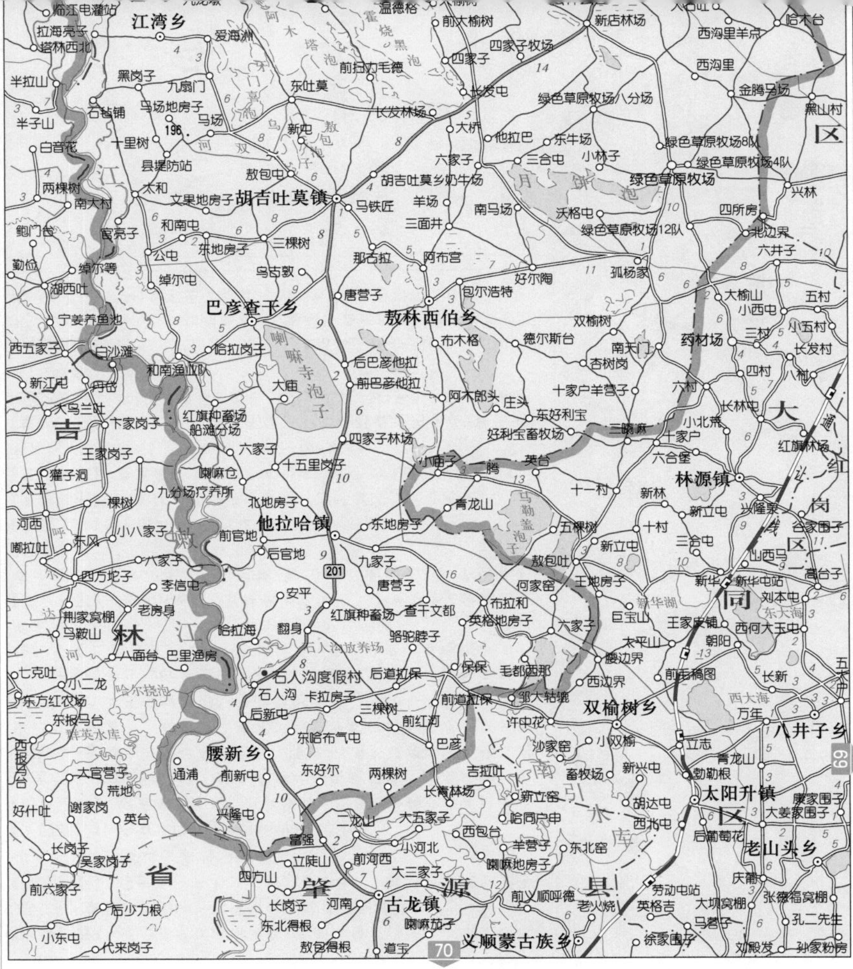

达市毗邻，南靠让胡路区、萨尔图区，北与富裕县，西与杜尔伯特蒙古族自治县、齐齐哈尔市区接壤。

【人口面积】人口27万，面积3591平方千米。

【地　　形】处松嫩平原腹地，地势平坦，渠网密集。

【河流湖泊】乌裕尔河、双阳河、北部引嫩总干渠等。

【交　　通】交通以公路为主。绥满高速过境，301国道、201省道在县城相交。

【资　　源】水资源丰富，是世界八大湿地保护区之一——扎龙自然保护区的核心区所在地。在湿地栖息着丹顶鹤、灰鹤、蓑羽鹤、白鹤等鹤类和天鹅、大雁、鸳鸯、白鹳、中华秋鸭等珍禽异鸟，是我国罕见的天然珍禽公园。林甸县有特大型地热田，是国内罕见的大规模地热富集区，是著名的“中国温泉之乡”。盛产芦苇和防风、黄　　芩等中药材。

【经　　济】食品加工、塑化工业、轻纺工业、建材工业等部门。农副产品主要有小麦、亚麻等，盛产鲤鱼、鲫鱼等鱼类。

【风景名胜】扎龙国家级自然保护区，狐狸芯野生水禽栖息地，温泉疗养院等。

杜尔伯特蒙古族自治县

【地理位置】位于市境西部，东与让胡路区、大同区相连，北与林甸县、齐齐哈尔市辖区为邻，西与泰来县、吉林省隔江相望，南同肇源县毗连。

【人口面积】人口25万，面积6176平方千米。

【地　　形】地处松嫩平原、嫩江之滨，地势开阔平坦，嫩江在县境西面流过。境内湖泊众多，是全省水域最大的县之一。

【河流湖泊】嫩江，大龙虎泡、喇嘛寺泡子、他拉红泡、西葫芦泡、霍烧黑泡、阿木塔泡等。

【交　　通】滨洲铁路穿过境内，201省道纵贯全境。县乡公路四通八达，纵横交错，形成了交通网络。

【资　　源】县域水肥草美，物产丰富，“草、水、苇、药”资源堪称黑龙江省之最。素有“绿色的净土”和“天然宝库”之美称。石油、天然气、地热等资源也较丰富。

【风景名胜】寿山旅游度假村、连环湖水禽狩猎场等。

【土特产品】爱琴环境艺术制品。

【景点介绍】**连环湖水禽狩猎场**　国家2A级旅游景区。位于县城西南泰白公路21千米处，景区占地579平方千米，是我国目前唯一一家国际水禽狩猎场，有黑龙江省最大的淡水养殖场，18个形态各异的湖泊以及为数不多的湿地奇观。

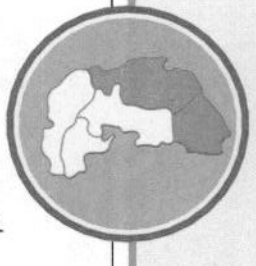

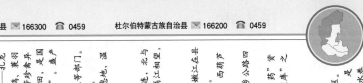

【地理位置】 位于黑龙江省东北部，东邻鹤岗市、佳木斯市，西接黑河市、绥化市，南邻哈尔滨市，北与俄罗斯隔江相望。

【行政区划】 辖伊美、乌翠、友好、金林4区、铁力市和汤旺、丰林、南岔、大箐山、嘉荫5县

【人口面积】 人口122万，面积32800平方千米。

【历史沿革】 伊春历史悠久。唐代以前，这里是北疆少数民族劳动生息之地，唐、辽、明、清各代都对此实施管辖。清末民初，划归汤原县管辖，为原始森林地区。1952年9月将汤原县伊春林区划出，成立伊春县，由松江省直辖。1954年松江省和黑龙江省合并后，由黑龙江省直辖。1957年改称伊春市。1958年伊春市划归松花江专署领导。1964年撤销伊春市，设立伊春特区。1970年伊春特区改设伊春地区。1979年撤销伊春地区，恢复伊春地级市，由省直辖。

【地　　形】 地处小兴安岭腹地低山丘陵区。小兴安岭主脉由北向东南逶迤，直抵松花江岸。地势西低东高，南低北高，平均海拔600米左右。

【最高山峰】 平顶山，海拔1429米。

【河流湖泊】 黑龙江、汤旺河、嘉荫河、呼兰河、友好河等。

【气　　候】 属寒温带大陆性季风气候，年平均气温在0.3—1.3℃。无霜期110—130天，年降水量为650—700毫米。

【交　　通】 伊春交通发达。绥佳、南乌铁路在境内相会，鹤大高速过境，222国道通过市区，203、204、303、311和312省道纵横境内。黑龙江通客货轮。

【风景名胜】 茅兰沟、五营、溪水、梅花山、兴安、迴龙湾、日月峡、仙翁山、桃山、八仙湖国家森林公园，嘉荫恐龙、伊春花岗岩石林、伊春小兴安岭国家地质公园，乌伊岭、丰林等国家级自然保护区。

比例尺　1:1 330 000

13.3千米　0　13.3　26.6　39.9千米

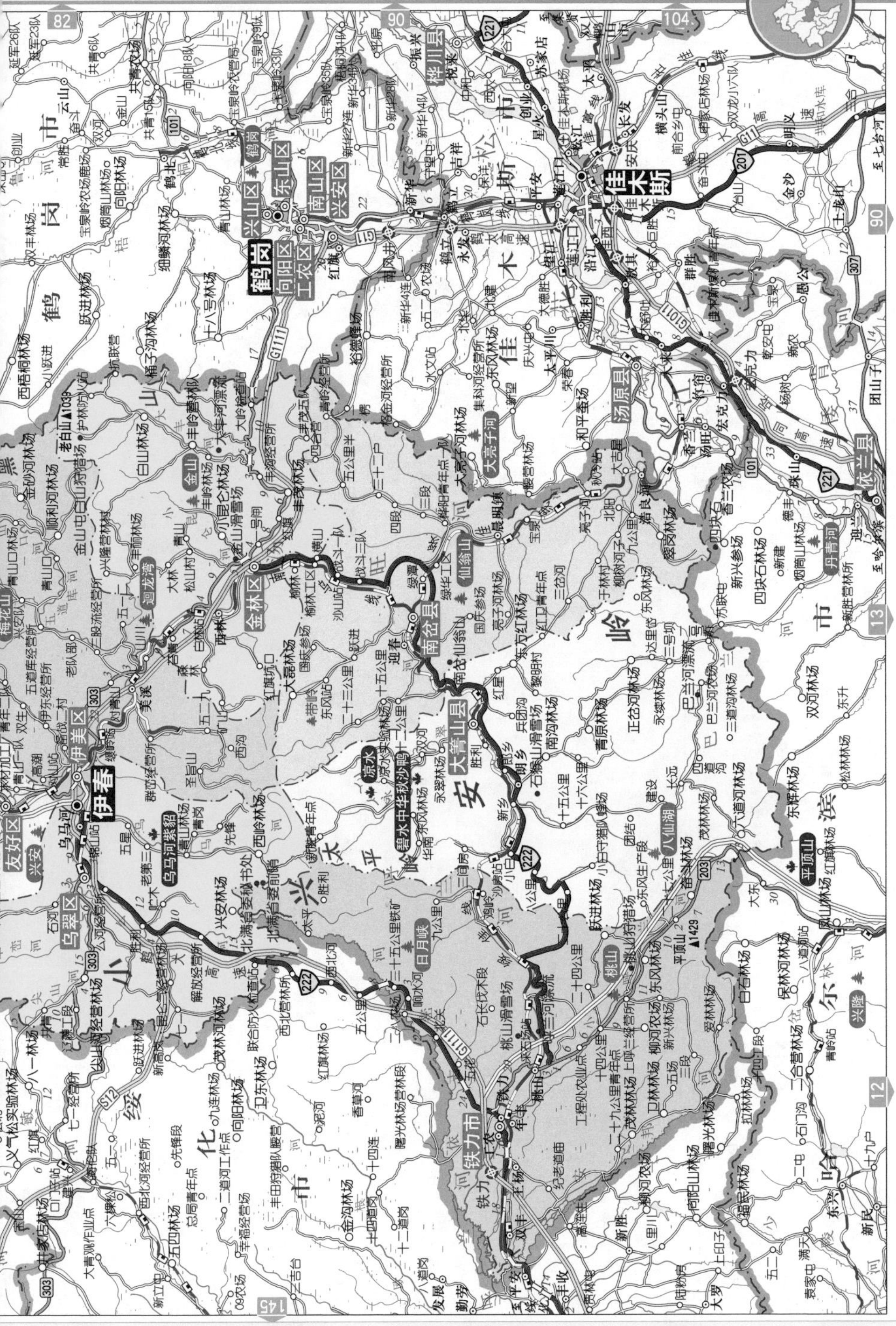

镜泊湖 国家级风景名胜区
二龙山 其他风景名胜区
牡丹峰 国家级自然保护区
哈尔滨 国家级森林、地质公园
服务区
出入口
里程起讫点
收费站

伊春城区 嘉荫县

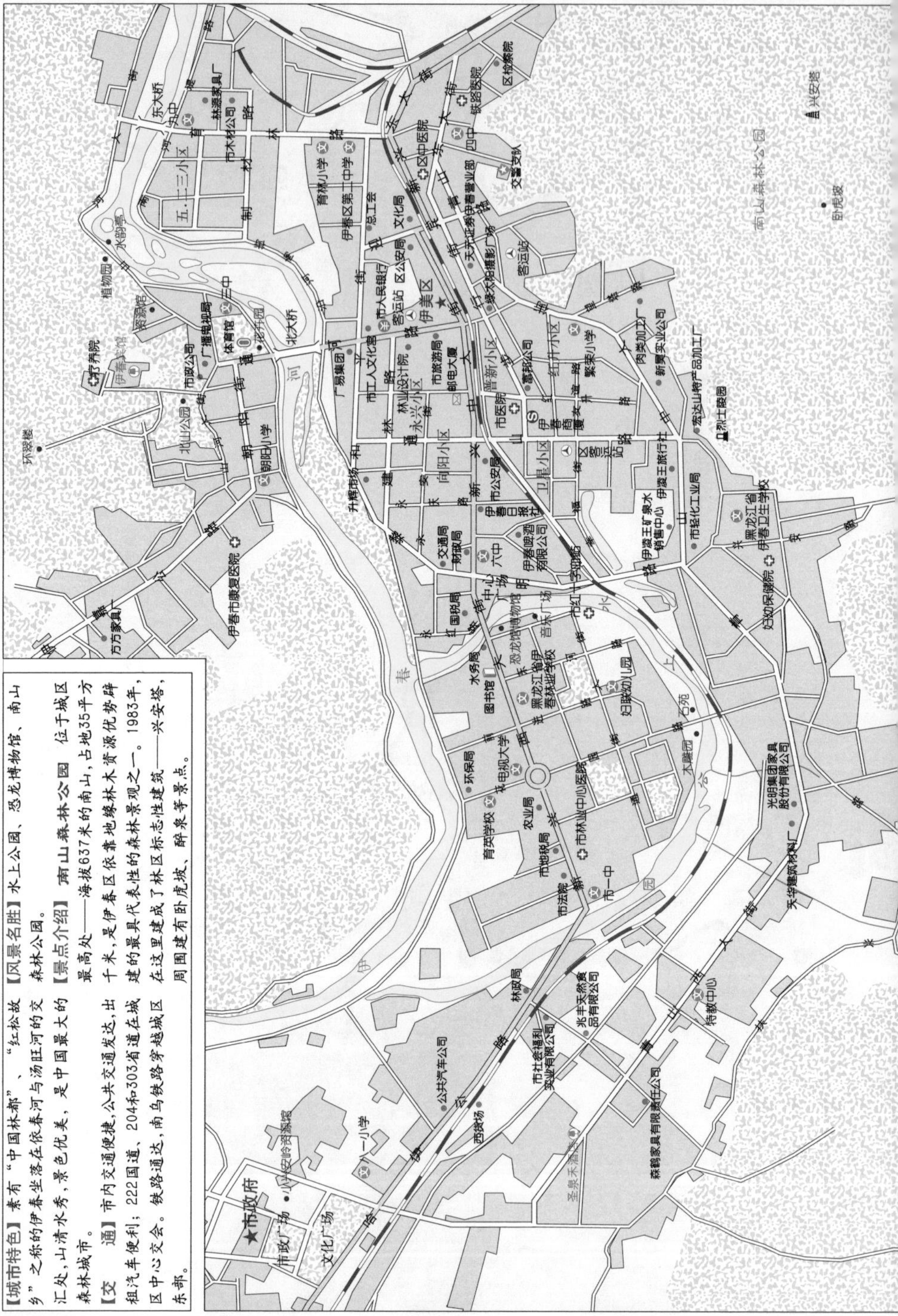

【城市特色】素有"中国林都"、"红松故乡"之称的伊春坐落在依春河与汤旺河的交汇处，山清水秀，景色优美，是中国最大的森林城市。

【交　通】市内交通便捷，公共交通发达，出租汽车便利；222国道、204和303省道在城区中心交会。铁路通达，南乌铁路穿越城区东部。

【风景名胜】水上公园、恐龙博物馆、南山森林公园。

【景点介绍】南山森林公园　位于城区最高处——海拔637米的南山，占地35平方千米，是伊春区依靠地缘林木资源优势辟建的最具代表性的森林景观之一。1983年，在这里建成了林区标志性建筑——兴安塔，周围建有卧虎坡、醉泉等景点。

镜泊湖 国家级风景名胜区	牡丹峰 国家级自然保护区	服务区	里程起讫点
二龙山 其他风景名胜区	哈尔滨 国家级森林、地质公园	出入口	收费站

嘉荫县

【地理位置】 位于市境东北部，东、北与俄罗斯隔江相望。南接萝北县、鹤岗市区，西与汤旺县、丰林县、逊克县毗邻。

【人口面积】 人口7万，面积6749平方千米。

【地　　形】 地处小兴安岭北部台地状丘陵区，全境地势西南高、东北低，沟壑纵横，平原相间。

【最高山峰】 守虎山，海拔788米。

【河流湖泊】 黑龙江、嵩贡河、乌云河、结列河、乌拉嘎河、嘉荫河等。

【交　　通】 204、311、312省道贯穿全境，黑龙江可通航。嘉荫口岸为国家一类口岸。

【资　　源】 自然资源丰富，水草茂盛，森林广布。林木有红松、落叶松、黄菠萝、胡桃楸等多种珍贵树种；盛产人参、黄芪、五味子等中草药；都柿、山葡萄、山梨等山野果；蕨菜、薇菜、刺嫩芽等山野菜。还有黑熊、野猪、马鹿等野生动物。黑龙江产鲟鱼、鳇鱼、大马哈鱼、哲罗等鱼类。矿产资源有黄金、褐煤、膨润土、麦饭石等。

【经　　济】 嘉荫是国家一类口岸、江海联运港口、对外开放地区以及国家级生态示范县，素有“恐龙之乡”、“黄金之乡”之美誉，是新兴的生态旅游县。盛产大豆、小麦，是黑龙江主要麦豆产区之一。工业有采矿、农机修理、木材加工、建材、食品加工等行业。

【风景名胜】 茅兰沟国家森林公园、嘉荫恐龙国家地质公园等。

【土特产品】 木耳、猴头菇、鳇鱼等。

【风土人情】 俄罗斯风情，鄂伦春风情。

【景点介绍】 **茅兰沟国家森林公园** 位于嘉荫县城67千米处，面积48平方千米，海拔400多米。这里怪石嶙峋，古木参天，至今保存较完整的原始状态。因山奇、瀑美、潭幽被人们称为北国的小九寨沟。

嘉荫恐龙国家地质公园 位于嘉荫县境内环境优美的黑龙江边，分布有大片的天然次生柞树林和白桦树林。因埋藏丰富的恐龙化石而斐声中外，是我国最早发现、并发掘的恐龙化石遗址，被海内外称为“神州第一龙”的发掘地。

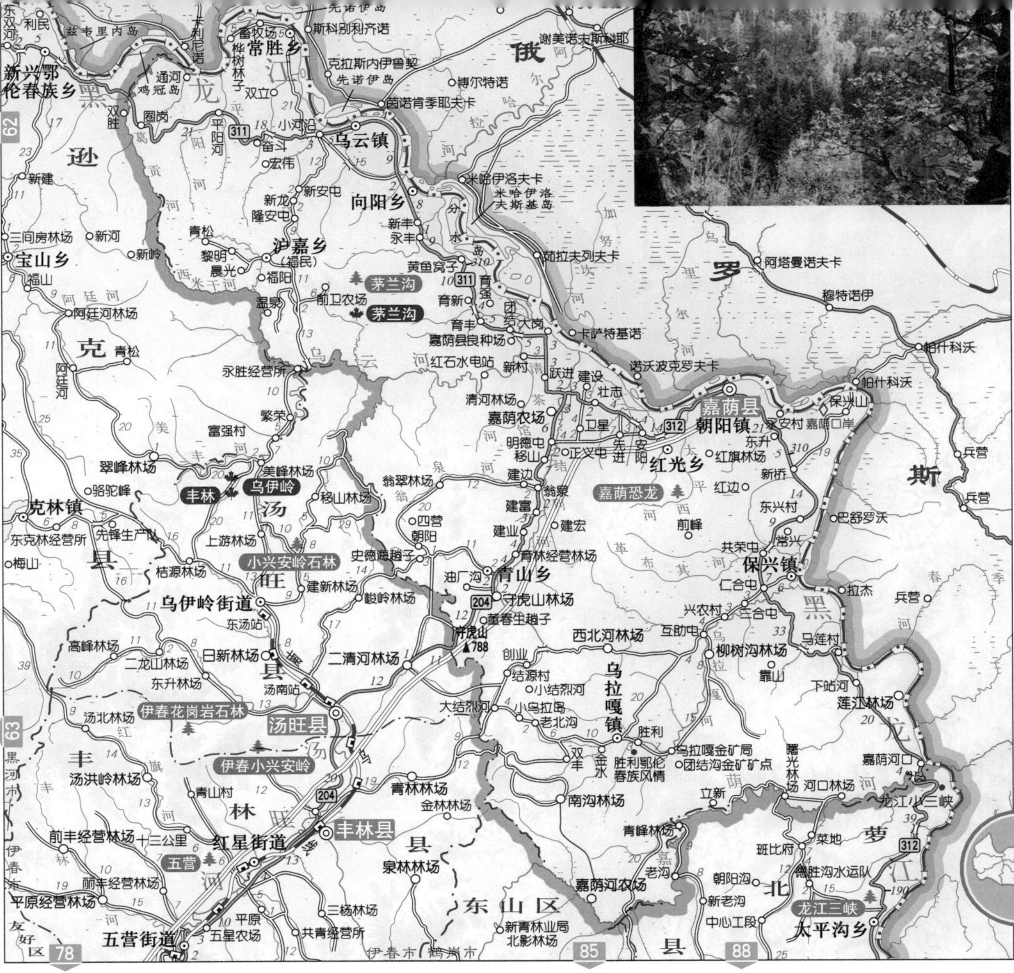

高度表
0 50 100 200 300 400 500 600 800 1000 1200 1500米

比例尺 1:1 140 000
11.4千米 0 11.4 22.8 34.2千米

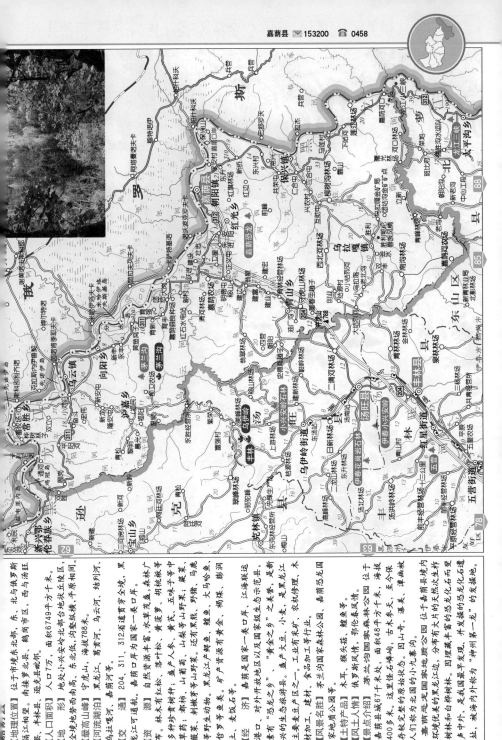

【地理位置】伊春市辖伊美区、乌翠区、友好区、金林区及汤旺县、丰林县、南岔县，东接嘉荫县、汤原县和鹤岗市区南连依兰县、铁力市和大箐山县,西与绥棱县、庆安县为邻，西北与逊克县相接。

【人口面积】人口78万，面积19608平方千米。

【地　　形】地处小兴安岭腹地，多为山地丘陵地貌。汤旺河东部山地为南北走向，西南部为东南西北走向。主要山脉有小兴安岭、青黑山。

【最高山峰】锅盔顶，海拔1076米。

【河流湖泊】汤旺河、伊春河、友好河、大丰河等。

【交　　通】交通发达，绥佳铁路、南乌铁路纵横交于本境，鹤哈高速、222国道和204、303省道在市区相交，组成了本区的交通主干线。

【资　　源】矿产资源主要有金、银、铁、铅等金属矿藏和石灰石、大理石、玛瑙石等非金属矿藏。森林资源丰富，主要树种有红松、落叶松、云杉、冷杉等树种，和东北虎、马鹿、黑熊、猞猁等珍稀野生动物。

【风景名胜】五营、梅花山、兴安、迴龙湾、仙翁山国家森林公园，伊春花岗岩石林、伊春小兴安岭国家地质公园，乌伊岭、丰林等国家自然保护区。

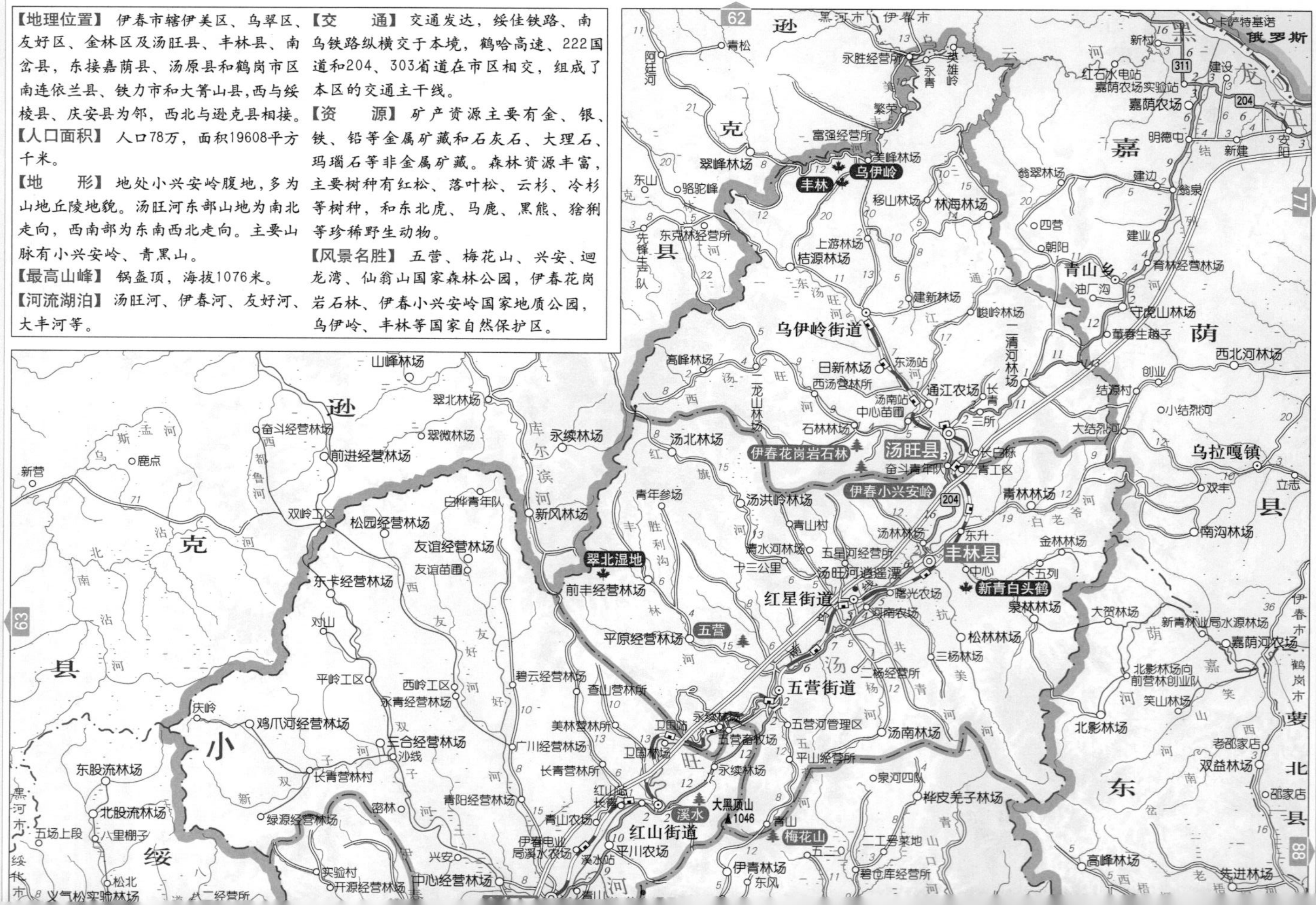

比例尺　1:1 060 000

10.6千米　0　10.6　21.2　31.8千米

高度表

0　50　100　200　300　400　500　600　800　1000　1200　1500米

森林公园

镜泊湖 国家级风景名胜区
二龙山 其他风景名胜区
牡丹峰 国家级自然保护区
哈尔滨 国家级森林、地质公园
服务区
出入口
里程起迄点
收费站

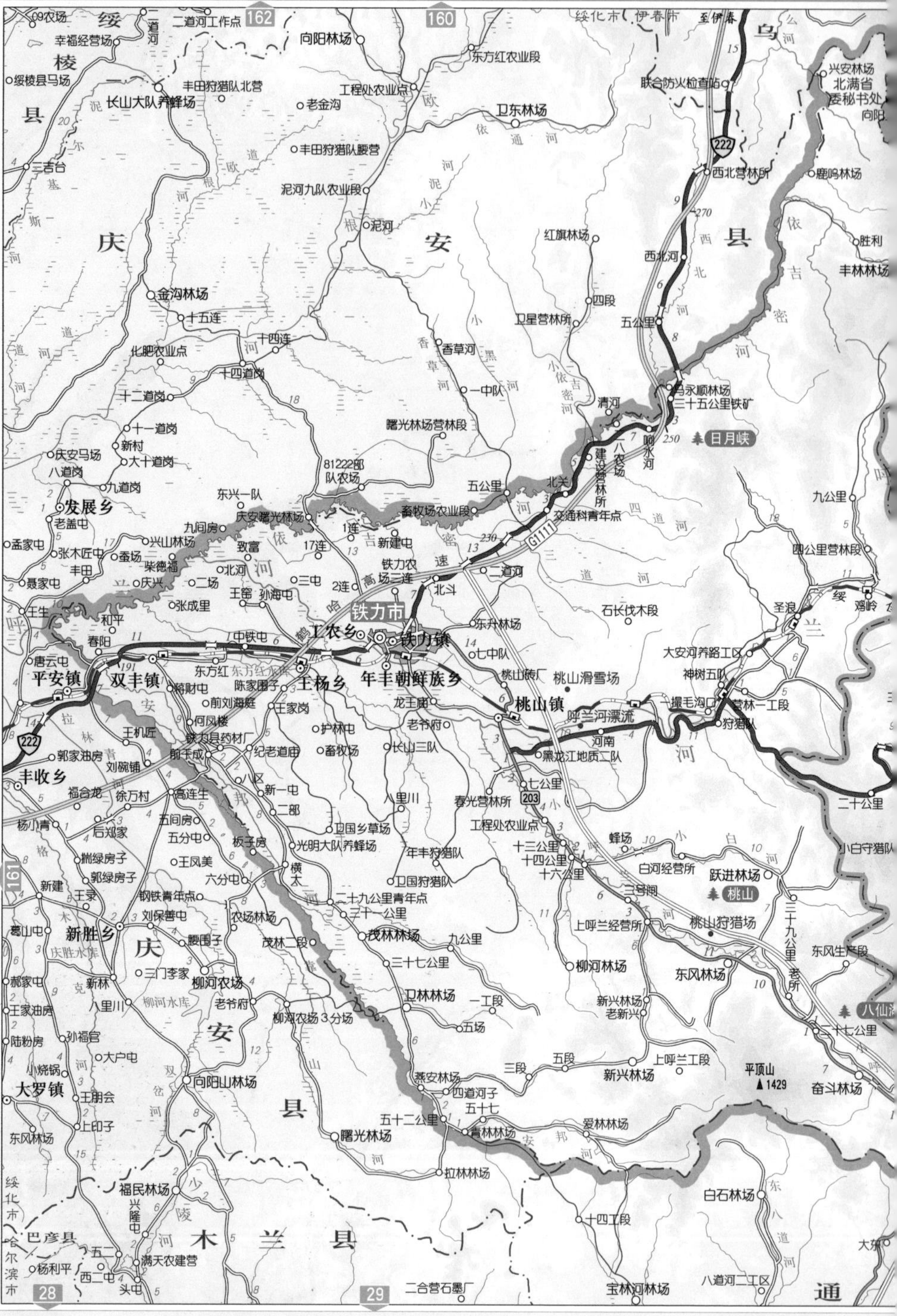

比例尺　1:610 000

6.1千米　0　6.1　12.2　18.3千米

高度表

0　50　100　200　300　400　500　600　800　1000　1200　1500米

铁力市

【地理位置】位于市境南部。东、东北与大箐山县、乌翠区毗邻，南与通河县接壤，西、西北隔河与庆安县相望。

【人口面积】人口30万，面积3776平方千米。

【地　　形】地处小兴安岭南部低山丘陵和西侧波状台地区。

【最高山峰】平顶山，海拔1429米。

【河流湖泊】呼兰河、安邦河、依吉密河、东方红水库等。

【交　　通】交通便捷，绥佳铁路贯穿全境，鹤哈高速、222国道、203省道从市区通过，县乡公路连接成网。

【资　　源】自然资源丰富。地下矿藏有金、铜、铅、锌、铁及石墨、玉石等。珍贵树种有红松、落叶松、黄菠萝、水曲柳等。珍禽异兽有梅花鹿、黑熊、野猪、狍子、飞龙、山雉等。山珍产品有山葡萄、山核桃、蘑菇、木耳、蕨菜、榛子等，平贝、五味子、刺五加、鹿茸、麝香、黄芪等中草药材驰名中外，是我国人参种植基地。

【经　　济】是典型的农林交错经济，每年为国家生产大量的木材。在种植业上重点发展绿色水稻、绿色大豆和无公害蔬菜。在畜牧业上突出发展奶牛、大鹅和林蛙养殖。工业以森林工业为主，有林木产品加工、食品、建材、皮革、冶金、采矿、印刷、酿造、乳品、制药等行业。

【风景名胜】日月峡、八仙湖、桃山国家森林公园、呼兰河漂流、桃山滑雪场、巴兰河漂流、桃山狩猎场。

【土特产品】椴树蜜、蜂王浆、山野菜。

【风味小吃】朝鲜族风味菜。

大箐山县

【地理位置】位于市境南部。西连铁力市，东接南岔县，北邻乌翠区，南邻依兰县、通河县。

【人口面积】人口10万，面积3706平方千米。

【地　　形】地处小兴安岭南麓，属低山丘陵区。

【河流湖泊】巴兰河、永翠河等。

【交　　通】县境内交通方便，绥佳铁路、国道222横穿过境。

【资　　源】矿产资源主要有石灰岩、水晶、石墨、花岗岩等。野生动物有中华秋沙鸭、黑熊、马鹿等250余种。

【风景名胜】大箐山、凉水自然保护区、碧水森林公园、朗乡林中园等。

镜泊湖 国家级风景名胜区　牡丹峰 国家级自然保护区　服务区　里程起讫点

二龙山 其他风景名胜区　哈尔滨 国家级森林、地质公园　出入口　收费站

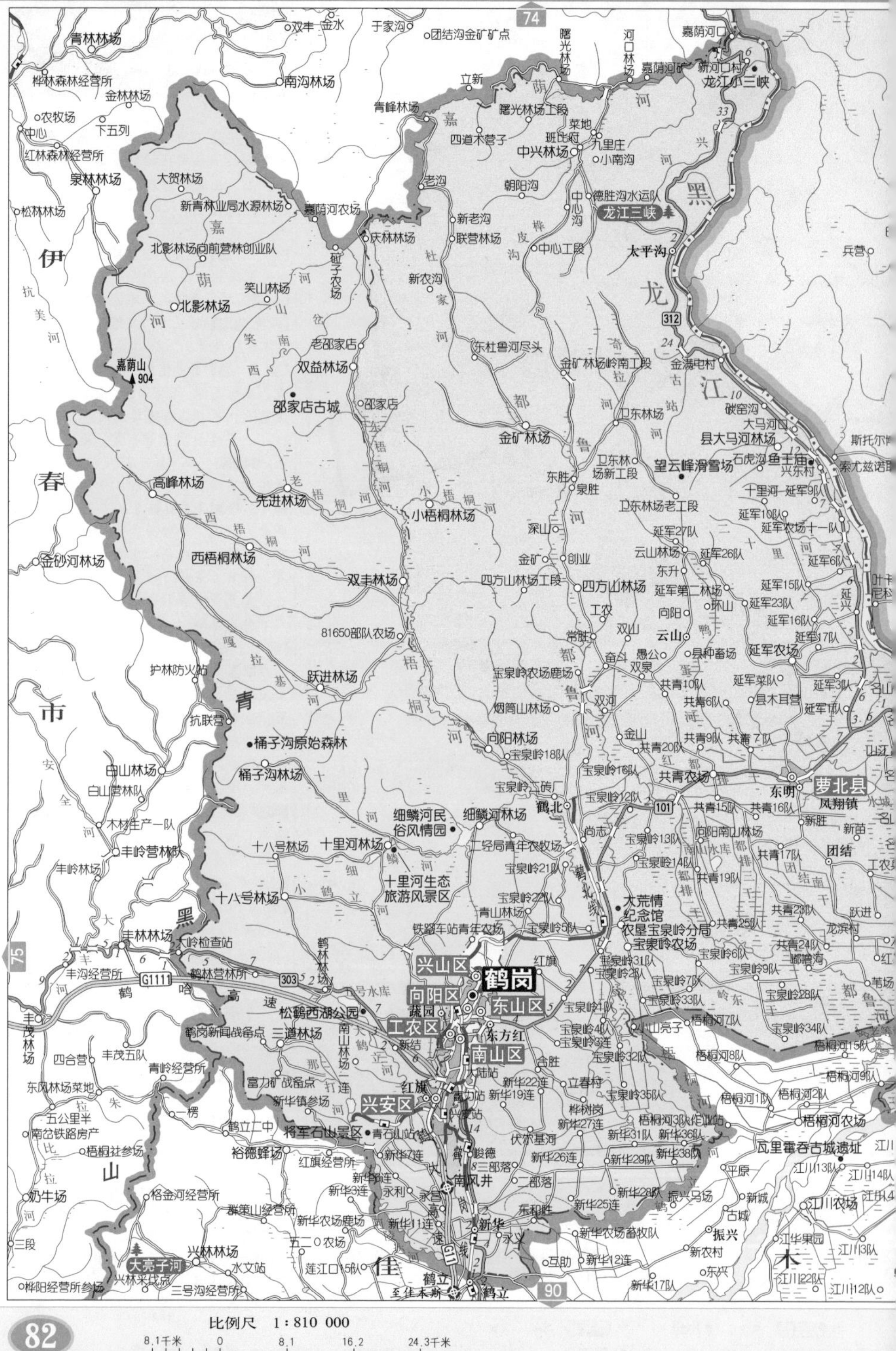

比例尺 1:810 000

8.1千米 0 8.1 16.2 24.3千米

理位置】 位于黑龙江省东北部，西连伊春市，东、
佳木斯市，东北与俄罗斯隔黑龙江相望。
区划】 辖兴山、向阳、工农、南山、兴安、东山
萝北、绥滨2县。
面积】 人口108万，面积14665平方千米。
沿革】 1939年置鹤立县。于1946年建立兴山市，
江省。1949年兴山市改称鹤岗市，为松江省辖市。
年属黑龙江省。1958年鹤岗市划归合江专署领导。
年升地级市，仍属合江专区。1966年复由省直辖。
形】 地处小兴安岭山地东缘，三江平原西北
西部为小兴安岭青黑山脉，北部为低山丘陵，东南
三江平原。
高山峰】 嘉荫山，海拔904米。
流湖泊】 黑龙江、松花江、梧桐河、都鲁河、鹤
等。
候】 属中温带大陆性季风气候。年降水量640
毫米，年平均温度1.5—2.8℃。无霜期约140天。

【交　　通】 交通方便，铁路有鹤岗线、鹤北线，鹤大高速公路由城区通往佳木斯市。101、303、312省道纵横境内。黑龙江、松花江可通航。

【资　　源】 矿产资源丰富，以煤炭、石墨、黄金储量为最多。煤炭质量优，品种全，是我国的煤炭基地之一。石墨储量为亚洲之首。森林资源、动植物资源丰富。盛产木材。主要树种有红松、落叶松、杨、桦等。还有马鹿、野猪、黑熊等珍稀野生动物。盛产人参、五味子、刺五加等中药材。

【土特产品】 大马河山地鸡、金满屯蜂产品、云山压缩木耳、太平沟木雕。

【风景名胜】 龙江三峡国家森林公园、名山岛、龙江小三峡、中兴古城、奥里米古城遗址、将军石山景区。

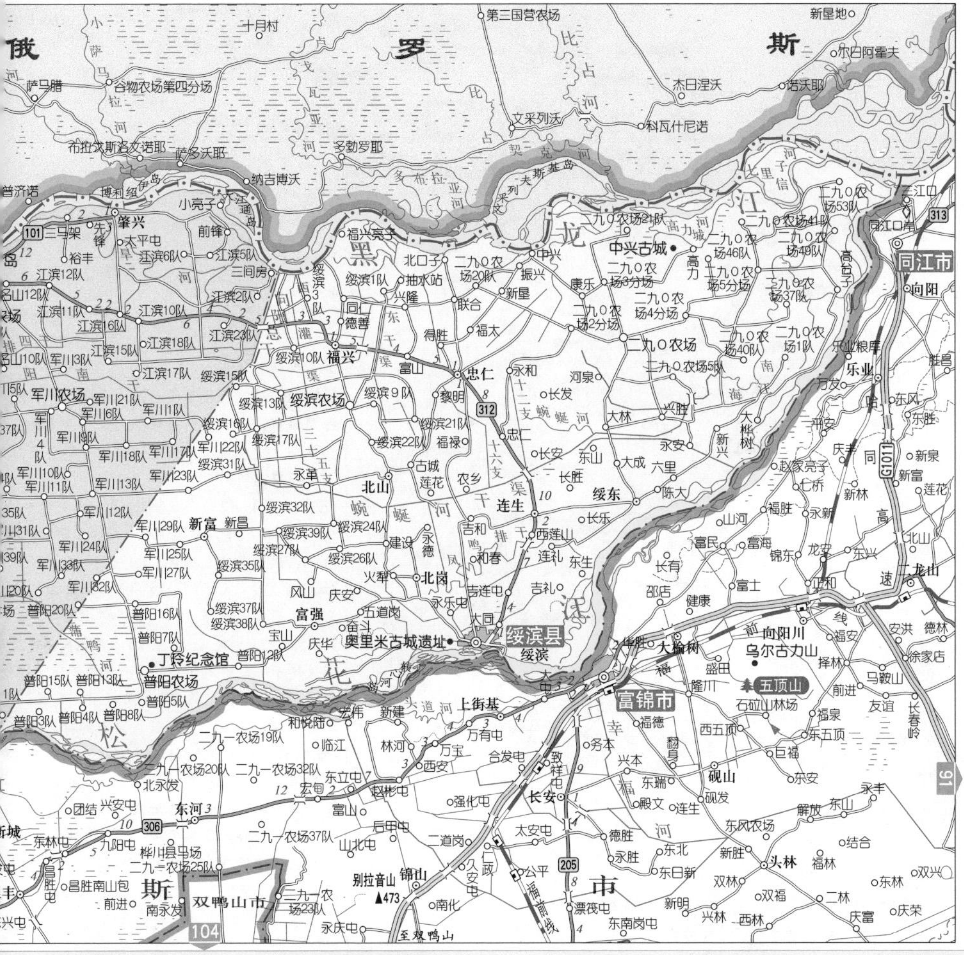

镜泊湖 国家级风景名胜区	牡丹峰 国家级自然保护区	服务区	里程起迄点
二龙山 其他风景名胜区	哈尔滨 国家级森林、地质公园	出入口	收费站

鹤岗城区

【城市特色】 鹤岗市是一座以煤炭生产为主的
源型城市，在黑龙江省经济地位十分重要，
“煤都”之称。“鹤岗”传说因有鹤群飞落
山岗而得名。

【交　　通】 市内交通发达，有公共交通和通
区县的长途汽车，交通便利；鹤佳、鹤北铁路
于此，鹤大高速至城区。

【风景名胜】 天水湖公园、五指山公园、东
影制片厂展览馆等。

【景点介绍】 **天水湖公园** 是集民族建筑
族风情于一园的文化游览区。园内荟萃了鄂伦
鄂温克、赫哲、达斡尔、柯尔克孜、锡伯、蒙
朝鲜、回、满等十大少数民族各具特色的建
松鹤西湖公园风景区 位于鹤岗市西郊，
鹤岗市区14千米。集旅游观光、娱乐餐饮、
滑雪等功能于一体。总面积3平方千米，水面
平方千米，公园三面环山，一面靠水，属森林
气候，一年四季空气清新。公园内山清水秀，
光旖旎，景色宜人。主要景点有飞来峰、笃斯
排云亭、金沙滩浴场和大型流水式露天游泳池

镜泊湖 国家级风景名胜区　牡丹峰 国家级自然保护区　服务区　里程起迄点
二龙山 其他风景名胜区　哈尔滨 国家级森林、地质公园　出入口　收费站

鹤岗市辖区

【地理位置】 位于市境西侧，东与萝北县相邻，南与汤原县相通，西接伊春市辖区，北与嘉荫县相连。

【人口面积】 人口67万，面积4553平方千米。

【地　　形】 地势北高南低。北部、西部是小兴安岭青黑山，为低山丘陵地貌，南部为三江平原。

【最高山峰】 小白山，海拔1022米。

【河流湖泊】 嘉荫河、梧桐河、鹤立河和五号水库等。

【交　　通】 鹤北铁路、鹤岗铁路交会于鹤岗城区，101省道、303省道在市区交会。鹤大高速由市区通往佳木斯。

【经　　济】 工业以煤炭为主，是国家重要的煤炭生产基地和电力生产基地。现已形成了以煤炭为主体，以电力、化工为支柱，以造纸、建材、食品为骨干的门类齐全的工业体系。农业盛产大豆、水稻、玉米、小麦以及马铃薯、甜菜、烟叶等。是国家重要的粮食产区。

【风景名胜】 桶子沟原始森林景区、松鹤西湖公园风景区、将军石山景区、邵家店古城等。

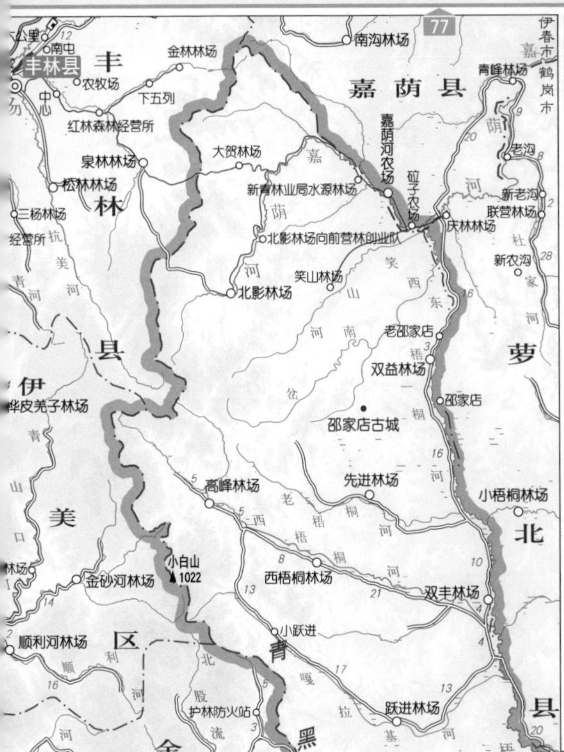

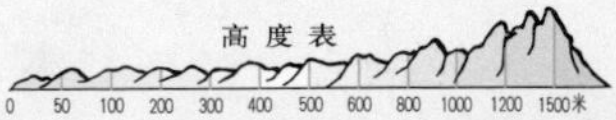

比例尺　1：780 000

7.8千米　0　7.8　15.6　23.4千米

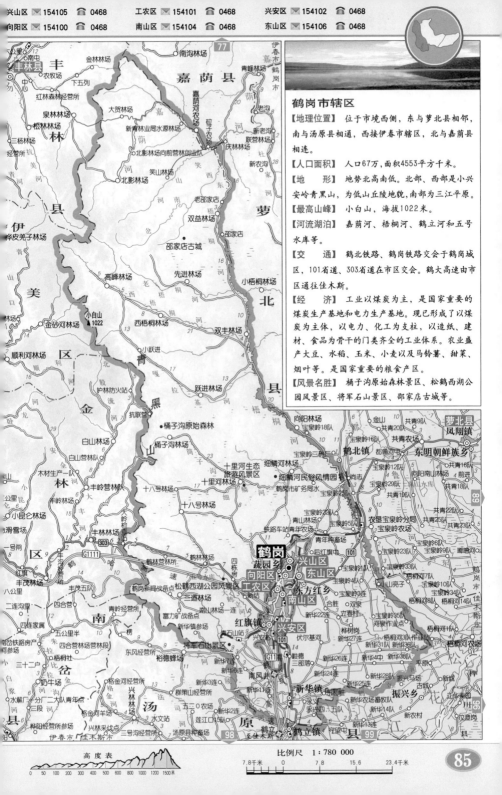

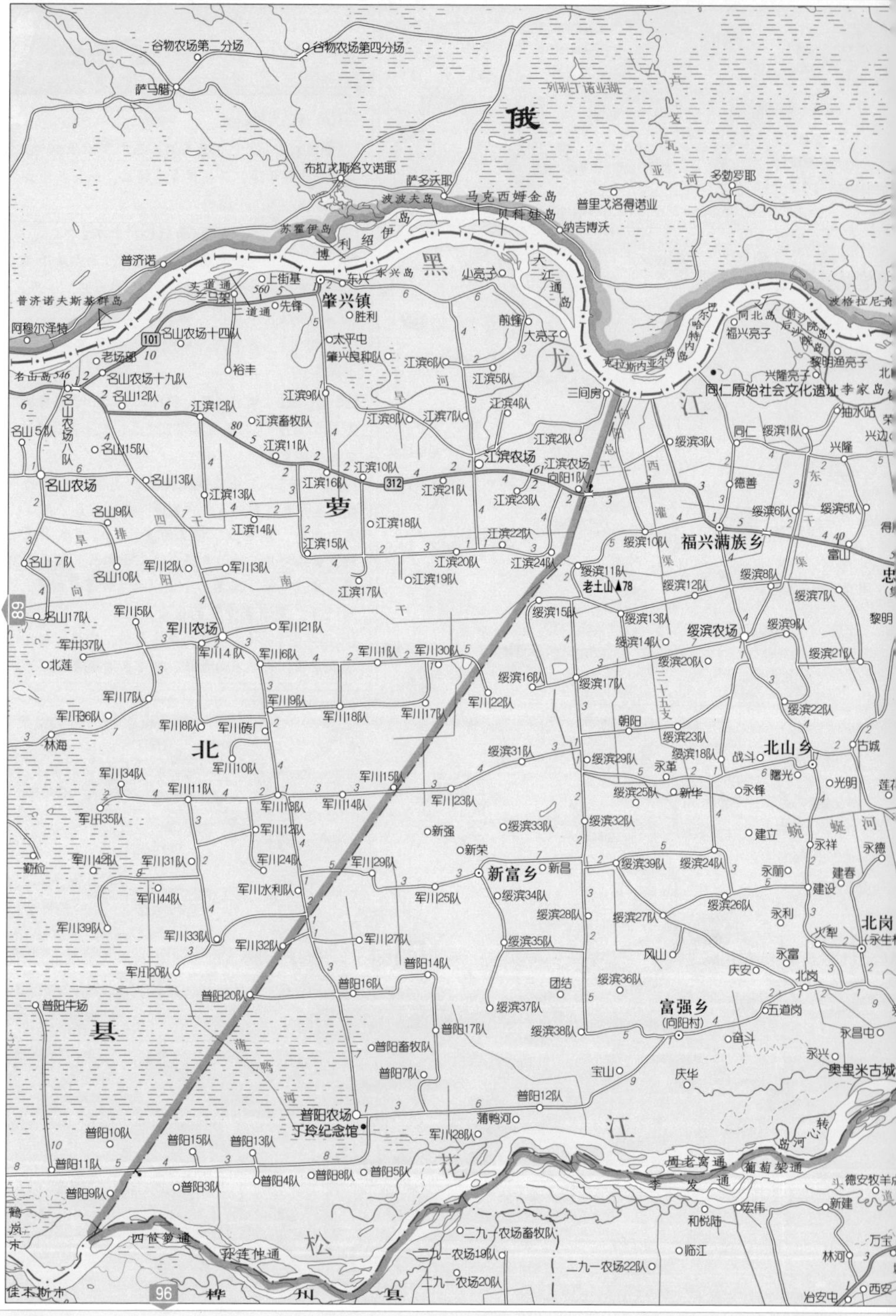

比例尺 1:410 000

4.1千米 0 4.1 8.2 12.3千米

高度表

0 50 100 200 300 400 500 600 800 1000 1200 1500米

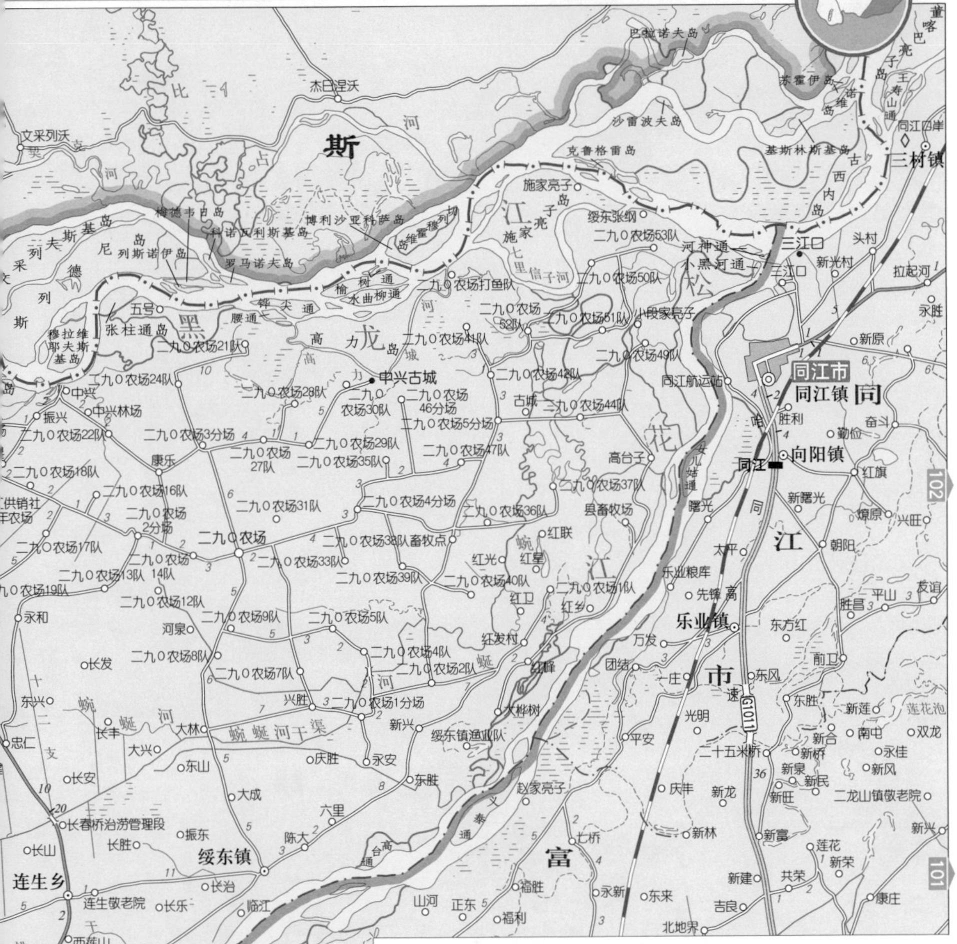

【地理位置】位于市境东部，北隔黑龙江与俄罗斯相望，东与同江市为邻，南依松花江与富锦市、桦川县相连，西与萝北县相接。

【人口面积】人口19万，总面积3344平方千米。

【地　　形】地处三江平原西部，三面环水，境内地势平坦，西高东低，由西北向东南倾斜，平均海拔60米左右。河网密集，多沼泽、泡滩。

【河流湖泊】黑龙江、松花江、蜿蜒河等。

【交　　通】312省道过境，县乡公路纵横交织、以县城为中心，呈放射状的公路交通网。水运发达，松花江流经绥滨县境148千米，上航可通佳木斯、哈尔滨，顺水下航经富锦、同江入黑龙江，是绥滨重要的水上航道。绥滨港为国家内河一类口岸。

【资　　源】矿产资源有沙金、原煤、石油、天然气等。沙金储量大、纯度高。土地肥沃，水草资源丰富。是国家商品粮基地县。黑龙江产鳇鱼、鲟鱼、大马哈鱼等名贵鱼类。

【风景名胜】奥里米古城遗址、中兴古城、同仁原始社会文化遗址等。

镜泊湖　国家级风景名胜区　牡丹峰　国家级自然保护区　服务区　里程起迄点

二龙山　其他风景名胜区　哈尔滨　国家级森林、地质公园　出入口　收费站

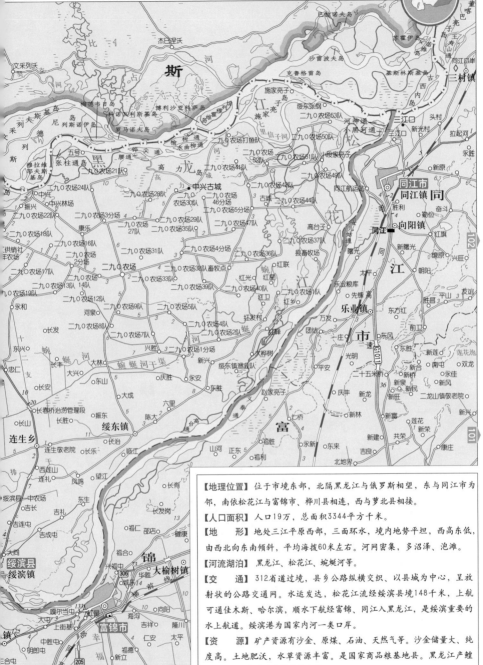

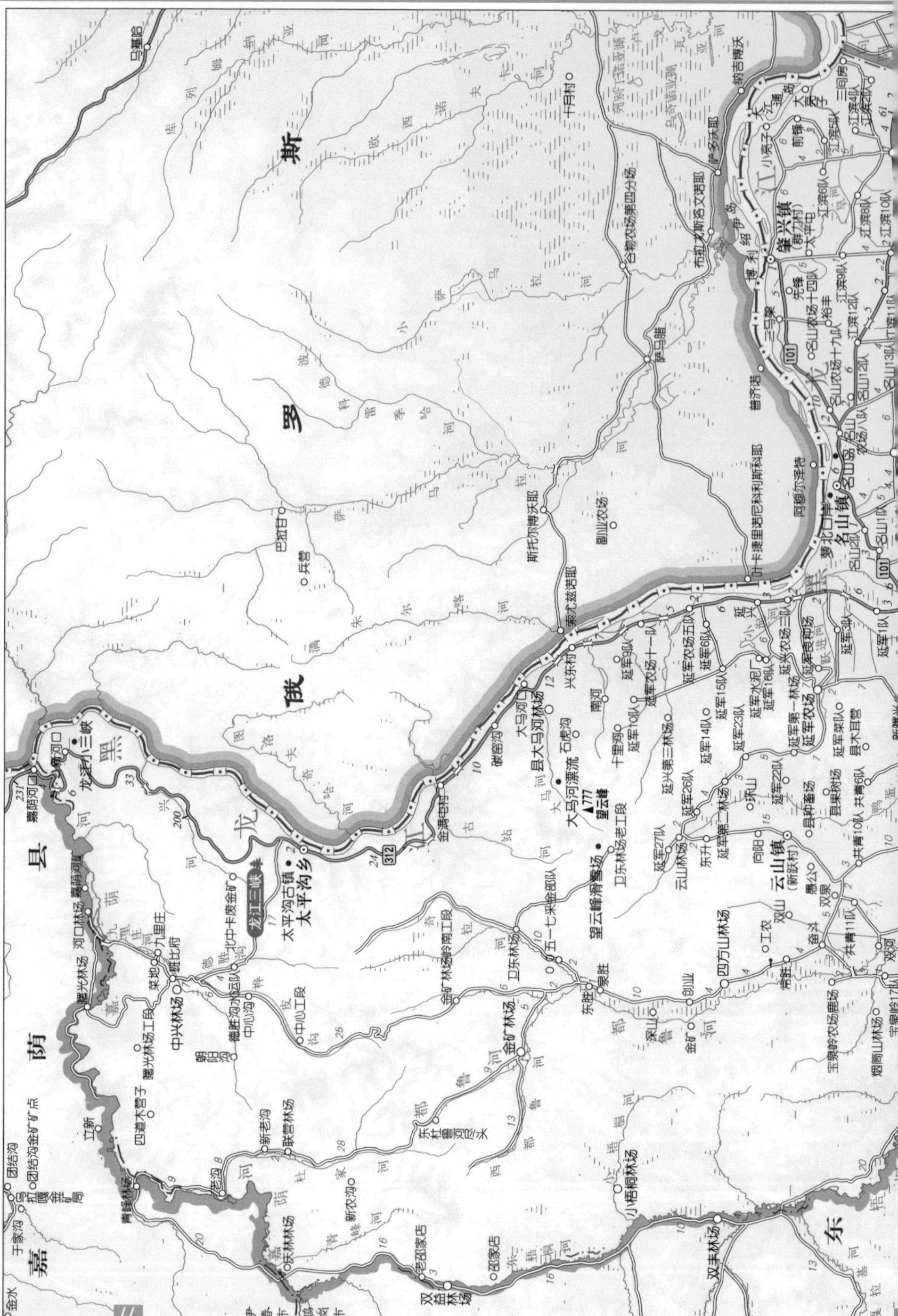

比例尺 1：630 000

6.3千米 0 6.3 12.6 18.9千米

高度表

0 50 100 200 300 400 500 600 800 1000 1200 1500米

【地理位置】 位于市境中部、小兴安岭南麓与三江平原交汇处。东北以黑龙江为界与俄罗斯隔江相望，边境线长达146.5千米。西北与嘉荫县相连，西与东山区为邻，南与汤原县和桦川县为界，东与绥滨县接壤。

龙江三峡

【人口面积】 人口22万，面积6768平方千米。

【地　　形】 处三江平原西部、小兴安岭山地东缘。南部为平原，地势低平，多沼泽分布。北部为低山丘陵。

【河　　流】 黑龙江、松花江、嘉荫河、梧桐河、都鲁河等。

【交　　通】 交通发达，鹤北铁路终点，101、312省道穿过境内。萝北口岸为国家一类口岸。可以与俄罗斯等东欧国家开展对外贸易，又可以通过江海联运与世界各地进行经贸往来。

【资　　源】 矿产资源有黄金、石墨、蛇纹岩、硅石、石英石、菱镁、腐植酸等，石墨储量居亚洲之首。森林资源丰富，林木种类繁多，林质优良。野生动物有梅花鹿、马鹿、黑熊、野猪、狍子、狐狸等。天然的草场和广阔的湿地，是全省保存较好的湿地之一，有天鹅、丹顶鹤等各种珍贵野生鸟类和野生动物。

【经　　济】 萝北是全省有名的绿色食品基地、省级生态示范县区建设试点县。农作物有水稻、大豆、玉米、小麦等。工业以矿产资源开发、建材和食品加工为主。

【风景名胜】 龙江三峡国家森林公园、名山岛、望云峰滑雪场、龙江小三峡、太平沟古镇、大荒情纪念馆等。

【土特产品】 蜂蜜、木耳、蕨菜。

【景点介绍】 **龙江三峡国家森林公园** 位于萝北县太平沟乡的新河口村至兴东村黑龙江河段。公园面积为85.7平方千米。黑龙江自西向东而流，水路全长45千米。龙江三峡保持原始丰富的自然植被。黑龙江的水深流急与连绵起伏的大山构成了中俄界江上的恢弘气势。龙江三峡由龙门峡、金龙峡、金满峡组成。龙门峡和金龙峡之间套有龙头峡、龙腾峡、龙凤峡三个小峡。龙江三峡不仅山高险峻、江水奔流，峡谷幽深，景色自然神奇，而且自然生态环境保护完好，展现着原始的自然景观。

镜泊湖 国家级风景名胜区　牡丹峰 国家级自然保护区　服务区　里程起讫点
二龙山 其他风景名胜区　哈尔滨 国家级森林、地质公园　出入口　收费站

【地理位置】 位于黑龙江省东北部，北与鹤岗市相邻，西与伊春市相连，西南与哈尔滨市为邻，南与七台河市、双鸭山市毗邻，东隔乌苏里江、东北隔黑龙江与俄罗斯相望。

【行政区划】 辖前进、向阳、东风、郊区4区，同江、富锦、抚远3市，桦南、桦川、汤原3县。

【人口面积】 人口248万，面积32470平方千米。

【历史沿革】 佳木斯历史悠久，早在6000多年前这里就有了人类的活动。佳木斯地区古代民族主要是肃慎族，是居住在松花江、黑龙江、乌苏里江流域的居民的远祖。乾隆年间称嘉木寺，后称佳木斯噶珊。光绪年间建东兴镇。1930年改称佳木斯镇。1954年为合江专区驻地，属黑龙江直辖。1983年改为地级市，由省直辖。

【地　　形】 地处三江平原中部，地势低平，多沼泽湿地。在境内西部和南部分布有少量低山丘陵地，是省内地势最低地区。

【最高山峰】 那什沟，海拔830米。

【河流湖泊】 黑龙江、松花江、乌苏里江、倭肯河、挠力河、鸭绿河、七星河等。主要湖泊水库有大力加湖、向阳水库等。

【气　　候】 属寒温带大陆性季风气候。年平均气温为1.5
3.3℃，年降水量530—550毫米，无霜期约130—140天。

【交　　通】 佳木斯市交通发达，境内有佳富、鹤佳、牡佳
绥佳和福前5条铁路干线。哈同、鹤大高速公路分别通往哈
滨和鹤岗。201、221国道相会在境内，还有101、205、30
307、313省道，四通八达。佳木斯东郊机场已开通至北京
哈尔滨、俄罗斯哈巴罗夫斯克(伯力)等国内、国际航线。黑
龙江、松花江、乌苏里江通航。

【资　　源】 是黑龙江省重要商品粮生产基地，盛产小麦、
豆、玉米、甜菜等。水资源、渔业资源丰富，产大马哈鱼、
鱼、鲟鱼等名贵鱼类。主要矿产有黄金、煤炭、石油、天
气、饰面石材、矿泉水等。森林资源和野生动物资源极为丰富

【土特产品】 木雕、石雕、大马哈鱼。

【风景名胜】 大亮河子、五顶山、华夏东极、街津山国家森林公园，洪河、三江、三环泡、八岔岛、黑瞎子岛国家级自然保护区，街津口、三江口风景区、晨星岛、瓦里霍吞古城遗址等。

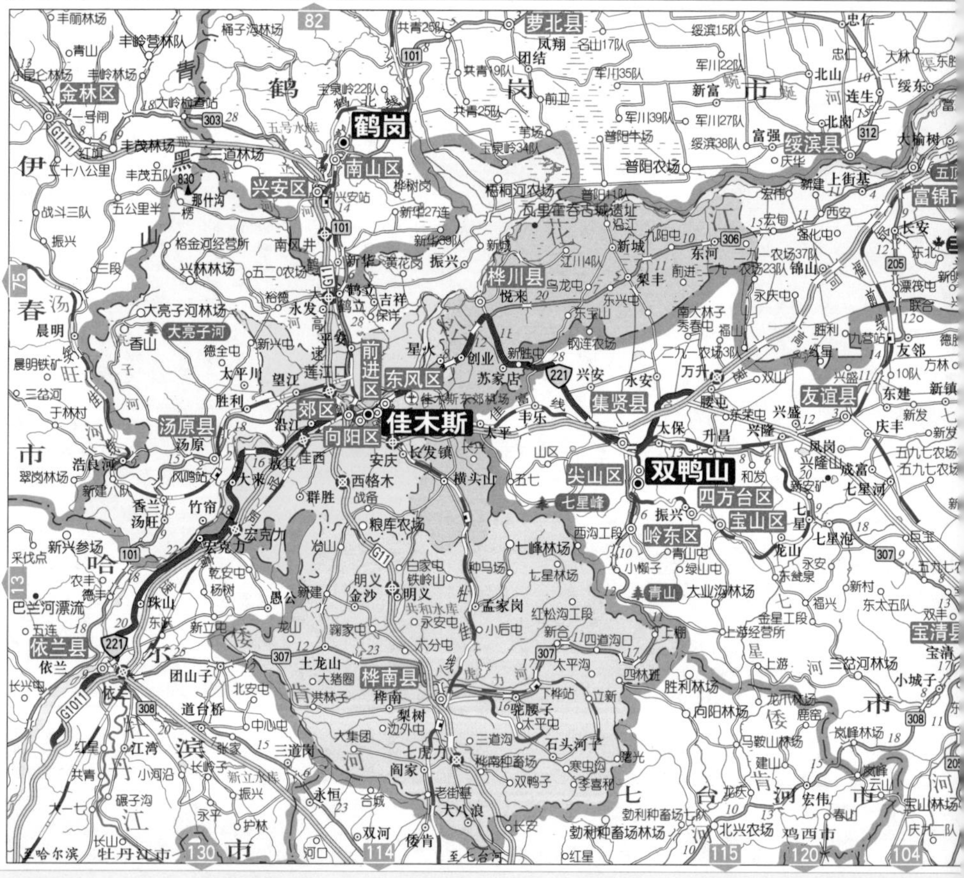

比例尺　1∶1 650 000

16.5千米　0　16.5　33.0　49.5千米

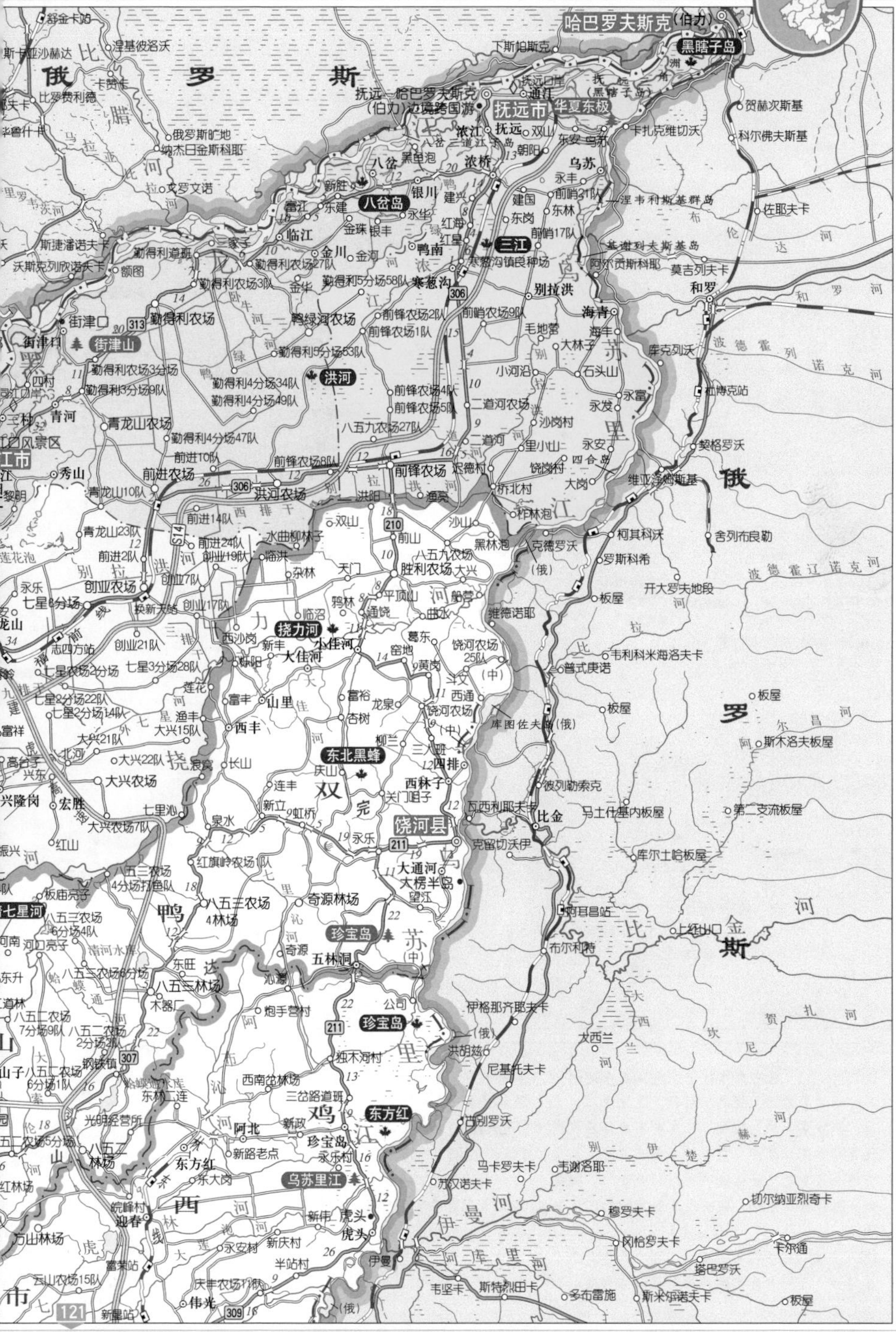

✻ 镜泊湖 国家级风景名胜区　　牡丹峰 国家级自然保护区　　服务区　　里程起迄点

✻ 二龙山 其他风景名胜区　　哈尔滨 国家级森林、地质公园　　出入口　　收费站

佳木斯城区

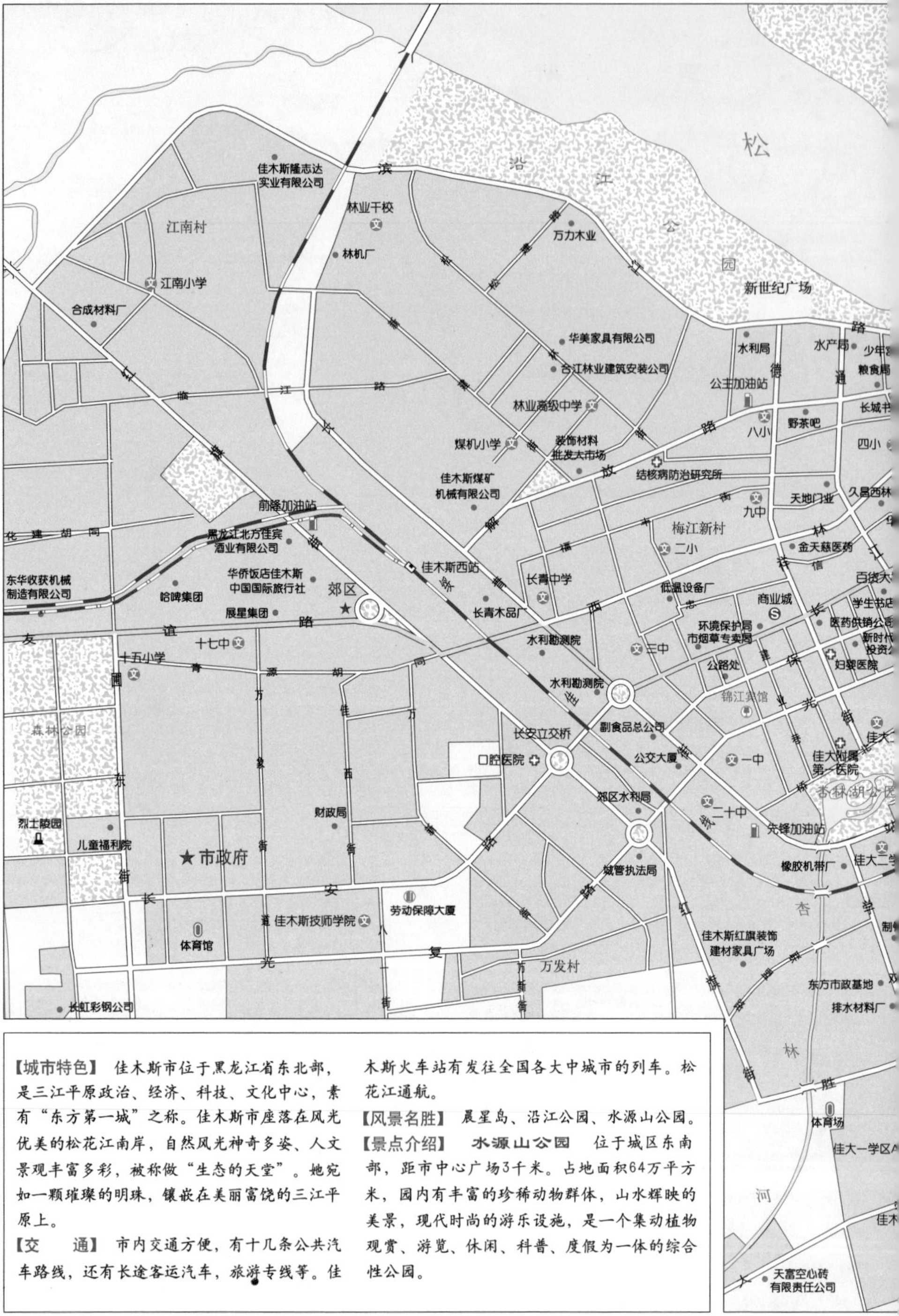

【城市特色】 佳木斯市位于黑龙江省东北部，是三江平原政治、经济、科技、文化中心，素有“东方第一城”之称。佳木斯市座落在风光优美的松花江南岸，自然风光神奇多姿、人文景观丰富多彩，被称做“生态的天堂”。她宛如一颗璀璨的明珠，镶嵌在美丽富饶的三江平原上。

【交　　通】 市内交通方便，有十几条公共汽车路线，还有长途客运汽车，旅游专线等。佳木斯火车站有发往全国各大中城市的列车。松花江通航。

【风景名胜】 晨星岛、沿江公园、水源山公园。

【景点介绍】 **水源山公园**　位于城区东南部，距市中心广场3千米。占地面积64万平方米，园内有丰富的珍稀动物群体，山水辉映的美景，现代时尚的游乐设施，是一个集动植物观赏、游览、休闲、科普、度假为一体的综合性公园。

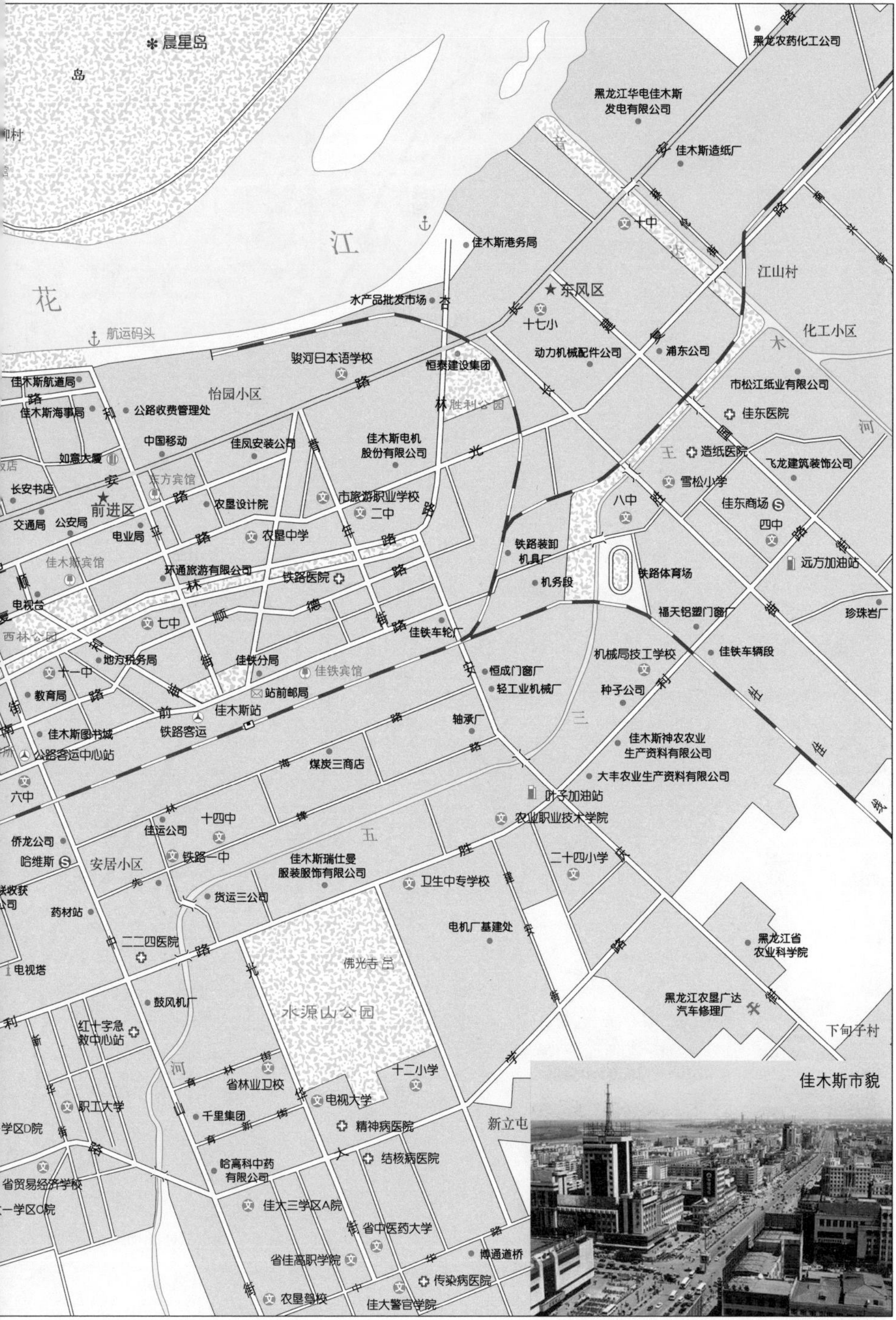
晨星岛
岛
江
花
航运码头
佳木斯港务局
水产品批发市场
黑龙农药化工公司
黑龙江华电佳木斯
发电有限公司
佳木斯造纸厂
十中
东风区
十七小
动力机械配件公司
浦东公司
江山村
化工小区
市松江纸业有限公司
佳东医院
造纸医院
飞龙建筑装饰公司
雪松小学
八中
佳东商场
四中
远方加油站
铁路体育场
福天铝塑门窗厂
珍珠岩厂
佳铁车辆段
机械局技工学校
种子公司
佳木斯神农农业
生产资料有限公司
大丰农业生产资料有限公司
叶子加油站
农业职业技术学院
二十四小学
黑龙江省
农业科学院
黑龙江农垦广达
汽车修理厂
下甸子村
骏河日本语学校
恒泰建设集团
胜利公园
怡园小区
佳木斯航道局
佳木斯海事局
公路收费管理处
中国移动
佳凤安装公司
佳木斯电机
股份有限公司
如意大厦
东方宾馆
长安书店
前进区
农垦设计院
市旅游职业学校
二中
交通局
公安局
电业局
农垦中学
铁路装卸
机具厂
机务段
佳木斯宾馆
环通旅游有限公司
铁路医院
电视台
西林公园
七中
佳铁车轮厂
地方税务局
佳铁分局
佳铁宾馆
十一中
教育局
站前邮局
佳木斯站
铁路客运
恒成门窗厂
轻工业机械厂
佳木斯图书城
公路客运中心站
轴承厂
煤炭三商店
六中
十四中
佳运公司
侨龙公司
哈维斯
安居小区
铁路一中
佳木斯瑞仕曼
服装服饰有限公司
卫生中专学校
货运三公司
药材站
二二四医院
电机厂基建处
电视塔
佛光寺
水源山公园
鼓风机厂
红十字急
救中心站
十二小学
省林业卫校
电视大学
职工大学
千里集团
精神病医院
新立屯
哈高科中药
有限公司
结核病医院
省贸易经济学校
佳大三学区A院
省中医药大学
省佳高职学院
博通道桥
传染病医院
农垦卫校
佳大警官学院
长安路
林荫路
光复路
前进路
安庆路
顺和路
林海路
胜利路
保卫路
学府街
长安路
中山路
杏林路
新华街
育新街
杏林街
佳木斯市貌

前进区 向阳区 东风区 郊区

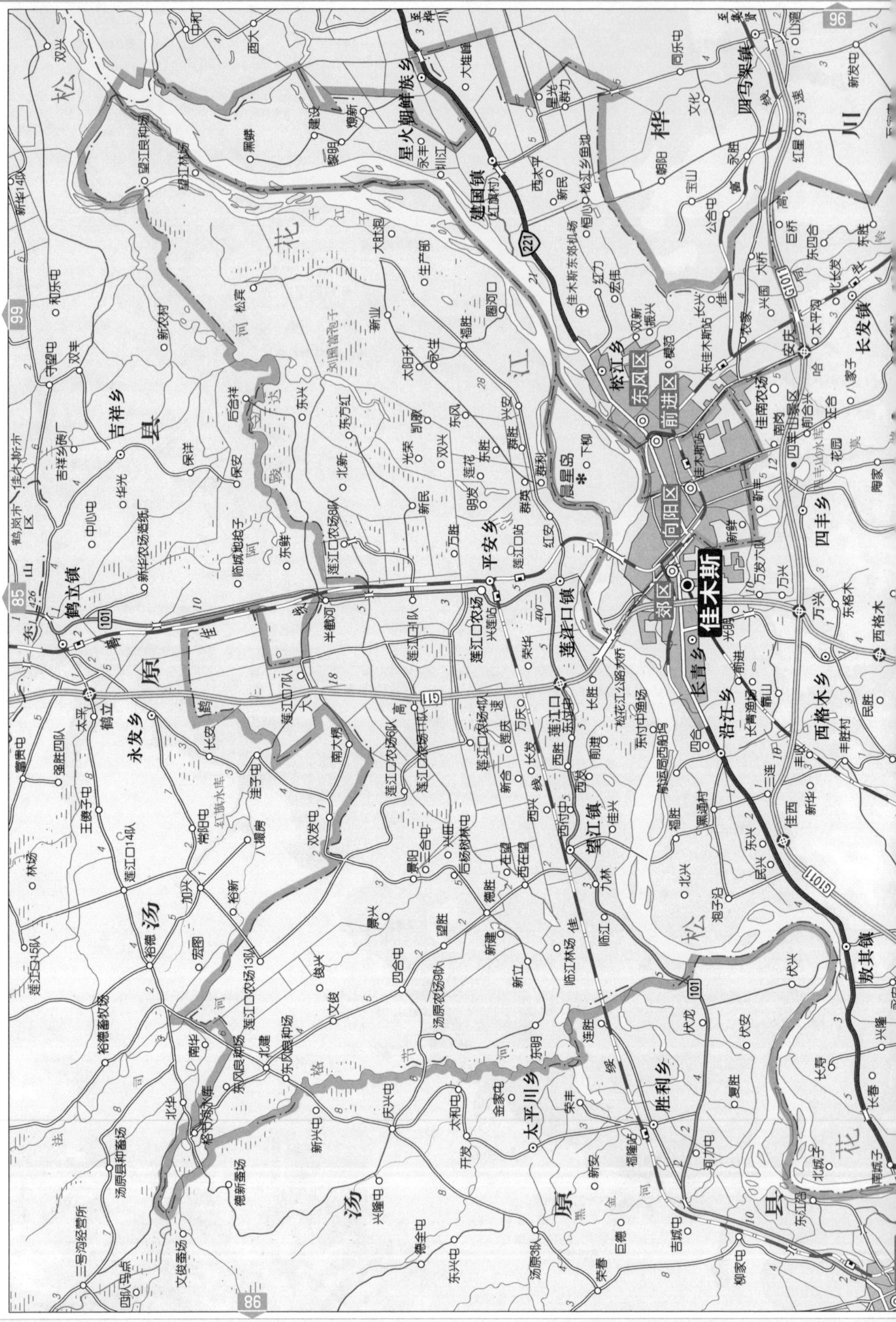

比例尺 1:300 000

3.0千米 0 3.0 6.0 9.0千米

高度表

0 50 100 200 300 400 500 600 800 1000 1200 1500米

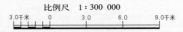

【地理位置】 位于市境西部，东邻桦川县，南接桦南县、依兰县，西、北部与汤原县相连。

【人口面积】 人口81万，面积1904平方千米。

【地　　形】 位于三江平原腹地，松花江穿境而过，总体地势南高北低。

【最高山峰】 北大砬子，海拔506米。

【河流湖泊】 松花江、格节河、阿陵达河、铃铛麦河，四丰山水库等。

【交　　通】 地处东部地区交通枢纽和水运要冲。已形成铁路、公路、水运、航空立体交通体系。绥佳、牡佳、佳富、鹤佳铁路交会于此，哈同、鹤大高速公路，221国道、101省道及县乡公路相互连接，四通八达。松花江水运便捷，是著名的内河港。佳木斯东郊机场有通往国内和国外部分大城市的航班。佳木斯为国家一类水路、航空开放口岸。

【经　　济】 佳木斯是一座新兴的工业城市。主要有发电、纺织、电子、木材加工、造纸、煤矿机械、粮油和食品加工等企业。改革开放以来，已形成了以防爆电机、农业机械、造船为重点的机械、电子工业；以生产棉、麻、毛和化纤产品为主的纺织工业；以木材综合利用为主的造纸、木制品加工工业；以乳制品、饮料、制糖为重点的食品工业等工业体系。

【风景名胜】 四丰山景区、晨星岛。

【景点介绍】 **晨星岛** 位于城区北松花江中心，是松花江流域较大的岛，有大小10个岛屿。岛上绿荫覆盖，树木以柳树为主，故又名“柳树岛”。夏季绿树成荫，鸟语花香，是避暑好去处。冬季冰雪覆盖，是滑雪、滑冰的旅游胜地。

桦川县

【地理位置】位于市境中部。东与富锦市相邻，南与集贤、桦南县相接，西与东风区、郊区接壤，北与汤原、萝北县、绥滨县隔江相望。

【人口面积】人口22万，面积2228平方千米。

【地　　形】地处三江平原西部、东部山地北缘。北部为平原，南部为丘陵。地势西南高，东北低。

【最高山峰】歪顶山，海拔547米。

【河流湖泊】松花江，其余支流有安邦河、音达木河等。

【交　　通】牡佳铁路、佳富铁路和哈同高速公路在县境南部经过，221国道和306省道为主干线组成公路交通网。松花江在境内全长近百千米，为通航河段。桦川口岸为国家一类开放口岸。

【经　　济】经济以农业为主，是国家重要商品粮基地县，素有“鱼米之乡”的美誉，主要盛产水

桦南县

【地理位置】位于市境西南部，东与勃利县、双鸭山市区、宝清县毗邻，南连勃利县，西与依兰县相接，北与佳木斯市区、桦川县、集贤县接壤。

【人口面积】人口45万，面积4418平方千米。

【地　　形】地势由东向西逐渐倾斜，东部山脉纵横，地势颇高；中部丘陵漫岗，绵连起伏；西南部低缓，平原洼地交错。

【最高山峰】七星砬子，海拔853米。

【河流湖泊】倭肯河、七虎力河及向阳山水库等。

【交　　通】牡佳铁路和鹤大高速纵贯境内南北，307省道横穿县境，县乡公路连接成网。

【经　　济】经济以农业为主，盛产大豆、玉米、水稻、小麦、红小豆、甜菜、烟叶、白瓜籽、向日葵、蔬菜和瓜果等。有人参、五味子、黄柏等

比例尺　1：630 000

6.3千米　0　6.3　12.6　18.9千米

高度表

0　50　100　200　300　400　500　600　800　1000　1200　1500米

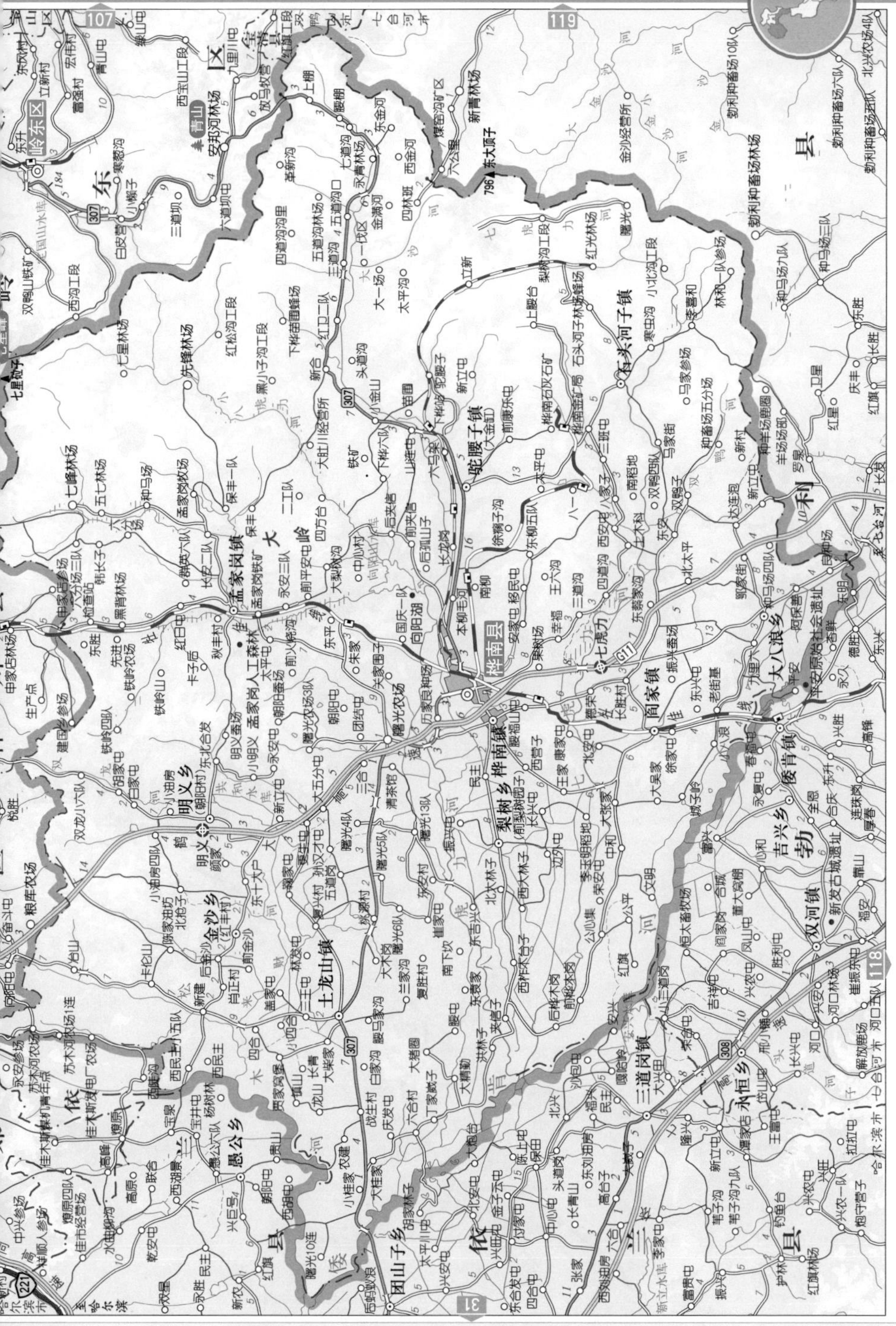

✻ 镜泊湖　国家级风景名胜区
✻ 二龙山　其他风景名胜区
🍁 牡丹峰　国家级自然保护区
🌲 哈尔滨　国家级森林、地质公园

比例尺　1：580 000

5.8千米　0　5.8　11.6　17.4千米

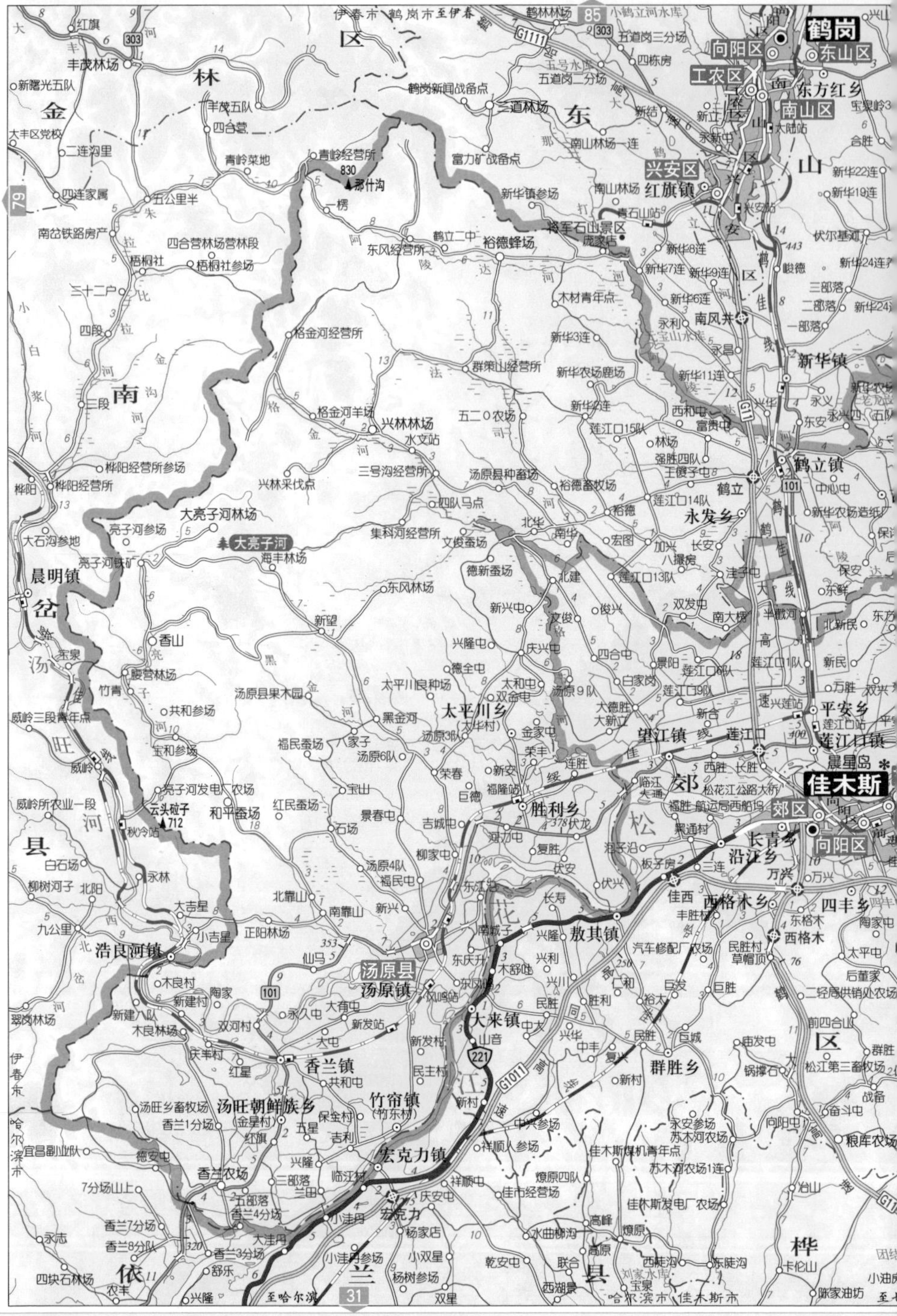

比例尺 1:540 000

5.4千米 0 5.4 10.8 16.2千米

高度表

0 50 100 200 300 400 500 600 800 1000 1200 1500米

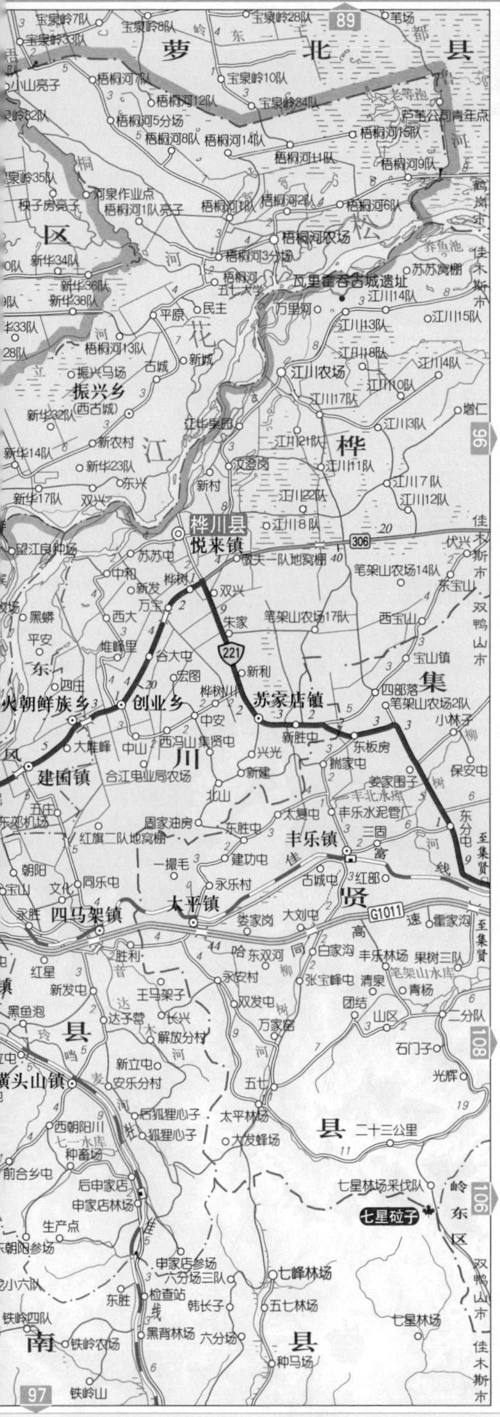

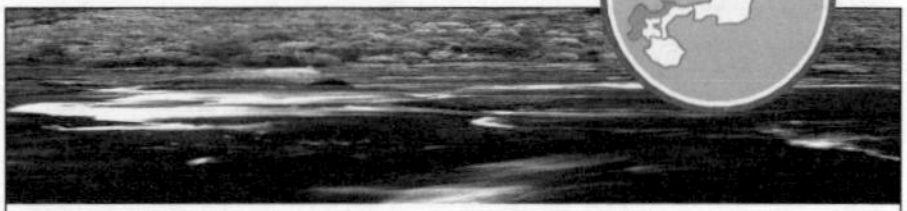

【地理位置】 位于市境西部，东与桦川县隔江相望，南与佳木斯市辖区、依兰县相邻，西与南岔县毗邻，北与东山区、萝北县相连。

【人口面积】 人口26万，面积3420平方千米。

【地　　形】 地处三江平原西部。北部为山区，中部为丘陵漫岗区，南部是平原。地势为西高东低。

【最高山峰】 那什沟，海拔830米。

【河流湖泊】 有松花江、汤旺河、阿陵达河、梧桐河、老龙岗水库等。

【交　　通】 交通运输十分通畅，铁路、公路、水路交叉运行。绥佳、鹤佳铁路过境，鹤大高速、101省道贯穿境内，县乡公路纵横境内，连接成网。水路运输历史悠久，松花江、汤旺河在县内沿江沿河码头众多。

【资　　源】 幅员辽阔，自然资源丰富。矿产资源有金、大理石、褐煤、天然气、地热、石灰石、铁矿石、花岗岩等。黑金河沿岸金储量丰富，采金业发达。林业资源种类繁多，主要有松、柞、桦、杨、椴等。野生动物有飞龙、雉、野猪、鹿、獐、狍、狐狸、獾、香鼠、黑熊、貂等。县内有丰富的地热资源。泡沼密布、渠网纵横，农田水利优势明显。盛产五味子、刺五加、人参等中药材和蘑菇、木耳、猴头等山野产品。

【经　　济】 地方工业基本形成金属采选、电力、机械、建材、造纸、化工、森林、市政等8大行业，农业主要盛产水稻、大豆、玉米、烤烟和甜菜等作物，汤原大米久享盛名，是晚清"御米"的主要供应地。畜牧业发达，以养殖奶牛为主，是省奶牛养殖基地县。

【景点介绍】 **大亮子河国家森林公园** 国家3A级旅游景区、国家森林公园。位于佳木斯市汤原县西北。始建于1987年，原始母树林一直得到保护未被破坏，因大亮子河由此发源而得名。总面积86.6平方千米，以天然原始林为主体。森林保存完整，以天然红松为优势、多种木本植物混交林。红松树龄都在300～500年，树高30米以上。是世界上红松原始森林分布较多、保存完整仅有的几处之一。森林公园群山环绕，绵延起伏，古树参天，溪流清澈，自然景观十分丰富。主要景观有原始红松林、白桦林、大青杨—巨树岛、磐石松、鹰山、抗日联军发祥地、东北抗联第六军军部遗址、愿海寺、卧虎岩、鸳鸯湖、山泉、蝴蝶等。

镜泊湖 国家级风景名胜区　牡丹峰 国家级自然保护区　服务区　里程起迄点
二龙山 其他风景名胜区　哈尔滨 国家级森林、地质公园　出入口　收费站

富锦市

【地理位置】地处市境中部，东与饶河县为邻，南与宝清县、友谊县接壤，西与桦川县、集贤县毗连，北与同江市相连，西北与绥滨县隔江相望。

【人口面积】人口47万，面积8224平方千米。

【地　　形】地处三江平原腹部，境内地势西南略高，中部低洼平坦，是一片广阔的冲积平原。完达山余脉延伸到市境。

【最高山峰】乌尔古力山，海拔546米。

【河流湖泊】松花江、七星河、挠力河、外七星河。

【交　　通】交通发达，福前铁路贯穿市境。哈同、建黑、建虎高速相会境内，205、306省道过境，并在市区交会。富锦港是松花江下游主要港口之一，客货轮下通同江、抚远，上达佳木斯。富锦口岸为国家一类开放口岸。

【资　　源】有煤炭、石油、铬、锗、花岗岩、陶土、江沙等矿藏资源，其中煤的储量较大。土地资源丰裕，水草资源和森林资源丰富。

【经　　济】富锦经济以农业为主，是全国优质水稻、小麦、大豆、玉米、白瓜、甜菜、葵花、烟叶等农产品的重要产区，又是全国优质白鹅、生猪、肉牛、肉羊及优质种猪种羊的生产和繁育基地。工业有农机制造、印刷、橡胶、制药、纺织、木材加工等行业。是三江平原腹地工业最发达的工业城市。

【风景名胜】五顶山国家森林公园、三环泡自然保护区、乌尔古力山景区。

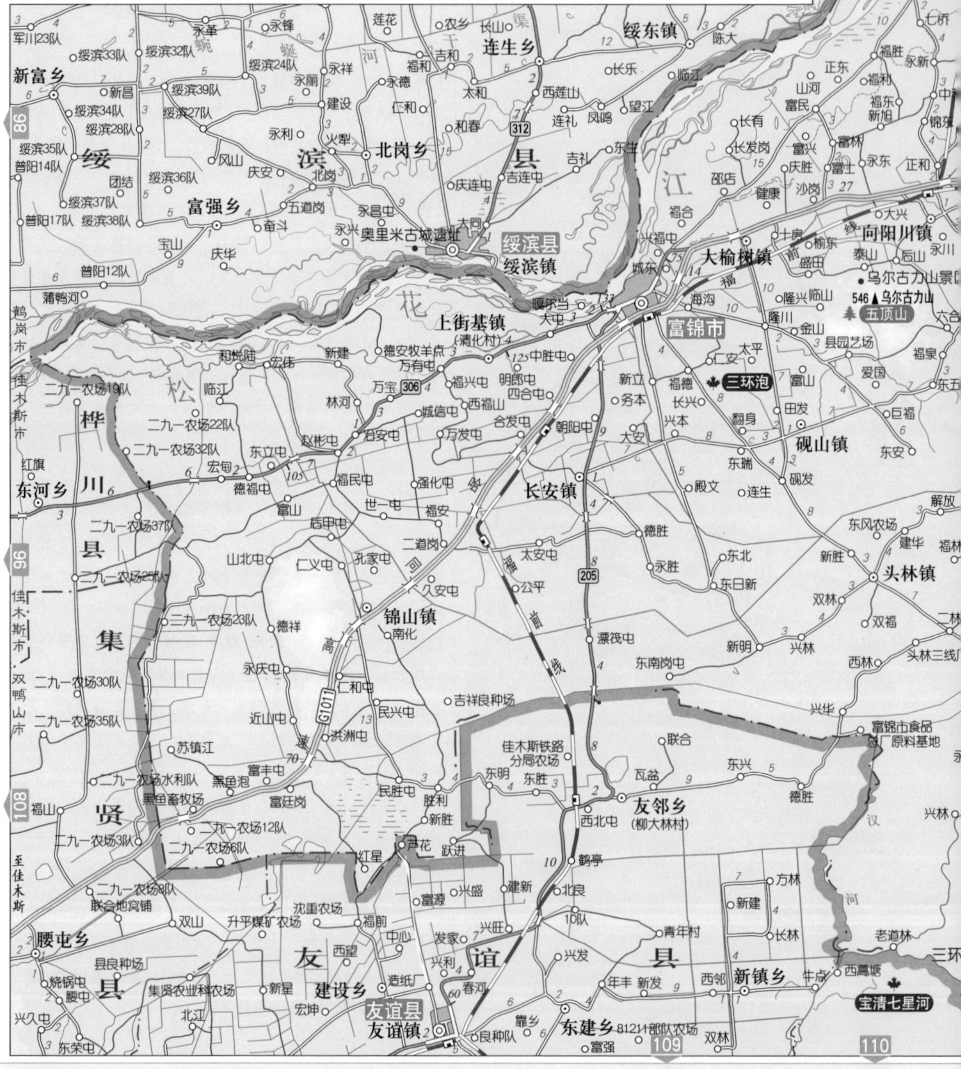

比例尺　1∶550 000

5.5千米　0　5.5　11.0　16.5千米

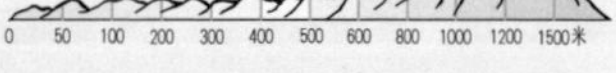

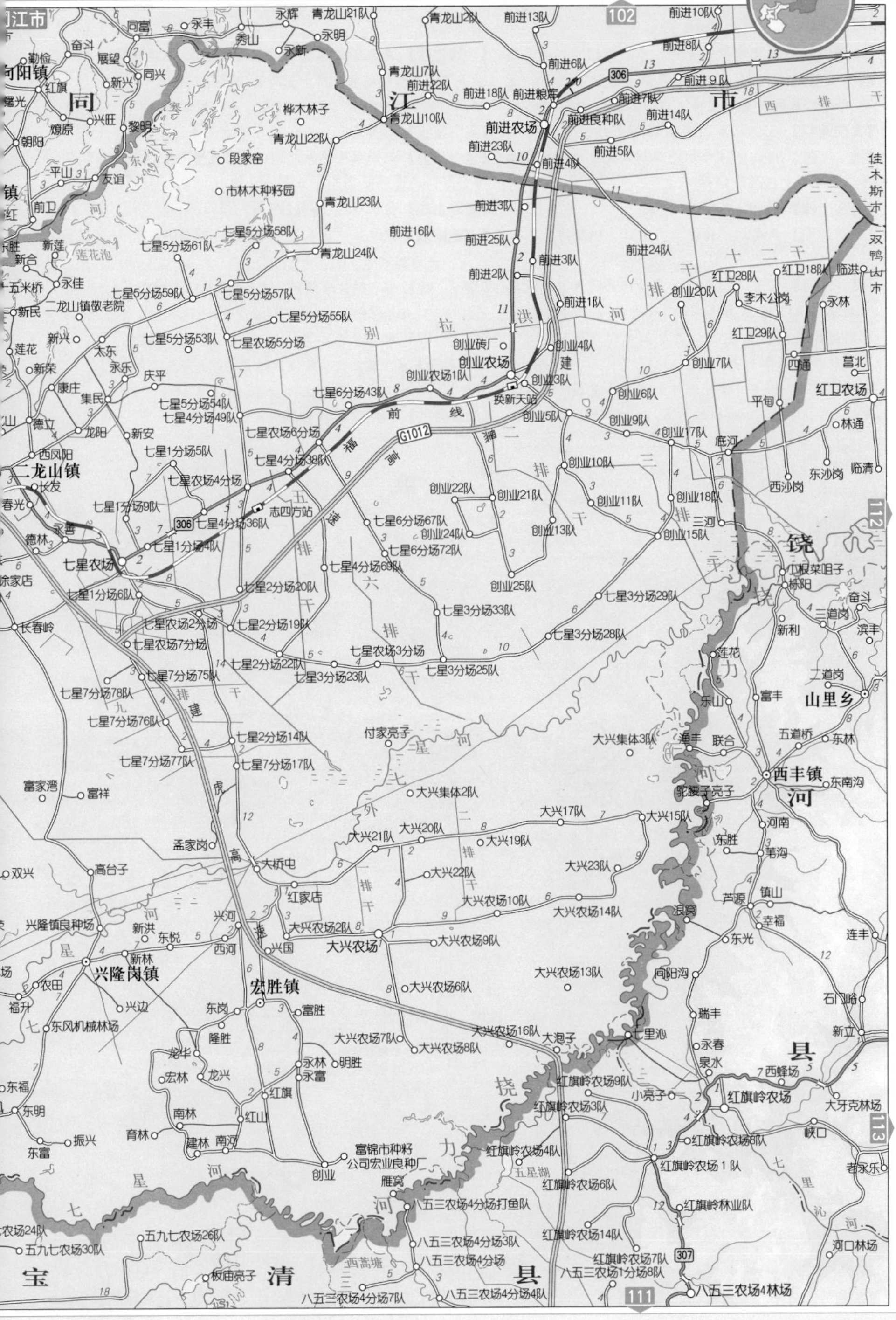

✲ 镜泊湖 国家级风景名胜区
✲ 二龙山 其他风景名胜区
牡丹峰 国家级自然保护区
哈尔滨 国家级森林、地质公园
服务区
出入口
里程起讫点
收费站

同江市

【地理位置】位于市境西北部，东接抚远市，南与富锦市、饶河县为邻，西隔松花江与绥滨县为界，北隔黑龙江与俄罗斯相望。

【人口面积】人口18万，面积6229平方千米。

【地　　形】同江市位于松花江与黑龙江交汇口东南岸，为古老冲积沉降沼泽平原地。

【最高山峰】额图山，海拔626米。

【河流湖泊】黑龙江、松花江、浓江、鸭绿河、别拉洪河等。

【交　　通】交通四通八达，是哈同高速和福前铁路的北端终点。建黑高速、313省道和306省道过境。水路运输便利，松花江、黑龙江可实现江海联运，同江口岸是国家一类口岸。

【风景名胜】街津口国家森林公园，八岔岛、洪河国家级自然保护区，三江口风景区、街津口等。

抚远市

【地理位置】是我国最东部的县级行政单位，也是我国最早见到太阳的地方。东、北两面分别隔黑龙江、乌苏里江与俄罗斯相望，南邻饶河县，西接同江市。

【人口面积】人口9万，面积6047平方千米。

【地　　形】处三江平原东北部，地势低洼平缓，多沼泽分布。西南部略高于东北部。

【最高山峰】依力嘎山，海拔279米。

【河流湖泊】黑龙江、乌苏里江、浓江、别拉洪河、鸭绿河、大力加湖等。

【交　　通】水、陆交通便利，是黑龙江省唯一的水上入海通道。建抚高速终点，313、306、210省道在境内相会。

【经　　济】农业主产小麦、大豆、玉米、马铃薯等。水产资源丰富，盛产大马哈鱼、鳇鱼、鲟鱼等。工业有农机制造、发电、木材加工、食品加工、建材等门类。

【风景名胜】三江国家级自然保护区、华夏东极等。

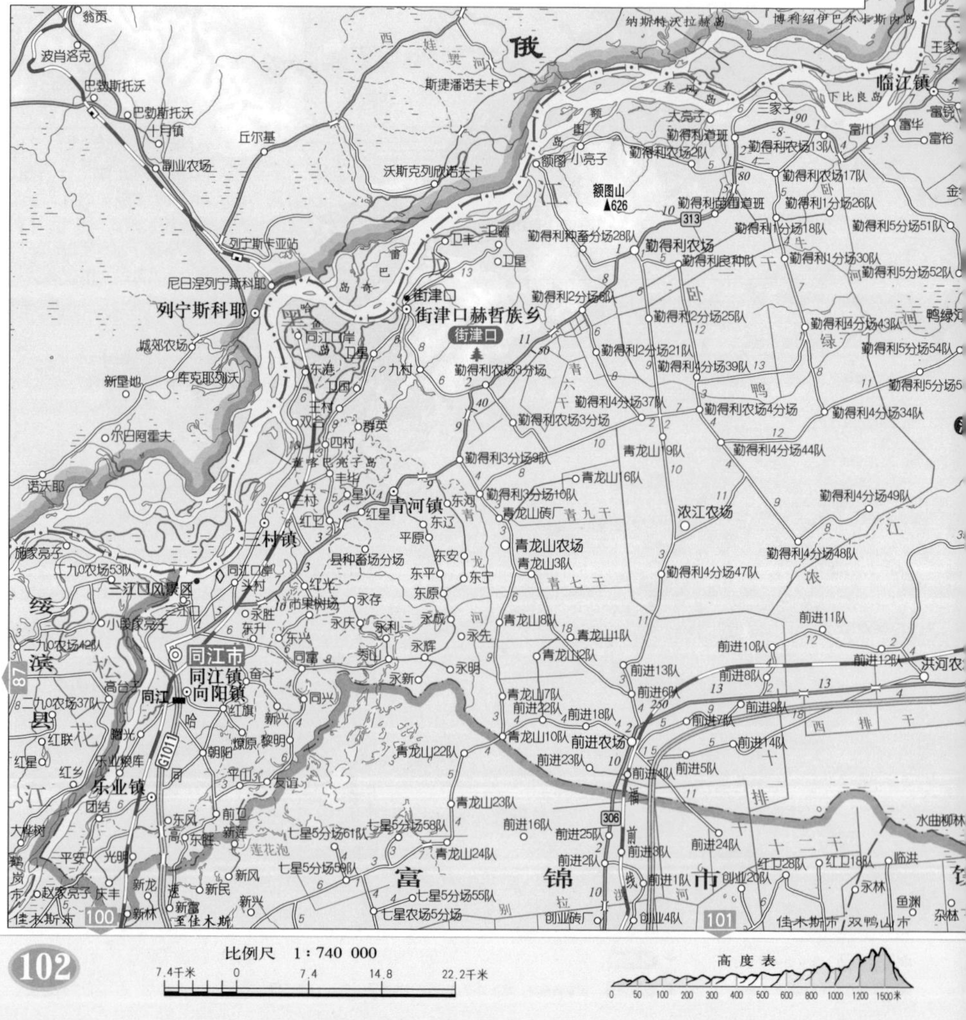

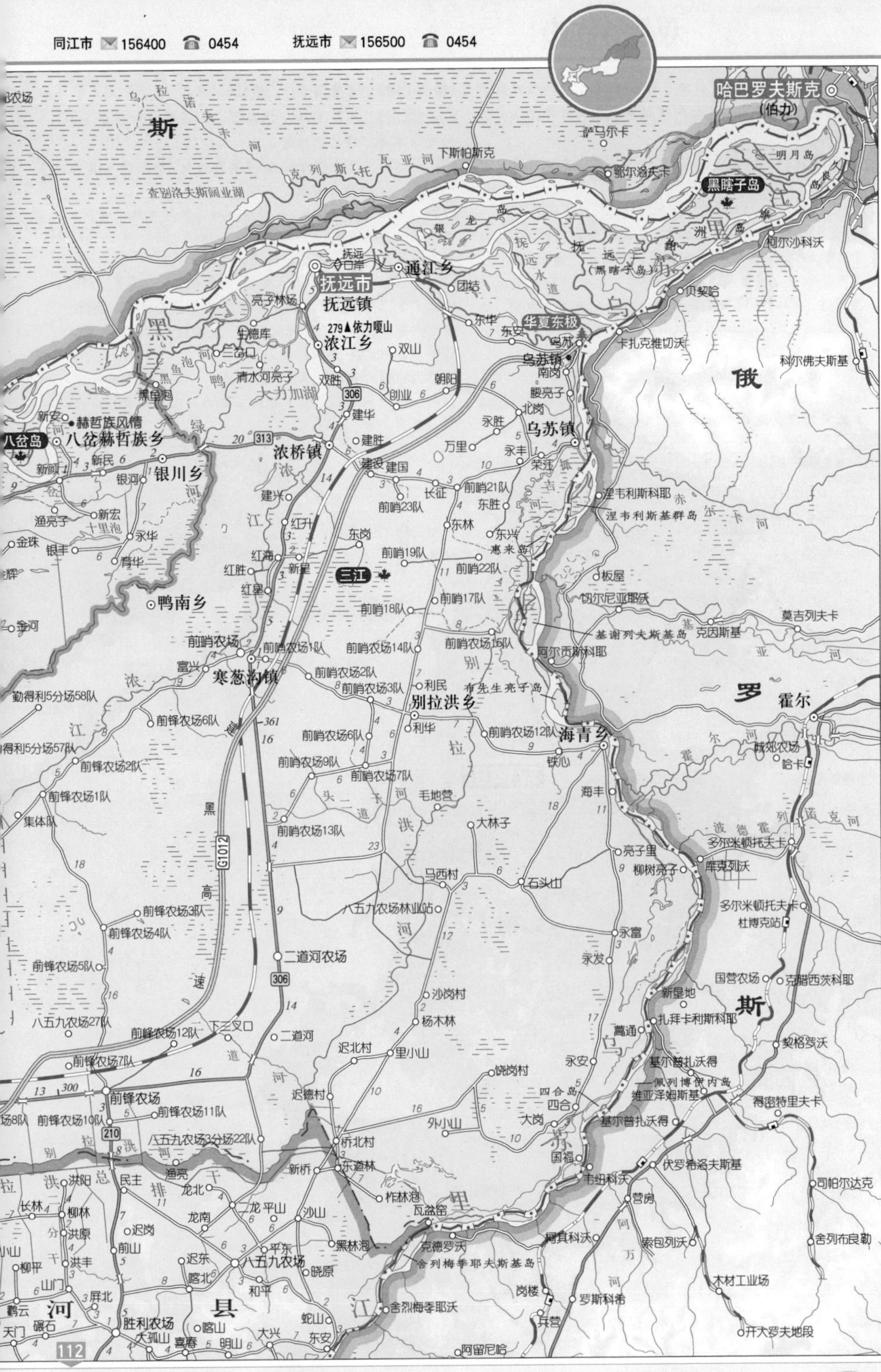

镜泊湖 国家级风景名胜区
二龙山 其他风景名胜区
牡丹峰 国家级自然保护区
哈尔滨 国家级森林、地质公园
服务区
出入口
里程起迄点
收费站

【地理位置】 位于黑龙江省东部,西部和北部与佳木斯市接壤,南与鸡西市、七台河市相连,东隔乌苏里江与俄罗斯相望。

【行政区划】 辖尖山、岭东、四方台、宝山4区,集贤、友谊、宝清、饶河4县。

【人口面积】 人口150万,面积22802平方千米。

【历史沿革】 双鸭山历史悠久,早在西周至战国时期,属于肃慎族之地,肃慎族是先世满族的远祖。清初,为宁古塔昂邦章京汉其都统辖境。1905年设依兰府,此地均为其所辖。1954年析集贤县双鸭山地区建双鸭山矿区,由黑龙江省直辖。1956年双鸭山矿区改为县级市。1966年2月,升为地级市。

【地　　形】 地处完达山地北部、三江平原西缘。平原、山地、丘陵均有分布。北部为三江平原南端,南面被完达山脉所围绕。地势为西南高,东北低。

【最高山峰】 老秃顶子山,海拔854米。

【河流湖泊】 乌苏里江、挠力河、七星河、红旗水库、蛤蟆通水库、清河水库等。

【气　　候】 属中温带大陆性季风气候,年平均气温为2.6–3.2℃,年降水量500–523毫米。

【交　　通】 交通便捷,有佳富、福前铁路接轨,哈同、建虎高速公路过境,221国道及307、205、308、210、211等省道境内纵横,县乡公路连接成网。

【资　　源】 矿产资源得天独厚,主要有煤炭、石墨、磷、铁、黄金、白银、大理石、红绿宝石等,是我国重要煤炭生产基地之一。森林资源丰富,主要树种有柞、桦杨、红松等。盛产山产品。

【风景名胜】 青山、七星峰、完达山、珍宝岛国家森林公园,东北黑蜂、宝清七星河、挠力河国家级自然保护区,雁窝岛等。

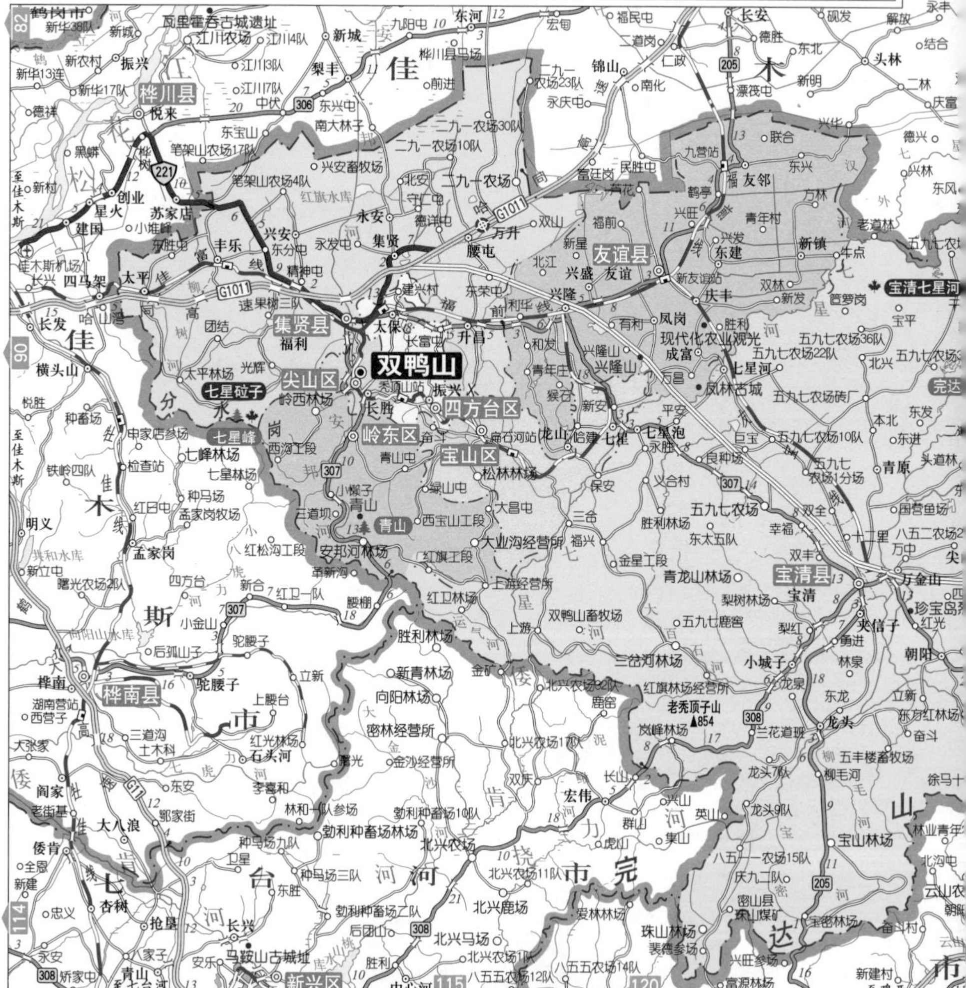

比例尺　1:1 170 000

11.7千米　0　11.7　23.4　35.1千米

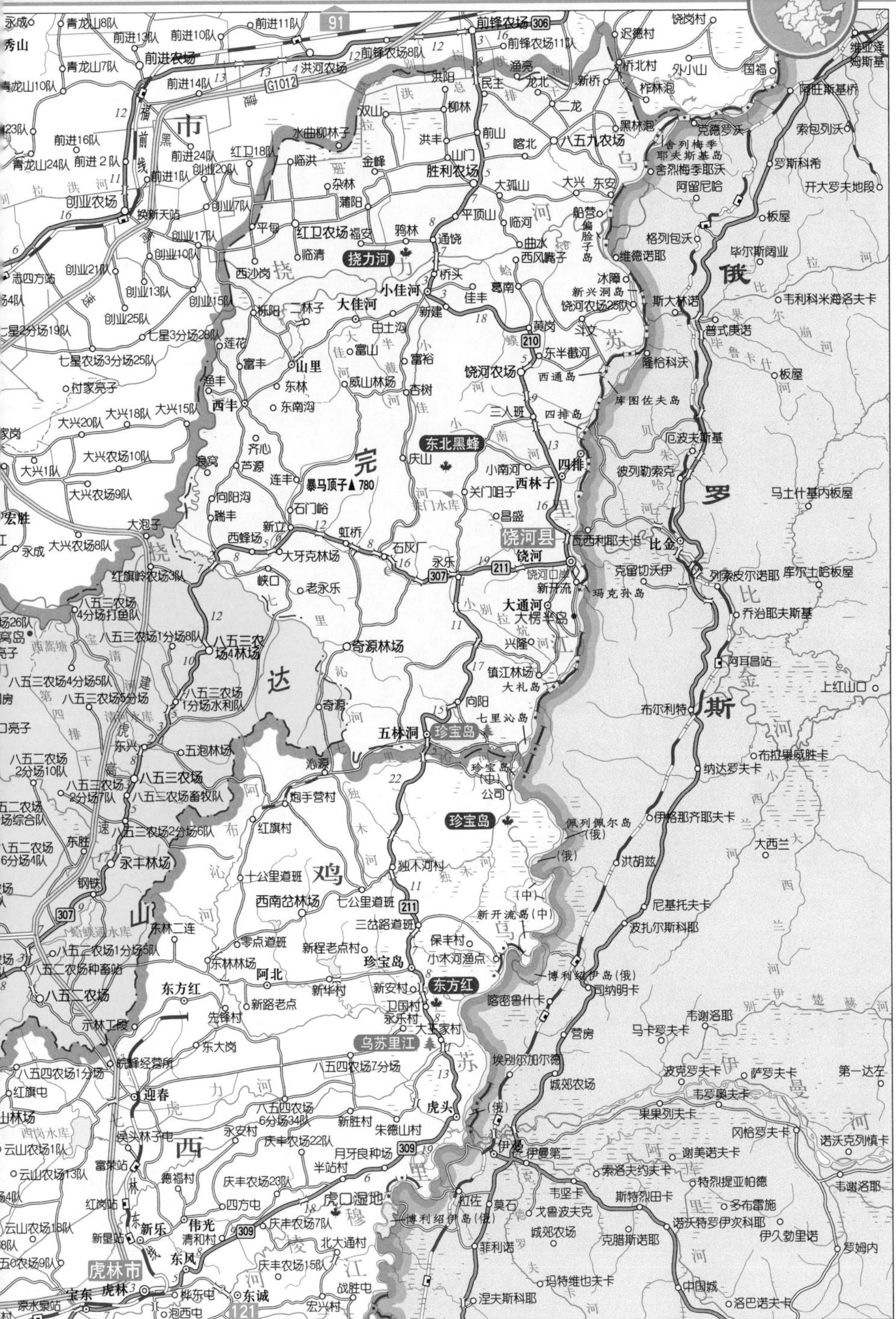

镜泊湖 国家级风景名胜区　牡丹峰 国家级自然保护区　服务区　里程起讫点

二龙山 其他风景名胜区　哈尔滨 国家级森林、地质公园　出入口　收费站

双鸭山城区

【城市特色】 双鸭山市是一座以煤炭工业为主的新兴的工业城市。有“煤都”之称。城区建设依山就势，并形成众多独立片区。

【交　　通】 城区内公共交通便利，市内有十几条公共交通汽车路线，火车站前的长途汽车站，每日有发往各县、市区的汽车；铁路交通发达，有去往北京、哈尔滨等全国一些大城市的旅客列车。

【风景名胜】 北秀公园、益寿公园。

【景点介绍】 **益寿公园** 位于市政府东南部的益寿山，是一处开放型城市山地公园。益寿公园里林木茂盛、山路曲折、空气清新。公园分为儿童游乐园、综合游乐场、休闲散步区等几个区域。登上山梁举目四望，山城景色尽收眼底。是山城人晨练、休闲的好去处。

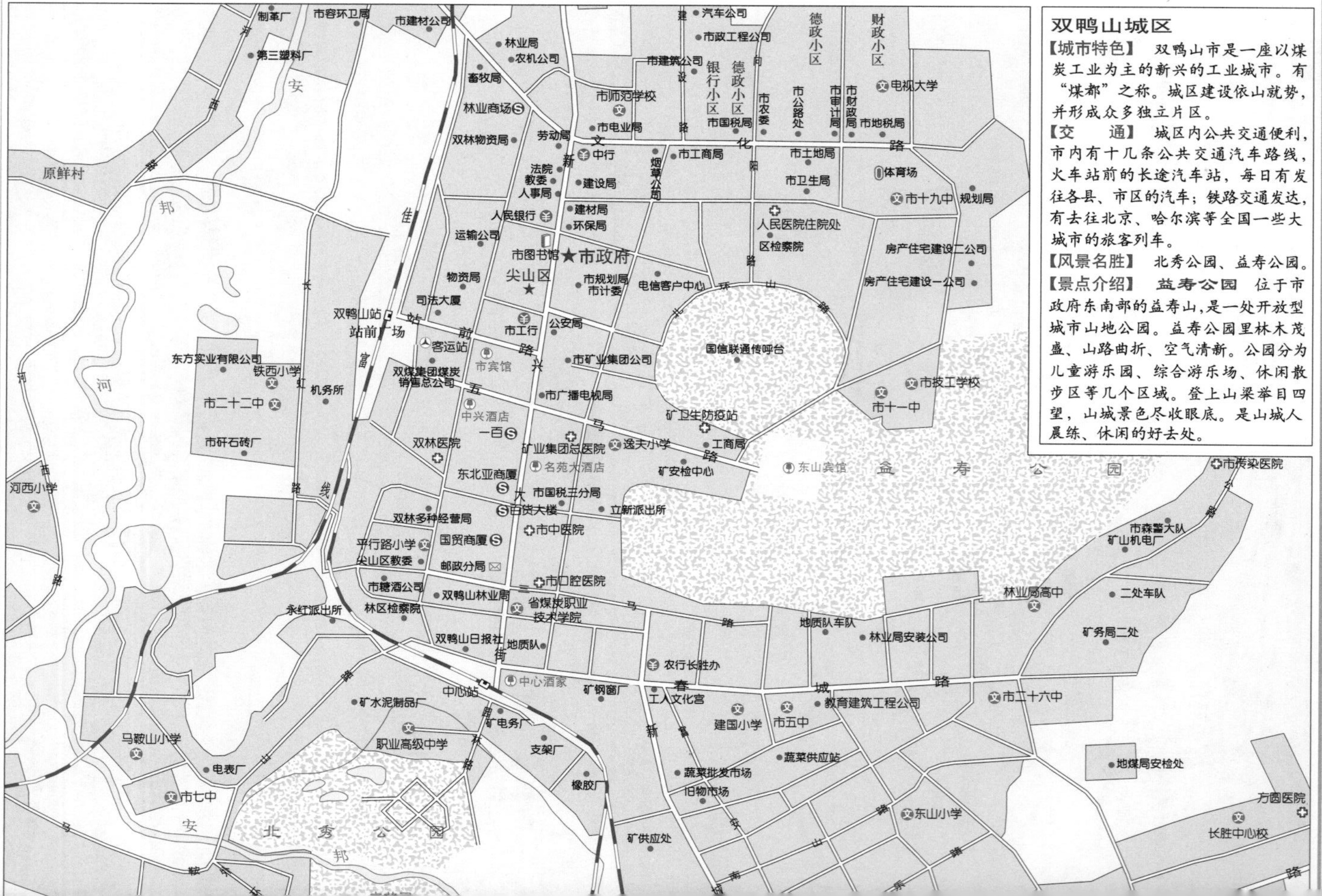

镜泊湖 国家级风景名胜区
二龙山 其他风景名胜区
牡丹峰 国家级自然保护区
哈尔滨 国家级森林、地质公园
服务区
出入口
里程起迄点
收费站

尖山区 155100 ☎ 0469　岭东区 155120 ☎ 0469

宝山区 155131 ☎ 0469　四方台区 155130 ☎ 0469

【地理位置】位于市境西南部，东南部与宝清县隔河相望，西南与桦南县相连，西北与集贤县为邻，东北与友谊县相接。

【人口面积】人口50万，面积1895平方千米。

【地　　形】地处完达山脉西低山丘陵区，东北邻三江平原，西南为绵延的群山，地势西南高，东北低。

【河流湖泊】七星河、安邦河、扁石河、横道河和定国山水库、支援水库等。

【交　　通】区内交通发达，佳富铁路贯穿全境，307省道纵贯南北，县乡级公路在河谷中穿行，构成了本境的交通网。

【经　　济】工业生产以煤炭为主，煤质优良，是本市的支柱性产业，年产量居全省之冠。工业主要有机械、电子、冶金、化工、纺织、森工等门类。双鸭山是全省重要的商品粮生产基地和经济作物基地，盛产大豆、小麦、水稻、烤烟等。

【风景名胜】青山国家森林公园、东湖公园、宝山度假村。

高度表 0 50 100 200 300 400 500 600 800 1000 1200 1500米

比例尺 1∶380 000

3.8千米 0 3.8 7.6 11.4千米

集贤县

【地理位置】地处市境西北，南接桦南县、双鸭山市辖区，东邻友谊县、富锦市，西、北与桦川县相邻。

【人口面积】人口32万，面积2253平方千米。

【地　　形】地势西南高，东北低，境内山脉均属长白山系完达山脉。

【最高山峰】七星砬子，海拔853米。

【河流湖泊】安邦河、柳树河，红旗水库、笔架山水库等。

【交　　通】是双鸭山市辖区的重要门户、三江平原的交通枢纽。哈同高速、221国道贯通全境，佳富铁路横贯境内。

【资　　源】矿产资源有煤、石墨、石灰石等。其中煤……大，品位高。森林资源丰富，主要有松树、柞树、桦树、……

【风景名胜】七星峰国家森林公园、安邦河湿地公园。

【景点介绍】**七星峰国家森林公园**　位于集贤县南……积58平方千米，森林面积50平方千米。公园内有东北虎……鹿、狍等150多种野生动物，共有4个景区，七星峰上……水，汇流成河。

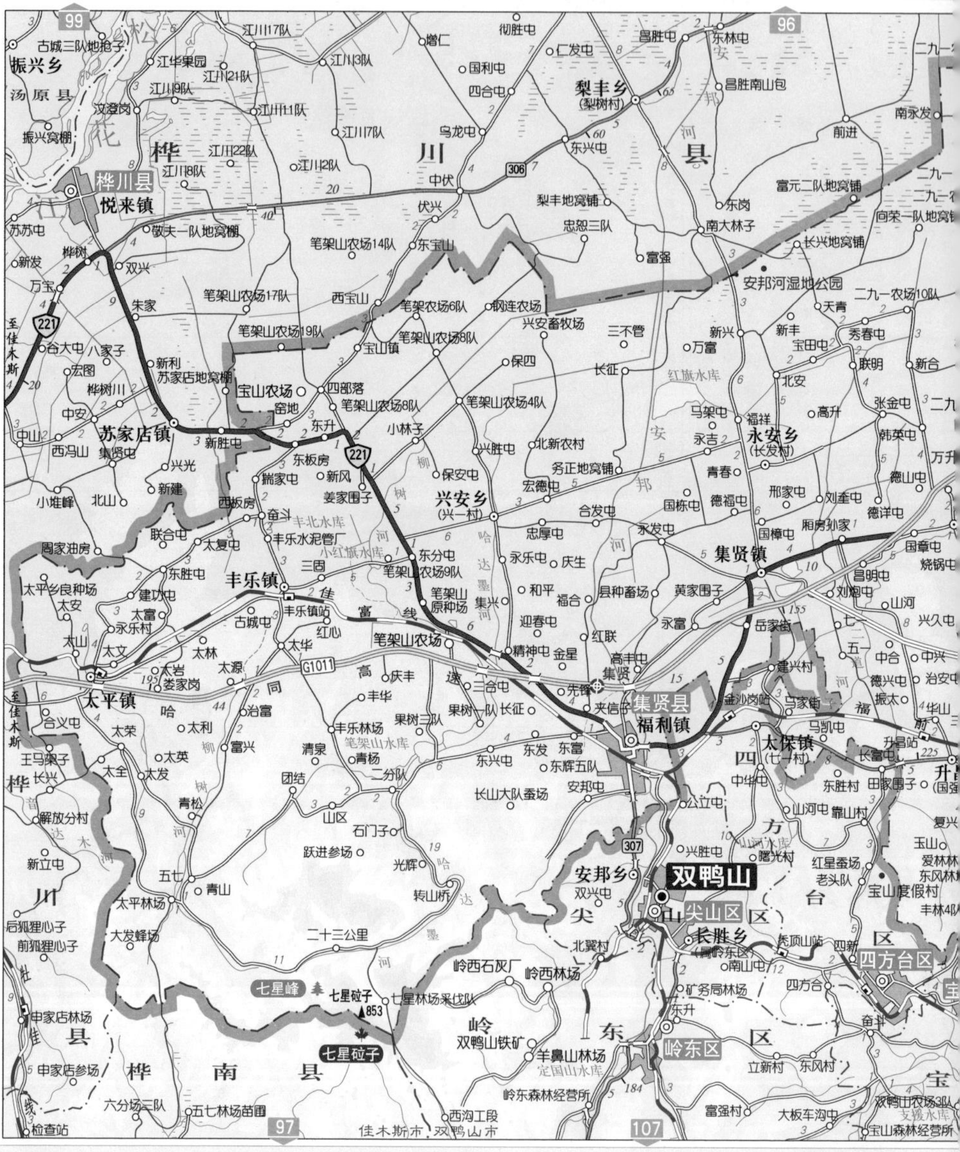

比例尺　1：440 000

4.4千米　0　4.4　8.8　13.2千米

高度表

0　50　100　200　300　400　500　600　800　1000　1200　1500米

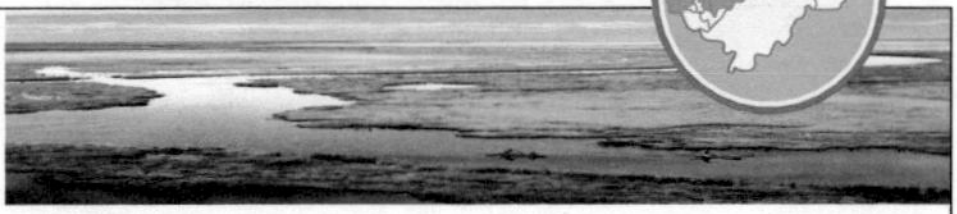

县

置】位于市境西北部，东邻宝清县，西接集贤县，南连双鸭山，北临富锦市。

积】人口12万，面积1888平方千米。

形】地处三江平原西部，全境平坦，地势西南高、东北低。流经县境西南汇入挠力河。

通】福前铁路贯穿全境，与友宝铁路相会于县城。205、307县乡公路构成交通网。

【资　　源】友谊县境内地下蕴藏着丰富的矿产资源，其中原煤矿层厚、品位佳、贮量大，另有白云石、大理石岩、石灰石等矿藏。是国家主要商品粮基地之一。友谊农场是我国最大的国营农场。

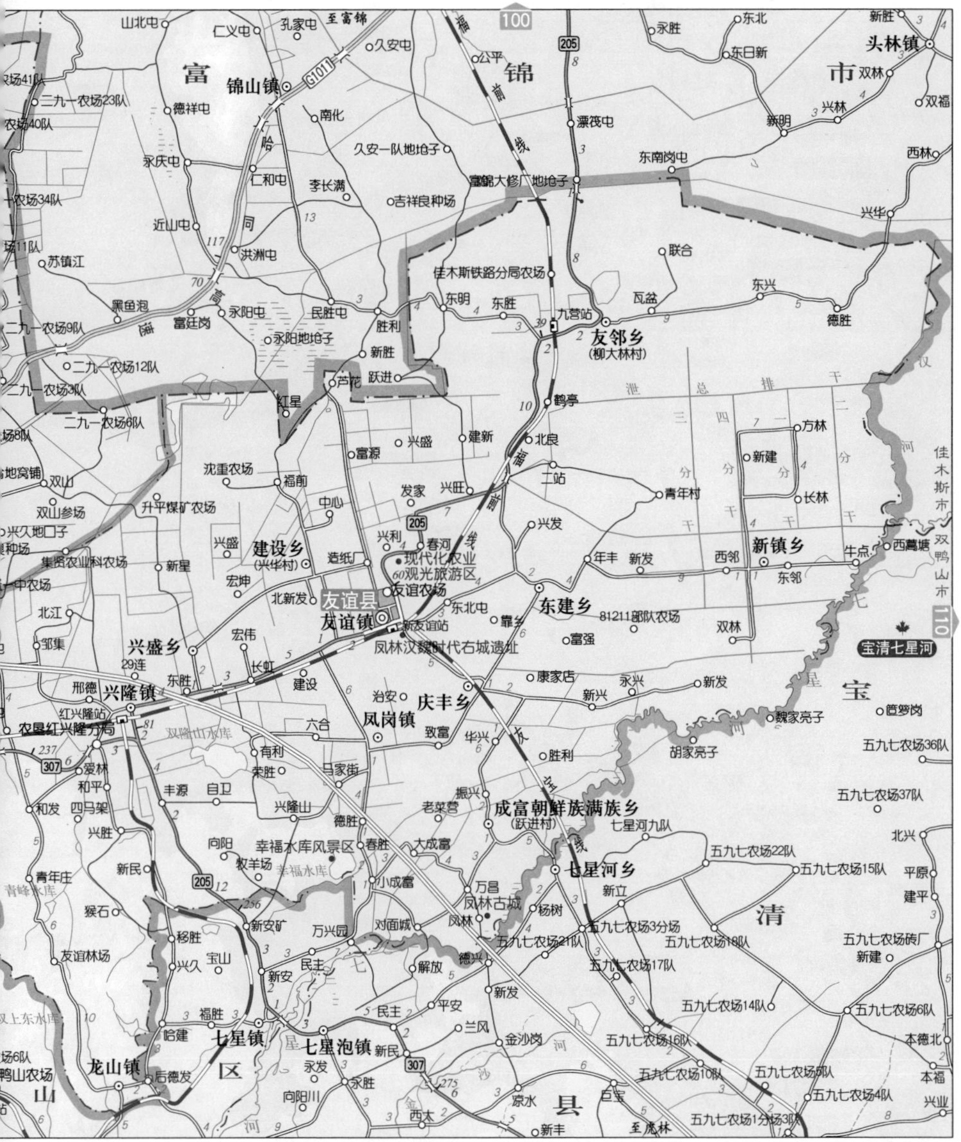

✲ 镜泊湖 国家级风景名胜区　✲ 二龙山 其他风景名胜区　牡丹峰 国家级自然保护区　哈尔滨 国家级森林、地质公园　服务区　出入口　里程起讫点　收费站

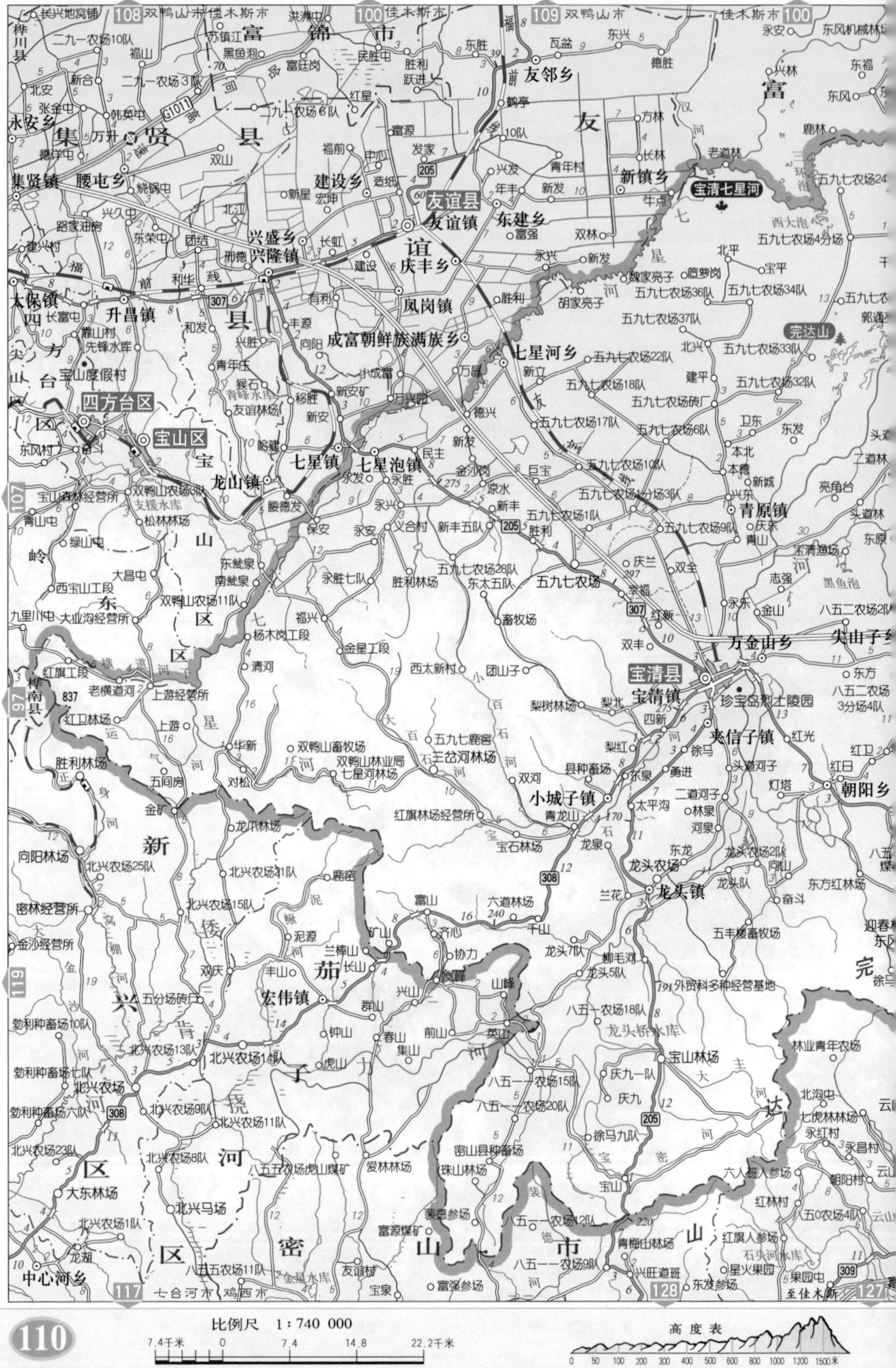

108 双鸭山市 佳木斯市
100 佳木斯市
109 双鸭山市
佳木斯市 100
107
97
119
117 七台河市 鸡西市
128
127
桦川县
富锦市
集贤县
友谊县
宝清县
宝清七星河
完达山
四方台区
宝山区
永安乡
集贤镇
腰屯乡
太保镇
升昌镇
兴盛乡
兴隆镇
建设乡
友谊镇
东建乡
友邻乡
新镇乡
庆丰乡
凤岗镇
成富朝鲜族满族乡
七星河乡
七星镇
七星泡镇
龙山镇
青原镇
万金山乡
尖山子乡
宝清镇
夹信子镇
朝阳乡
小城子镇
龙头镇
宏伟镇
中心河乡
长兴地窝铺
二九一农场10队
二九一农场3队
二九一农场6队
苏镇江
黑鱼泡
洪洲
民胜
富廷岗
胜利
跃进
红星
富源
福前
中心
发家
造纸
新星
宏伸
长虹
建设
有利
丰源
向阳
小成富
万昌
新立
德兴
新发
金沙岗
民主
永发
永胜
巨宝
凉水
新丰
胜利
永兴
义合村
新丰五队
永安
保安
腰德发
永胜七队
胜利林场
五九七农场28队
东太五队
五九七农场
畜牧场
福兴
杨木岗工段
金星工段
西太新村
团山子
清河
双鸭山畜牧场
双鸭山林业局
七星河林场
五九七鹿窖
三岔河林场
双河
红旗林场经营所
宝石林场
青龙山
龙泉
兰花
六道林场
千山
富山
齐心
协力
矿山
兰棒山
长山
泥源
丰山
双庆
群山
春山
钟山
集山
虎山
前山
英山
山峰
龙头7队
龙头5队
柳毛河
八五一农场18队
龙头桥水库
外贸科多种经营基地
宝山林场
庆九一队
庆九
八五一一农场15队
八五一一农场20队
徐马九队
密山县种畜场
珠山林场
裴德参场
富源煤矿
八五一一农场12队
八五一一农场9队
青梅山林场
兴旺道班
东发参场
红旗人参场
石头河水库
星火果园
果园
至佳木斯
富强参场
宝泉
友谊村
八五五农场11队
八五五农场虎山煤矿
爱林林场
北兴农场8队
北兴马场
北兴农场1队
龙湖
大东林场
北兴农场23队
北兴农场9队
北兴农场11队
北兴农场
勃利种畜场六队
勃利种畜场七队
北兴农场13队
北兴农场14队
勃利种畜场10队
五分场砖厂
金沙经营所
密林经营所
北兴农场15队
北兴农场25队
北兴农场21队
鹿窖
向阳林场
龙爪林场
金矿
五间房
胜利林场
上游
对松
华新
红卫林场
上游经营所
老横道河
红旗工段
九里川
大业沟经营所
西宝山工段
双鸭山农场11队
东瓮泉
南瓮泉
绿山
大昌
青山
宝山森林经营所
支援水库
松林林场
双鸭山农场9队
东风村
宝山度假村
靠山村
先锋水库
长富
和发
兴胜
青年
猴石
友谊林场
青峰水库
移胜
新安
新安矿
万兴园
哈建
刑德
利华
团结
东荣
路家油房
建兴村
兴久
烧锅
双山
北辺
北安
张金
新合
福山
万升
韩英
德祥
腰堡
福
前
鹤亭
10队
兴发
年丰
新发
青年村
双林
富强
永兴
新发
胜利
魏家亮子
胡家亮子
笸箩岗
宝平
北平
五九七农场36队
五九七农场34队
五九七农场37队
五九七农场33队
五九七农场22队
五九七农场18队
五九七农场32队
五九七农场砖厂
五九七农场17队
五九七农场6队
五九七农场10队
五九七农场3队
五九七农场1队
五九七农场9队
五九七农场4分场
五九七农场24
建平
北兴
卫东
东发
本北
本德
新城
兴东
庆东
青山
亮角台
头道林
二道林
东原
玉清通场
志强
黑鱼泡
双全
庆兰
幸福
永东
金山
八五二农场2队
东方
八五二农场3分场4队
红新
双丰
梨树林场
梨北
四新
珍宝岛烈士陵园
梨红
徐马
勇进
县种畜场
东泉
太平沟
二道河子
林泉
河泉
头道河子
灯塔
红光
红卫
红日
东龙
龙头农场
龙头农场2队
向山
龙头队
东方红林场
奋斗
五丰楼畜牧场
林业青年农场
北沟
七虎林林场
永红村
永昌村
六人班人参场
朝阳村
红林村
八五0农场4队
宝山
方林
长林
老道林
牛点
东兴
德胜
瓦盆
东胜
永安
兴林
东风机械林场
东福
东风
鹿林
西大泡
七星河
挠力河
比例尺 1：740 000
7.4千米 0 7.4 14.8 22.2千米
高度表
0 50 100 200 300 400 500 600 800 1000 1200 1500米

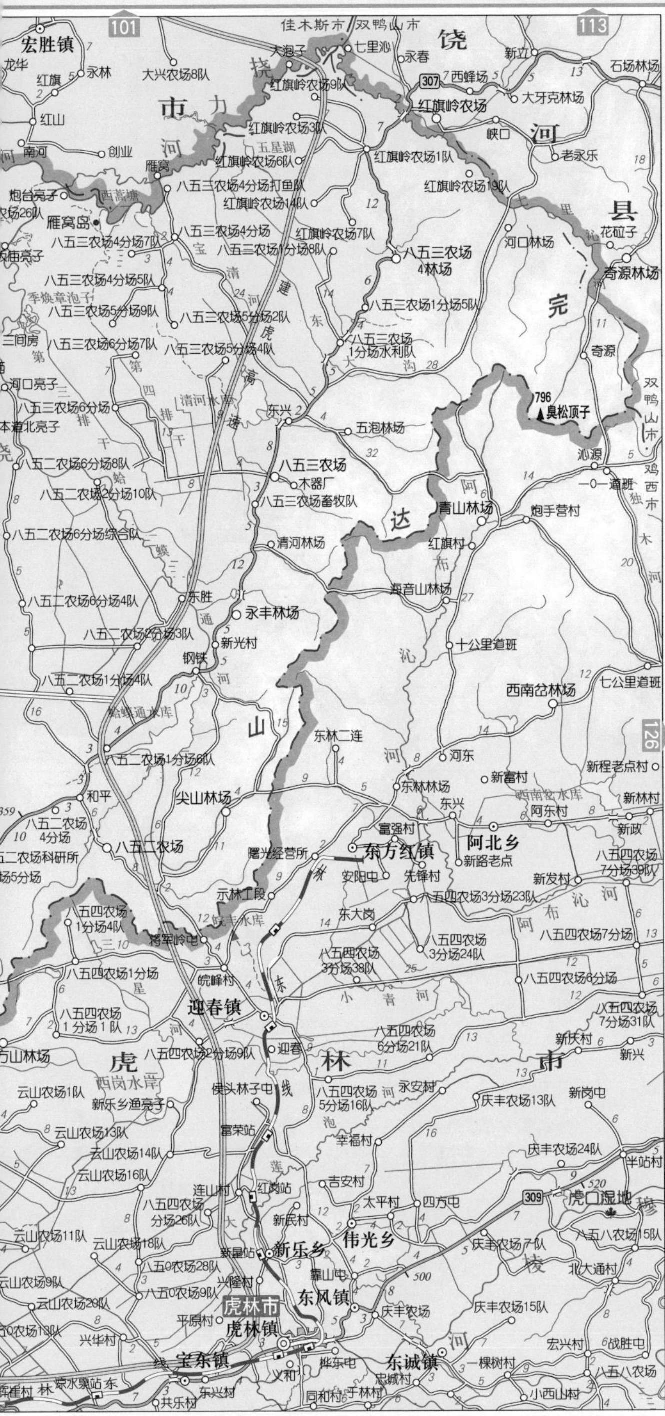

【地理位置】位于市境中部，东接饶河县、虎林市，南连密山市，西与茄子河区、新兴区、桦南县相邻，北与友谊县、富锦市接壤。

【人口面积】人口42万，面积10001平方千米。

【地　　形】地势由西南向东北逐渐倾斜，东西南三面环山。北部为平原区，地势平坦。

【河流湖泊】挠力河、七星河、蛤蟆通河、龙头桥水库等。

【交　　通】交通便利，友宝地方铁路通往友谊县。建虎高速和205、307、308省道四通八达，与县乡公路构成交通网。

【资　　源】宝清县是黑龙江省东部较大的次生林区，“土壤沃衍，植无不宜”，素有“天府之县”的美称，是省主要产粮县之一。全县森林覆盖率高，盛产柞、桦、榆、椴、水曲柳、核桃秋、黄柏等阔叶林木。野生动物主要有马鹿、黑熊、野猪、狐狸、貉、水獭、猞狸等。野生植物有人参、黄芪、五味子、刺五加、平贝、龙胆草、山野菜、山葡萄、猕猴桃等。境内主要有煤、铁、铜、铅、锌、铝、金、石墨、石英、白粘土、大青石、花岗岩、石灰石等矿藏。

【土特产品】人参、鹿茸、蜂蜜、白瓜子、木耳等。

【风景名胜】完达山国家森林公园，宝清七星河国家级自然保护区，雁窝岛等。

【景点介绍】**雁窝岛**　位于宝清县东北部挠力河南岸，面积200多平方千米，以土地肥沃而闻名。春天，大地复苏，兰花、百合、金针花竞相开放，每年4月野鸭、天鹅来此地栖息。岛上还有野鹿、狍子、狼、熊等野生动物。景区内有老一代革命家董必武亲自题写的“雁窝岛”三个大字、女真人遗址、炮台等人文景观，还有沼泽地、芦苇荡、五星湖等自然景观。

镜泊湖 国家级风景名胜区　牡丹峰 国家级自然保护区　服务区　里程起迄点
二龙山 其他风景名胜区　哈尔滨 国家级森林、地质公园　出入口　收费站

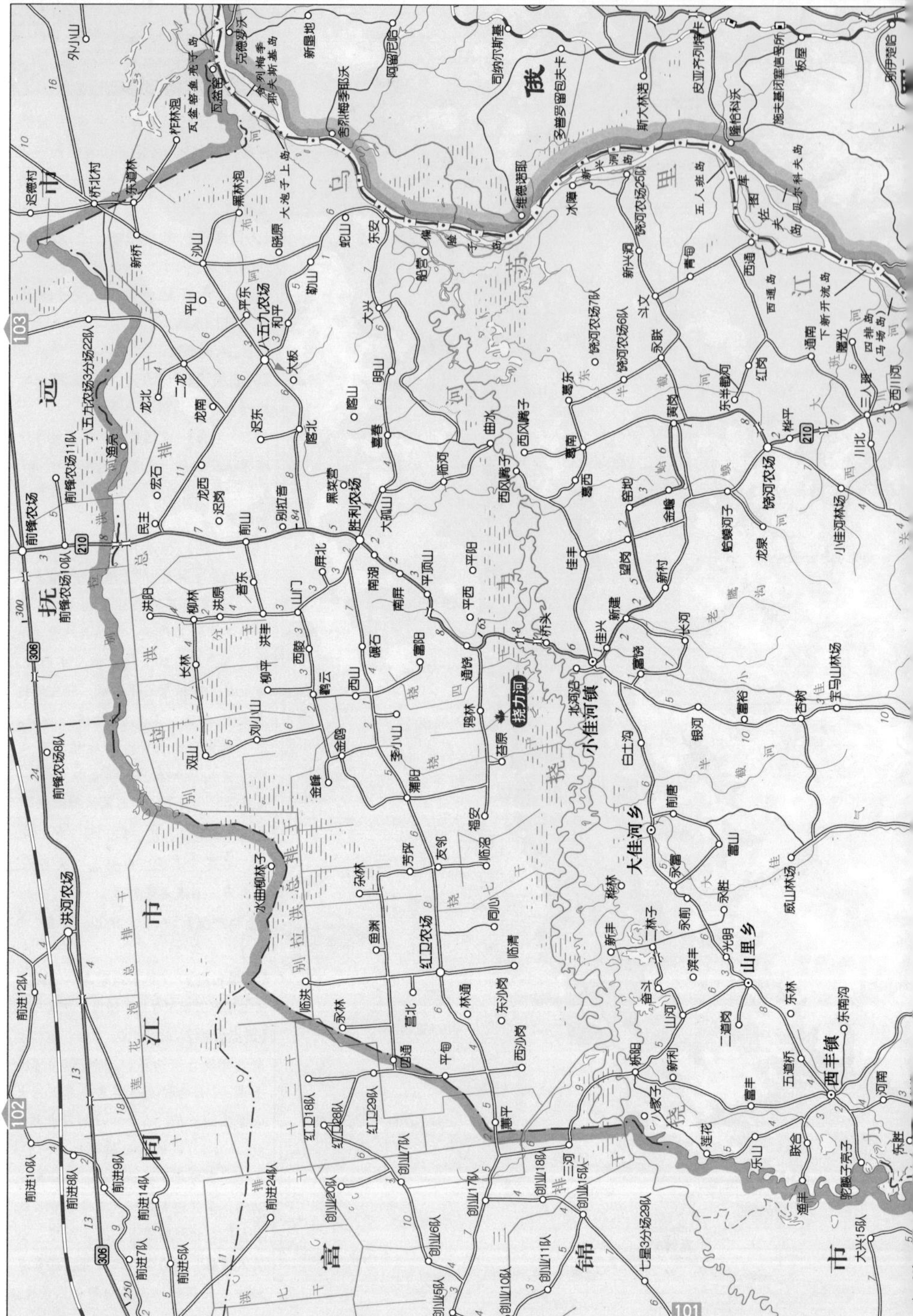

比例尺 1∶520 000

5.2千米 0 5.2 10.4 15.6千米

高度表

0 50 100 200 300 400 500 600 800 1000 1200 1500米

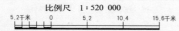

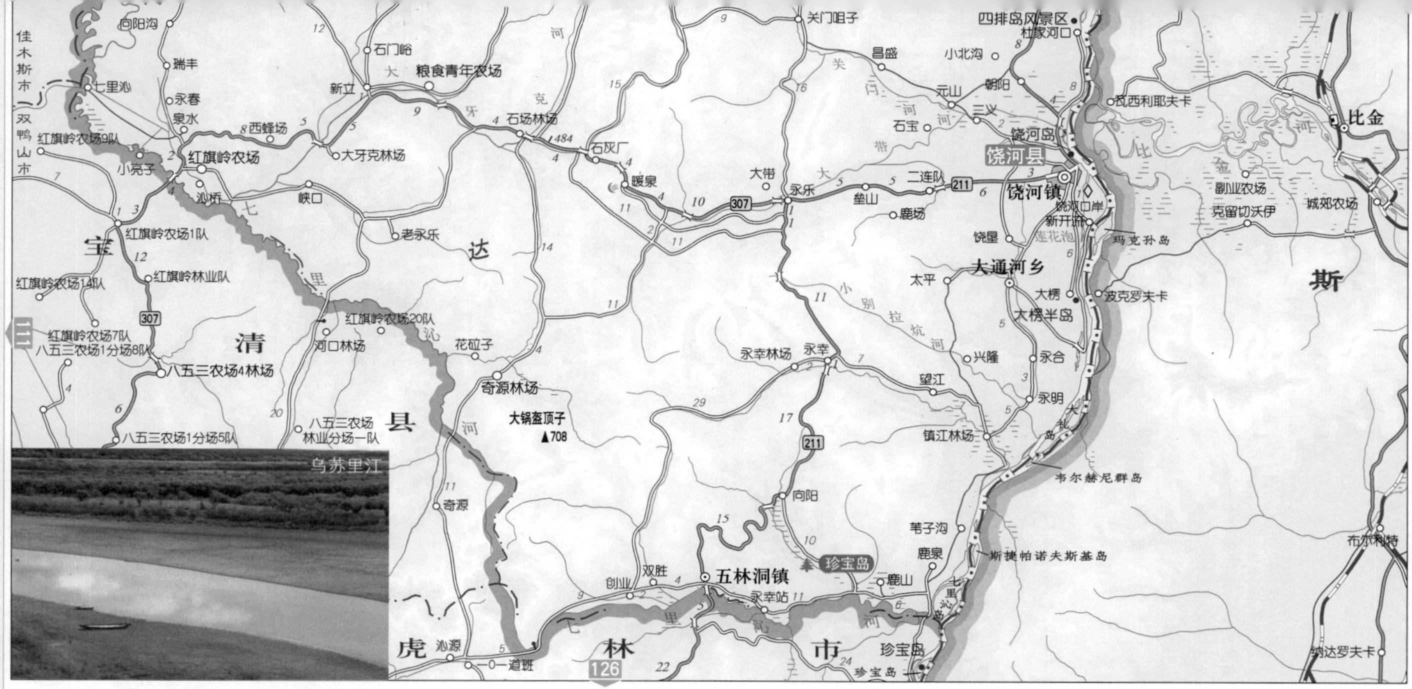

【地理位置】位于市境东部，东隔乌苏里江与俄罗斯隔江相望，北与抚远市、同江市相邻，西与富锦市相连，南与宝清县、虎林市接壤。

【人口面积】人口14万，面积6765平方千米。

【地　　形】地处三江平原东部山地的东北缘，北部为平原，南部为完达山低山丘陵地。

【最高山峰】大顶子，海拔801米。

【河流湖泊】乌苏里江、挠力河、七里沁河、别拉洪河等。

【交　　通】交通以公路为主，210、211和307省道纵横境内。饶河口岸边境贸易繁荣，从俄进口货物经饶河口岸可直接进入中国内陆地区。水路可顺乌苏里江，经阿穆尔河进入日本海到达日本和朝鲜半岛。

【资　　源】林木资源丰富，主要有红松、水曲柳、杨、柞、椴、桦等树木。山中有山参、五味子、刺五加、龙胆草、冬青等药用植物。既是黑龙江省天然林区之一，又是全省重要的木材集散地。矿产有金、铁、铜等，草炭储量最为丰富。产大马哈鱼、鲟鱼等名贵鱼类。为乌苏里貉原产地和中国黑蜂原种基地，养蜂、养貉业发达。

【经　　济】是国家大豆生产基地，优质专用小麦生产基地，有大型国有农场，主要生产水稻、玉米、大豆、小麦等。工业以能源、建材、酿造、浸油、木材加工、蜂产品加工、山野菜加工等为主，以椴树蜜、王浆蜜为代表的蜂蜜系列产品远销世界各地。被欧盟有机食品组织认定为有机食品生产基地。

【风景名胜】珍宝岛国家森林公园，东北黑蜂、挠力河国家级自然保护区，四排岛、乌苏里江、饶河岛、大愣半岛风景区等。

镜泊湖 国家级风景名胜区　牡丹峰 国家级自然保护区　服务区　里程起迄点
二龙山 其他风景名胜区　哈尔滨 国家级森林、地质公园　出入口　收费站

【地理位置】 位于黑龙江省东部。北邻佳木斯市，东北部接双鸭山市，南与鸡西市相连，西与哈尔滨市为邻，西南与牡丹江市相通。

【行政区划】 辖桃山、新兴、茄子河3区和勃利县。

【人口面积】 人口92万，面积6221平方千米。

【历史沿革】 七台河地区早在远古商周时代，是祖国古老民族之一肃慎族(现满族)的地域。至清代属今依兰县内各代机构管辖。1916年分属依兰、宝清两县辖。1918年由依兰县划出，归属勃利县辖。1965年组建七台河特区，属黑龙江省合江地区辖。1970年改称七台河市，隶属关系不变，为地辖市。1983年升格为省辖市。

【地　　形】 属完达山系余脉。东北部起到南、西三面环山，中部丘陵，西北部为平原。

【最高山峰】 太平顶，海拔1008米。

【河流湖泊】 倭肯河、挠力河、吉兴河、桃山水库、互库等。桃山水库是省最大的大型水库。

【气　　候】 地处温带湿润气候区，属大陆性季风气候。均气温3.8℃。年降水量500毫米。无霜期约130天。

【交　　通】 交通便捷，图佳、勃七铁路接轨。鹤大、伭速相会，201国道和308省道纵横交叉组成了公路网。

【资　　源】 七台河煤田是国家保护性开采的三个稀有煤田是国家重要的煤炭生产基地之一。已探明的矿产资源有煤炭金、石墨、膨润土等，尤以煤炭最为丰富，是七台河一大能源。森林覆盖率高，树种多柞、桦，为天然次生林。山山野菜极为丰富，盛产党参、桔梗、刺五加等野生药材，猴头菇、榛蘑等食用菌类。

【风景名胜】 勃力、石龙山国家级森林公园，吉兴河风万宝山滑雪场、桃山风景区、青松岭森林公园等。

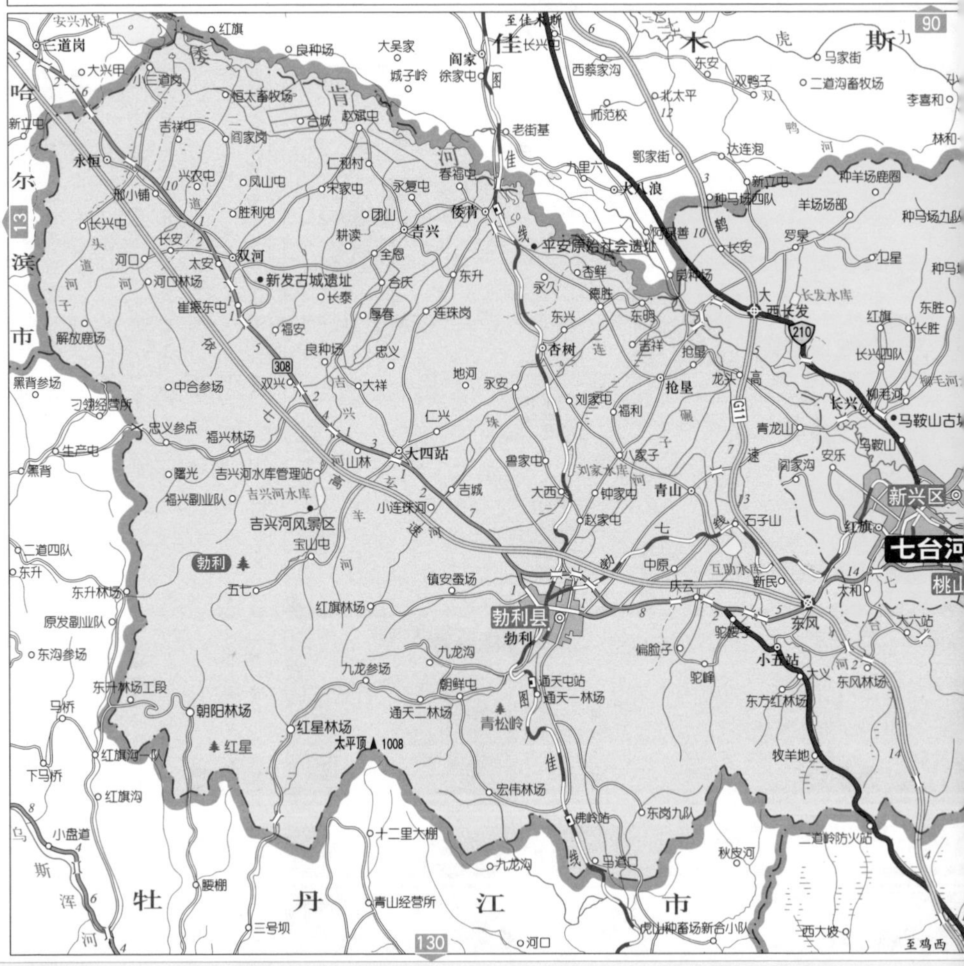

比例尺　1∶520 000

5.2千米　0　5.2　10.4　15.6千米

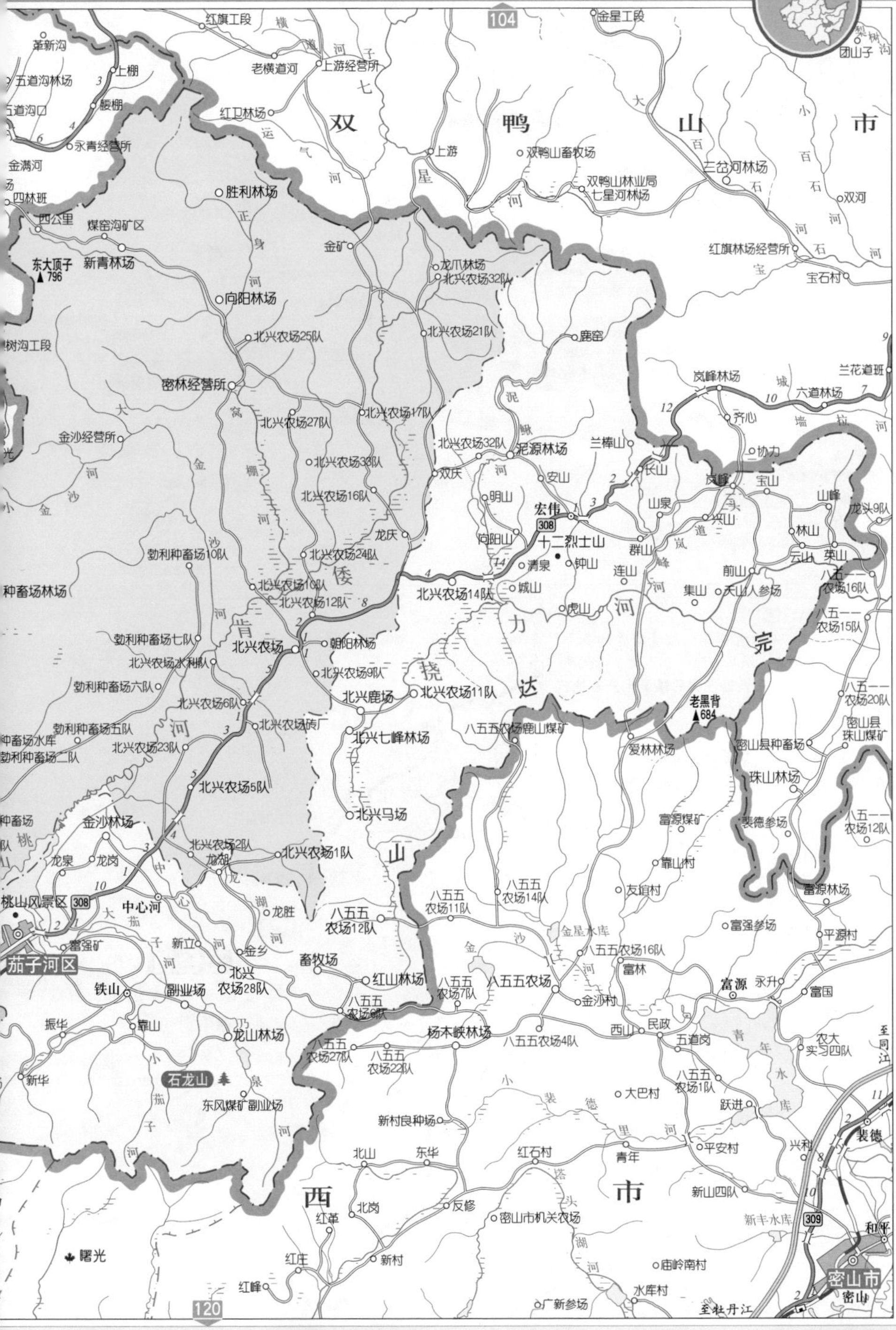

双鸭山市
西市
104
120
308
309
红旗工段
金星工段
革新沟
上棚
五道沟林场
五道沟口
腰棚
永青经营所
老横道河
上游经营所
红卫林场
上游
双鸭山畜牧场
双鸭山林业局
七星河林场
三岔河林场
双河
红旗林场经营所
宝石村
团山子
金满河
四林班
四公里
煤窑沟矿区
新青林场
东大顶子
796
胜利林场
金矿
龙爪林场
北兴农场32队
向阳林场
北兴农场21队
北兴农场25队
鹿窑
树沟工段
密林经营所
岚峰林场
兰花道班
六道林场
齐心
协力
北兴农场27队
北兴农场17队
金沙经营所
北兴农场32队
泥源林场
兰棒山
北兴农场33队
双庆
安山
长山
岚峰
宝山
山峰
龙头9队
明山
北兴农场16队
宏伟
山泉
兴山
龙庆
向阳山
十二烈士山
群山
林山
勃利种畜场10队
北兴农场24队
清泉
钟山
云山
英山
连山
前山
八五一一农场16队
种畜场林场
北兴农场10队
北兴农场14队
城山
集山
天山人参场
北兴农场12队
虎山
八五一一农场15队
勃利种畜场七队
北兴农场
朝阳林场
北兴农场水利队
北兴农场9队
勃利种畜场六队
北兴农场11队
北兴鹿场
北兴农场6队
老黑背
684
八五一一农场20队
勃利种畜场五队
北兴农场砖厂
八五五农场鹿山煤矿
密山县珠山煤矿
种畜场水库
北兴七峰林场
爱林林场
密山县种畜场
勃利种畜场二队
北兴农场23队
珠山林场
北兴农场5队
种畜场
金沙林场
北兴马场
富源煤矿
裴德参场
八五一一农场12队
北兴农场2队
龙泉
龙岗
龙湖
北兴农场1队
靠山村
八五五农场14队
友谊村
富源林场
桃山风景区
中心河
八五五农场11队
龙胜
八五五农场12队
富强参场
平源村
碧强矿
新立
金乡
金星水库
八五五农场16队
茄子河区
畜牧场
富林
铁山
北兴农场28队
红山林场
八五五农场7队
八五五农场
富源
永升
富国
副业场
八五五农场6队
金沙村
振华
靠山
龙山林场
杨木岭林场
八五五农场4队
西山
民政
五道岗
农大实习四队
八五五农场27队
八五五农场22队
至同江
新华
石龙山
八五五农场1队
大巴村
东风煤矿副业场
跃进
新村良种场
裴德
北山
东华
红石村
青年
平安村
兴利
新山四队
北岗
反修
红革
密山市机关农场
新丰水库
和平
曙光
红庄
新村
庙岭南村
密山市
红峰
广新参场
水库村
密山
至牡丹江

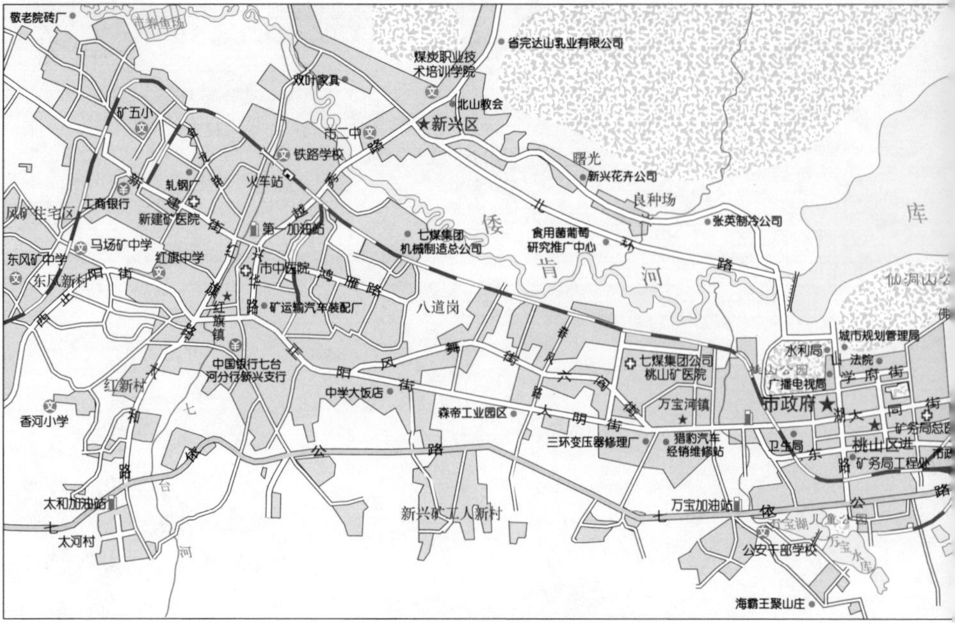

七台河城区

【城市特色】 七台河市是一座建市近30多年的新兴工业城市，城区占地面积不大，以优质煤炭生产著称，是我国重要的煤炭生产基地，是黑龙江省四大煤都之一。

【交　　通】 市内交通便捷，有公共汽车，长途客运汽车，勃七铁路经过城市。

【风景名胜】 桃山水库、万宝湖儿童公园、桃山公园。

【景点介绍】 **万宝湖儿童公园** 位于市区中心山湖路南端，始建于1984年，总面积70公顷，园中山水相连，融自然风景与人文景观于一体，体现了北国园林特色，是七台河唯一以儿童游乐为主、具有多功能的综合性公园。

比例尺 1∶430 000

4.3千米　0　4.3　8.6　12.9千米

高度表 0 50 100 200 300 400 500 600 800 1000 1200 1500米

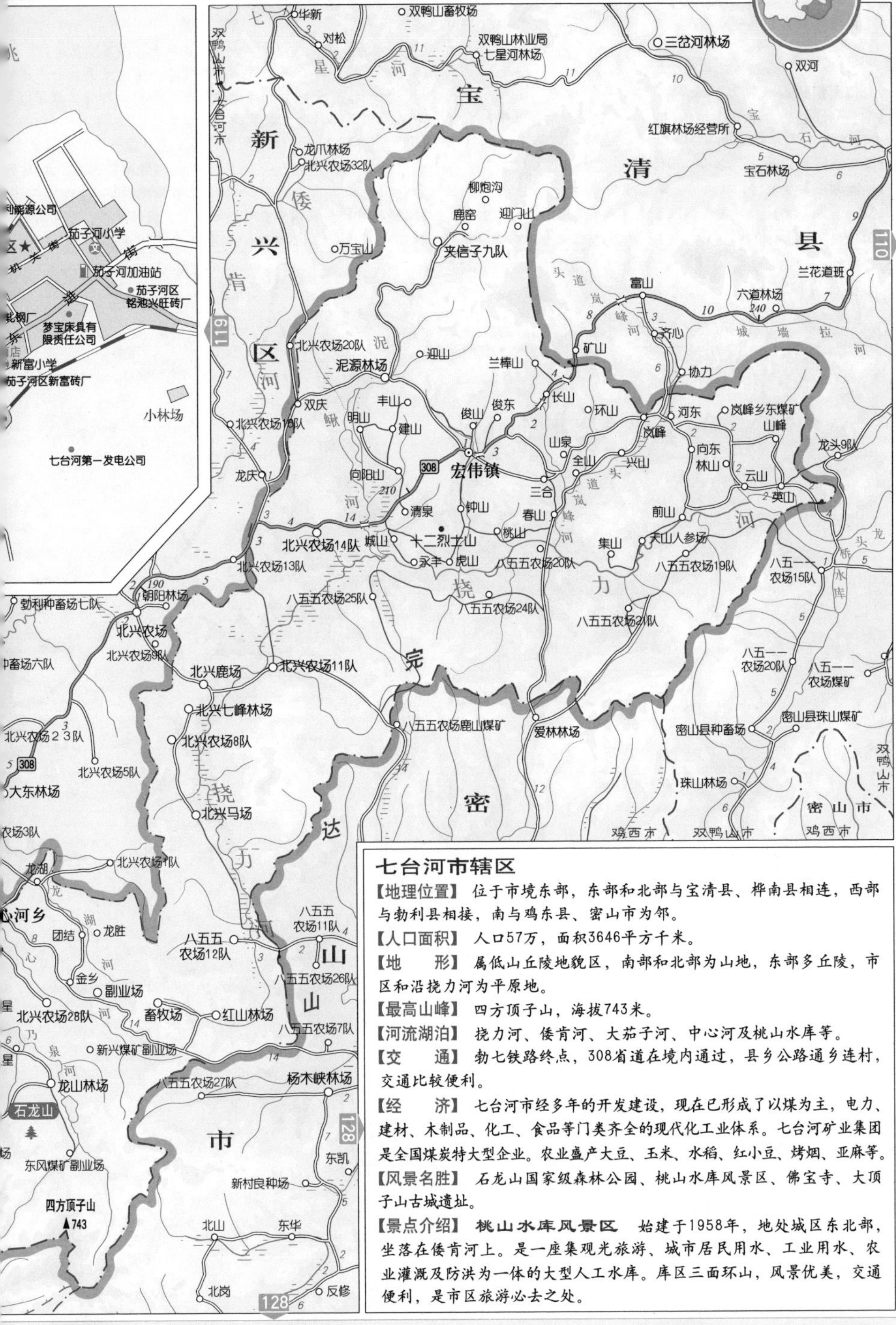

七台河市辖区

【地理位置】 位于市境东部，东部和北部与宝清县、桦南县相连，西部与勃利县相接，南与鸡东县、密山市为邻。

【人口面积】 人口57万，面积3646平方千米。

【地　　形】 属低山丘陵地貌区，南部和北部为山地，东部多丘陵，市区和沿挠力河为平原地。

【最高山峰】 四方顶子山，海拔743米。

【河流湖泊】 挠力河、倭肯河、大茄子河、中心河及桃山水库等。

【交　　通】 勃七铁路终点，308省道在境内通过，县乡公路通乡连村，交通比较便利。

【经　　济】 七台河市经多年的开发建设，现在已形成了以煤为主，电力、建材、木制品、化工、食品等门类齐全的现代化工业体系。七台河矿业集团是全国煤炭特大型企业。农业盛产大豆、玉米、水稻、红小豆、烤烟、亚麻等。

【风景名胜】 石龙山国家级森林公园、桃山水库风景区、佛宝寺、大顶子山古城遗址。

【景点介绍】 **桃山水库风景区** 始建于1958年，地处城区东北部，坐落在倭肯河上。是一座集观光旅游、城市居民用水、工业用水、农业灌溉及防洪为一体的大型人工水库。库区三面环山，风景优美，交通便利，是市区旅游必去之处。

【地理位置】勃利县位于市境的西部。东与七台河市接壤，南与鸡东县、林口县搭界，西与依兰县、林口县相连，北与桦南县为邻。

【人口面积】人口35万，面积2575平方千米。

【地　　形】地处老爷岭、张广才岭、完达山交会地带，北部为倭肯河山间河谷盆地，南部为低山丘陵。

【最高山峰】太平顶，海拔1008米。

【河流湖泊】倭肯河、吉兴河、碾子河及互助水库等。

【交　　通】图佳、牡佳铁路纵贯境内，与勃七铁路相会于县城。鹤大、依七高速和201国道、308省道与县乡公路构成了四通八达的交通网。

【资　　源】矿藏有煤炭、黄金、膨润土、沸石、花岗岩、矿石墨矿石储量居亚洲之首。森林资源丰富，主要树种有落叶松、杨、柞、云杉等。野生动物有鹿、狍、野猪、熊等。是野菜、中草药和野生浆果加工出口基地。

【经　　济】工业以煤炭生产为主，是我国一百个产煤重点农副业主要盛产大豆、玉米、水稻、烤烟、亚麻、红辣椒菊等，是全国商品粮基地县，果树基地县。

【风景名胜】勃利国家森林公园、吉兴河风景区、平安原始社新发古城遗址、青松岭、红星森林公园等。

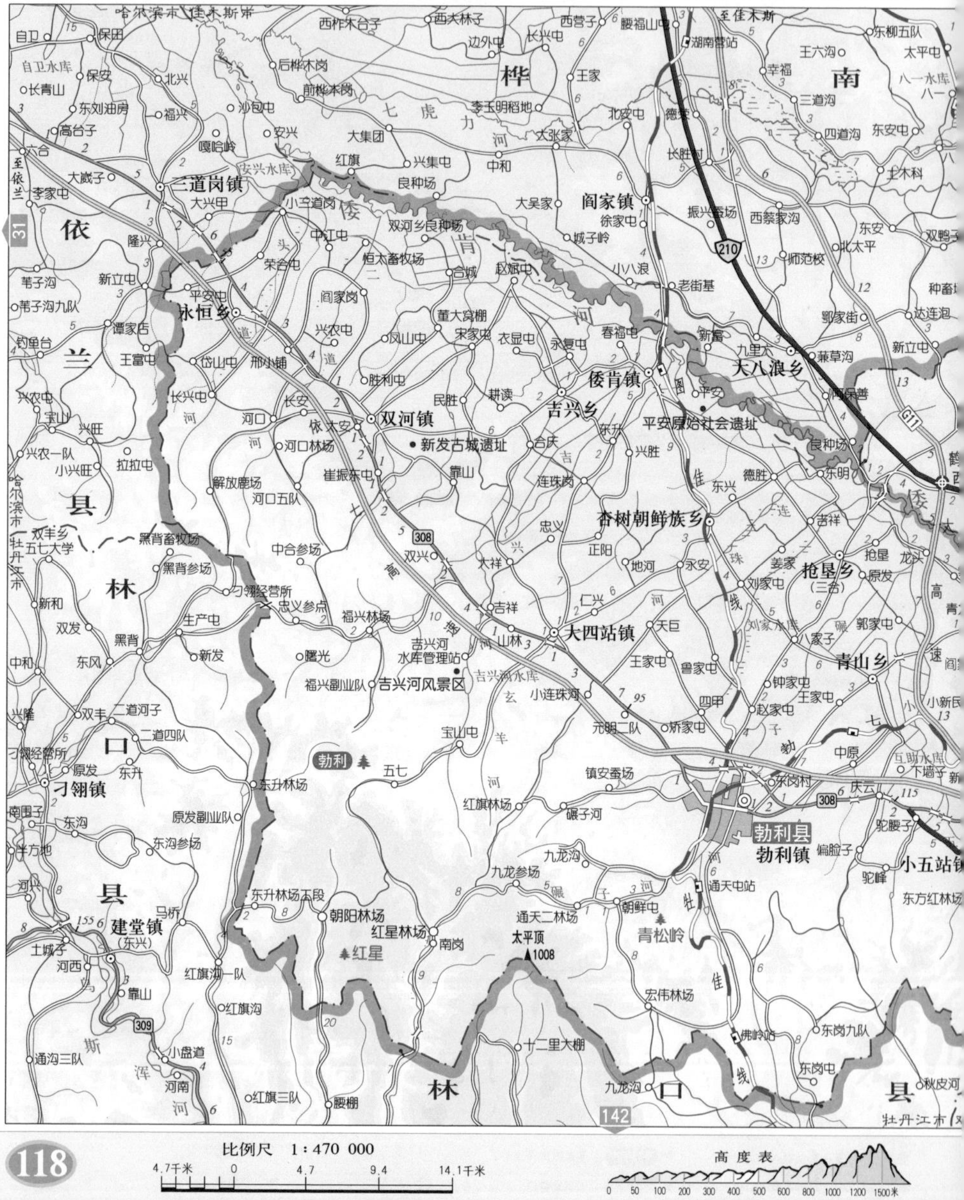

比例尺 1:470 000

4.7千米 0 4.7 9.4 14.1千米

高度表

0 50 100 200 300 400 500 600 800 1000 1200 1500米

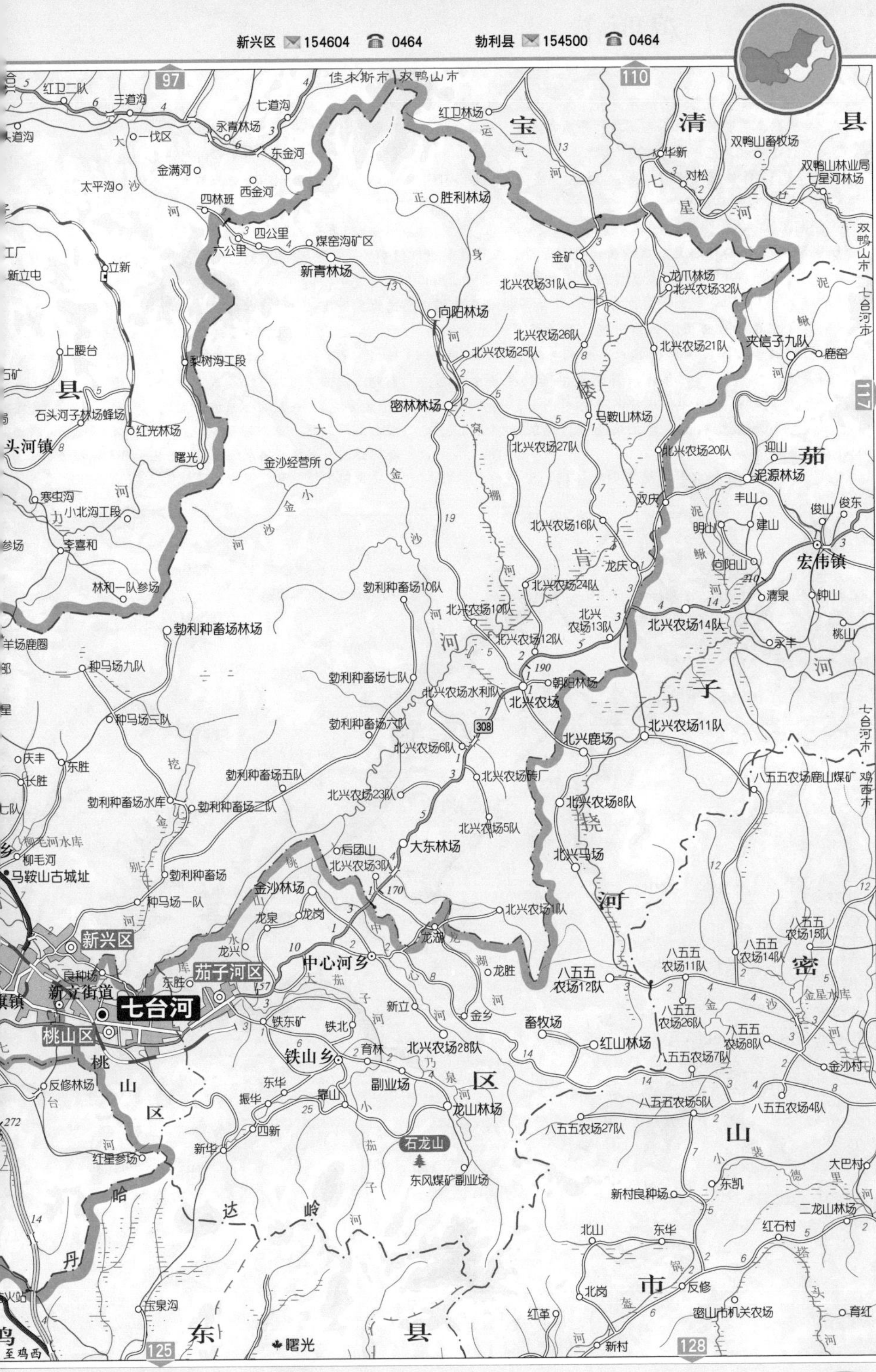
佳木斯市
双鸭山市
97
110
117
125
128
宝
清
县
茄
子
河
区
密
山
市
东
县
桃
山
区
哈
达
岭
双鸭山市
七台河市
鸡西市
红卫二队
三道沟
七道沟
永青林场
东金河
一伐区
金满河
太平沟
西金河
四林班
四公里
六公里
煤窑沟矿区
新青林场
红卫林场
胜利林场
向阳林场
北兴农场25队
北兴农场26队
北兴农场31队
北兴农场32队
龙爪林场
金矿
华新
对松
双鸭山畜牧场
双鸭山林业局
七星河林场
来信子九队
鹿窑
北兴农场21队
马鞍山林场
北兴农场27队
北兴农场20队
迎山
泥源林场
丰山
俊山
俊东
明山
建山
宏伟镇
向阳山
清泉
钟山
桃山
永丰
北兴农场14队
北兴农场16队
龙庆
北兴农场24队
北兴农场13队
北兴农场10队
北兴农场12队
朝阳林场
北兴农场
北兴农场11队
北兴鹿场
北兴农场8队
北兴马场
北兴农场水利队
北兴农场6队
北兴农场砖厂
北兴农场23队
北兴农场5队
密林林场
梨树沟工段
立新
新立屯
上腰台
石头河子林场蜂场
红光林场
头河镇
曙光
金沙经营所
寒虫沟
小北沟工段
李喜和
林和一队参场
勃利种畜场10队
勃利种畜场林场
羊场鹿圈
种马场九队
勃利种畜场七队
勃利种畜场六队
种马场三队
庆丰
东胜
长胜
勃利种畜场五队
勃利种畜场水库
勃利种畜场二队
柳毛河水库
柳毛河
马鞍山古城址
勃利种畜场
种马场一队
金沙林场
后团山
北兴农场3队
大东林场
龙泉
龙岗
龙兴
北兴农场1队
龙湖
龙胜
中心河乡
新兴区
良种场
新立街道
七台河
茄子河区
东胜
桃山区
铁东矿
铁北
新立
金乡
畜牧场
红山林场
北兴农场28队
铁山乡
育林
东华
副业场
振华
靠山
龙山林场
四新
新华
石龙山
东风煤矿副业场
红星参场
反修林场
八五五农场鹿山煤矿
八五五农场15队
八五五农场14队
八五五农场11队
八五五农场12队
八五五农场26队
八五五农场8队
八五五农场7队
金星水库
金沙村
八五五农场5队
八五五农场4队
八五五农场27队
东凯
新村良种场
大巴村
二龙山林场
红石村
北山
东华
北岗
反修
密山市机关农场
育红
红革
新村
玉泉沟
曙光
至鸡西

✲ 镜泊湖 国家级风景名胜区
✲ 二龙山 其他风景名胜区
牡丹峰 国家级自然保护区
哈尔滨 国家级森林、地质公园
服务区
出入口
里程起迄点
收费站

【地理位置】 位于黑龙江省东部。东、南隔乌苏里江、松阿察河、兴凯湖与俄罗斯相望，西南与牡丹江市接壤，北与双鸭山市、七台河市相连。

【行政区划】 辖鸡冠、恒山、滴道、梨树、城子河、麻山6区，虎林、密山2市和鸡东县。

【人口面积】 人口184万，面积22551平方千米。

【历史沿革】 战国时期至东汉均属辽东郡管辖。五代属契丹族。唐代属渤海国。元代隶属辽阳行省胡里改路万户府和开元路万户府分辖。清代属吉林将军宁古塔副都统管辖。清朝末年隶属于吉林省。民国时期，鸡西隶属关系变化频繁，曾隶属于密山、穆棱、林口、勃利县分管。1941年析密山县置鸡宁县。1943年属东满总省，1945年属东满省。1946年属合江省。1949年鸡宁县改称鸡西县，划归松江省管辖。1956年撤销鸡西县建立鸡西市（地级），由黑龙江省直接管辖。

【地　　形】 西部和北部沿境为山地环绕，中部和东部地区为平原区。南部由西到东依次是是山地、丘陵、平原。

【最高山峰】 西大翁，海拔881米。

【河流湖泊】 乌苏里江、松阿察河、穆棱河、兴凯湖、小青山水库、青年水库、云山水库、八楞山水库等。

【气　　候】 属于寒带大陆性季风气候，年平均气温3.8℃，水量533毫米。无霜期平均139天。

【交　　通】 林东铁路、城鸡铁路、恒山铁路相会于城区。高速过境，建虎、鸡虎高速横贯境内，205、206、211、道为主干线组成的公路网四通八达。

【资　　源】 是中国重要煤炭产地之一，鸡西煤田是省内煤田。主要矿产有：煤、石墨、萤石、磷等，石墨矿产量前列。农业资源丰富，是国家重要商品粮生产基地之一。

【风景名胜】 兴凯湖、东方红湿地、珍宝岛湿地、凤凰山级自然保护区，兴凯湖国家地质公园，凤凰山、乌苏里森林公园，兴凯湖国家级风景名胜区、卧龙湖风景区、北发建设纪念馆、新开流文化遗址等。

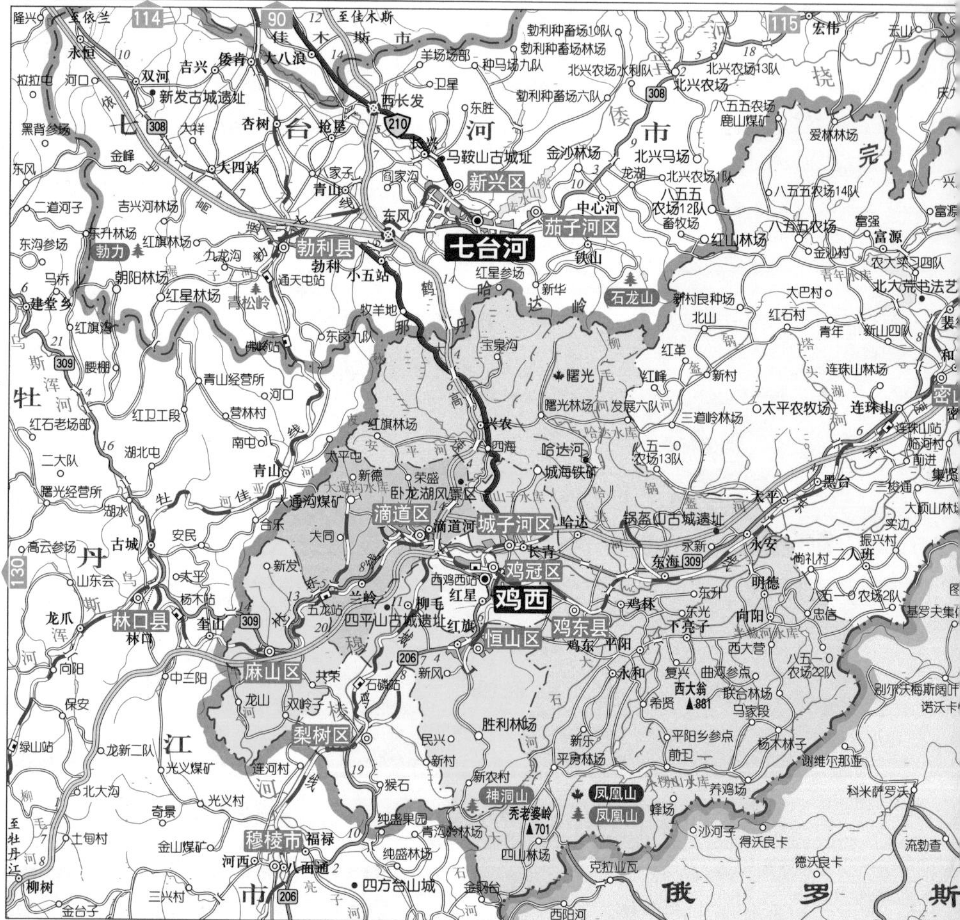

比例尺 1:1 130 000

11.3千米 0 11.3 22.6 33.9千米

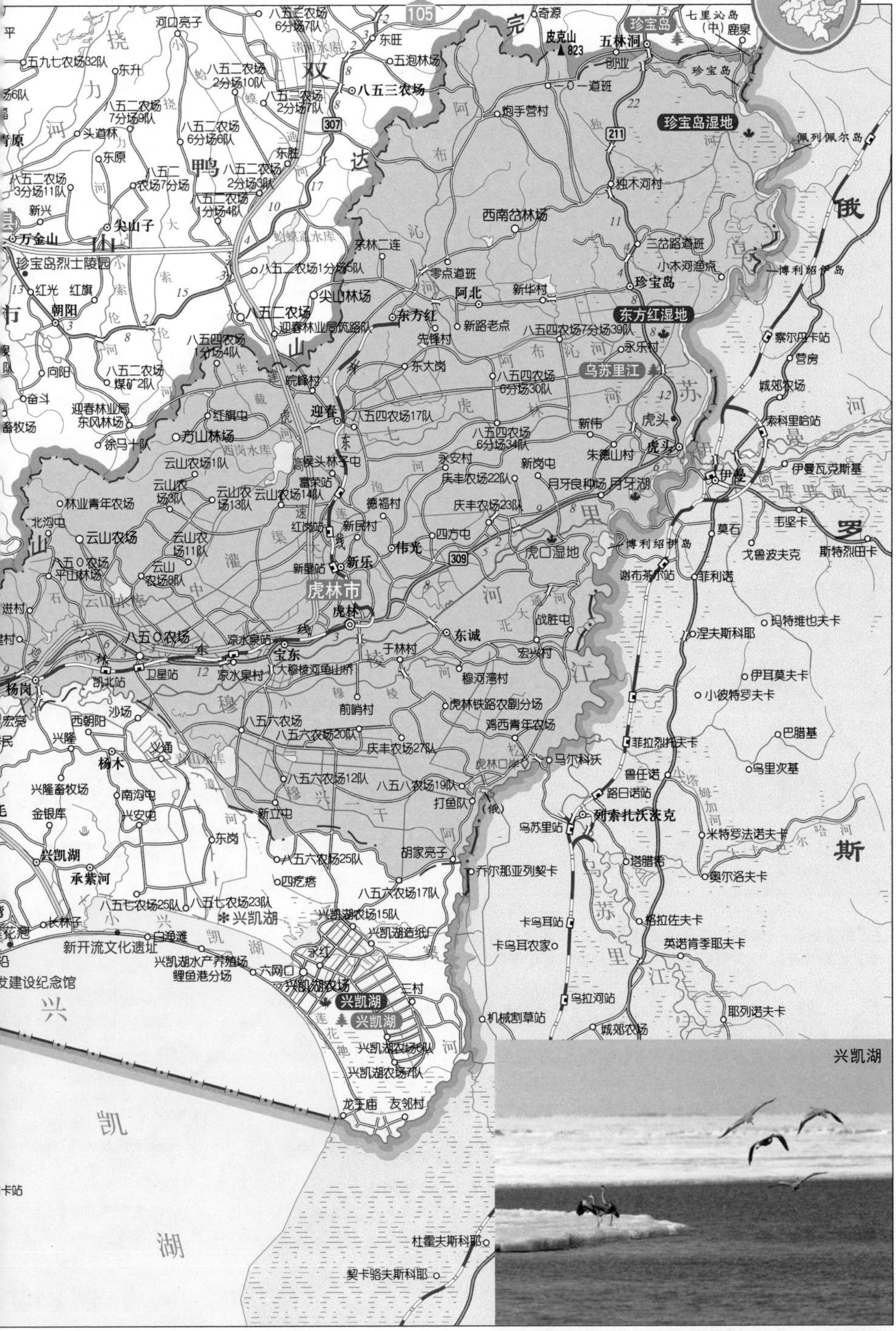
虎林市
虎林
珍宝岛
珍宝岛湿地
东方红湿地
乌苏里江
虎口湿地
月牙湖
兴凯湖
五林洞
皮克山 823
七里沁岛
鹿泉
佩列佩尔岛
博利绍伊岛
迎春
东方红
阿北
虎头
伊曼
宝东
东诚
新乐
伟光
杨岗
杨木
兴凯湖
承紫河
八五〇农场
八五八农场19队
八五六农场
八五四农场
八五三农场
八五二农场
庆丰农场23队
云山农场
迎春林业局筑路队
西南岔林场
独木河村
三岔路道班
小木河渔点
新开流文化遗址
兴凯湖水产养殖场鲤鱼港分场
兴凯湖农场
龙王庙
友邻村
胡家亮子
乌尔科沃
列索扎沃茨克
谢布茨尔站
菲利诺
卡乌耳站
乌拉河站
机械割草站
杜霍夫斯科耶
契卡骆夫斯科耶
俄
罗
斯
苏
里
江
兴
凯
湖
完
达
山
穆
棱
河
阿
布
沁
河
七
虎
林
河

兴凯湖

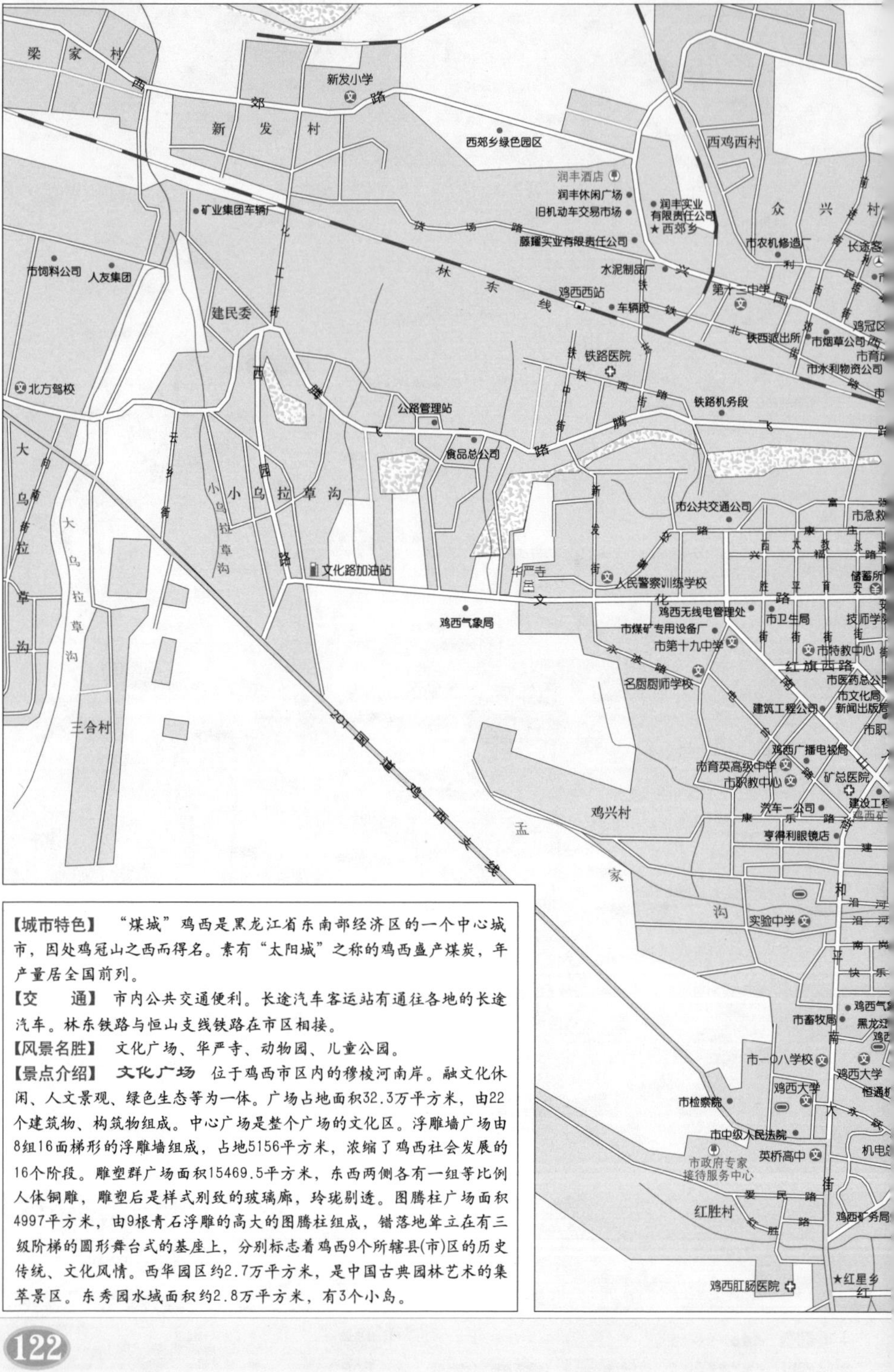

【城市特色】 “煤城”鸡西是黑龙江省东南部经济区的一个中心城市，因处鸡冠山之西而得名。素有“太阳城”之称的鸡西盛产煤炭，年产量居全国前列。

【交　　通】 市内公共交通便利。长途汽车客运站有通往各地的长途汽车。林东铁路与恒山支线铁路在市区相接。

【风景名胜】 文化广场、华严寺、动物园、儿童公园。

【景点介绍】 **文化广场** 位于鸡西市区内的穆棱河南岸。融文化休闲、人文景观、绿色生态等为一体。广场占地面积32.3万平方米，由22个建筑物、构筑物组成。中心广场是整个广场的文化区。浮雕墙广场由8组16面梯形的浮雕墙组成，占地5156平方米，浓缩了鸡西社会发展的16个阶段。雕塑群广场面积15469.5平方米，东西两侧各有一组等比例人体铜雕，雕塑后是样式别致的玻璃廊，玲珑剔透。图腾柱广场面积4997平方米，由9根青石浮雕的高大的图腾柱组成，错落地耸立在有三级阶梯的圆形舞台式的基座上，分别标志着鸡西9个所辖县(市)区的历史传统、文化风情。西华园区约2.7万平方米，是中国古典园林艺术的集萃景区。东秀园水域面积约2.8万平方米，有3个小岛。

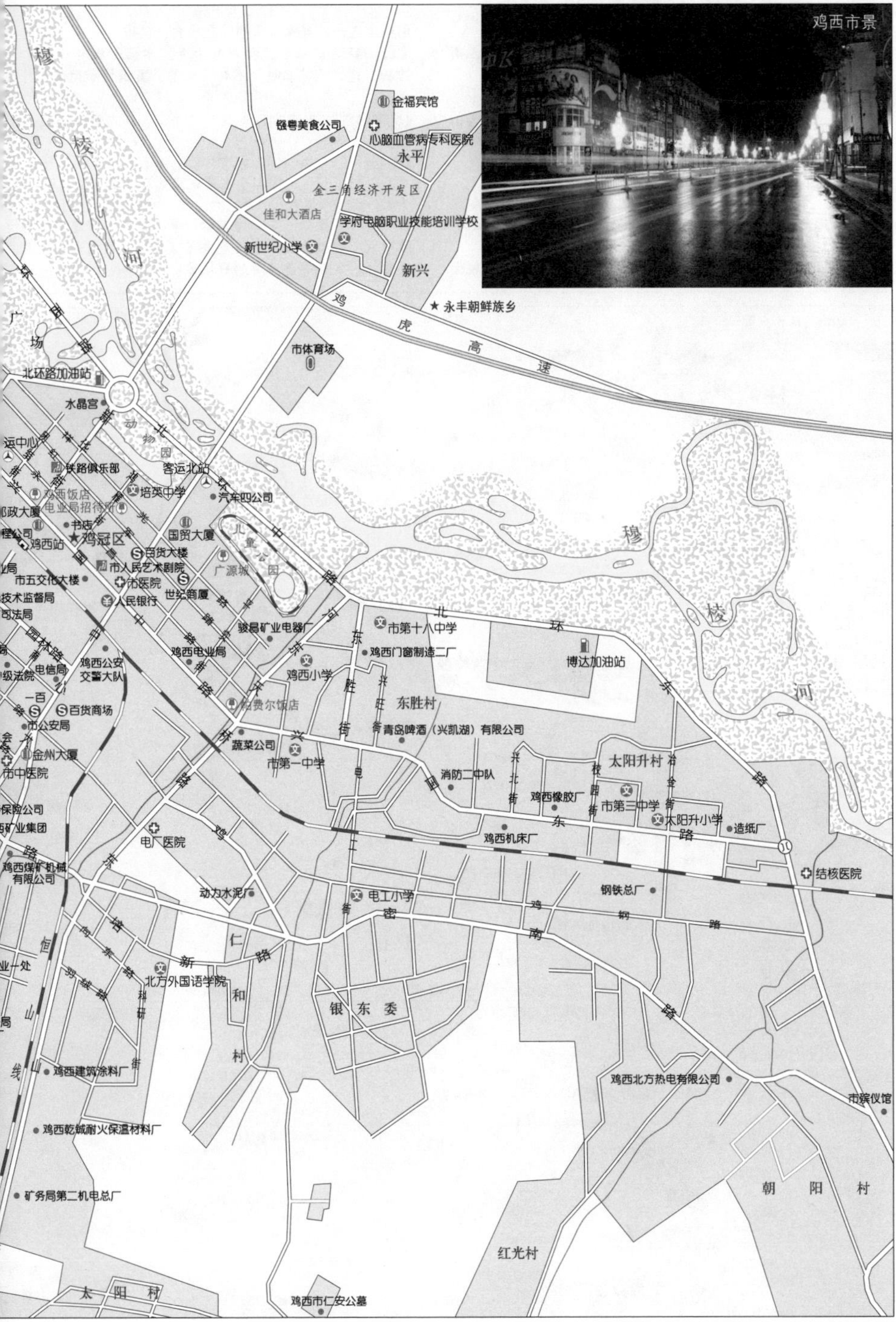
鸡西市景
穆
棱
河
金福宾馆
馥粤美食公司
心脑血管病专科医院
永平
金三角经济开发区
佳和大酒店
学府电脑职业技能培训学校
新世纪小学
新兴
鸡
虎
高
速
永丰朝鲜族乡
环
西
路
广
场
市体育场
北环路加油站
水晶宫
动
物
园
运中心
铁路俱乐部
客运北站
培英中学
汽车四公司
鸡西饭店
电业局招待所
政大厦
书店
鸡冠区
程公司
鸡西站
国贸大厦
儿
童
公
园
百货大楼
广源城
市人民艺术剧院
局
市五交化大楼
市医院
世纪商厦
技术监督局
人民银行
司法局
骏昌矿业电器厂
市第十八中学
北
环
中
路
东
鸡西门窗制造二厂
博达加油站
园林路
鸡西电业局
鸡西公安
交警大队
电信局
级法院
鸡西小学
一百
百货商场
帕费尔饭店
东胜村
胜
街
兴
旺
街
市公安局
青岛啤酒（兴凯湖）有限公司
蔬菜公司
金州大厦
市第一中学
会
市中医院
消防二中队
太阳升村
兴
北
街
鸡西橡胶厂
校
园
街
市第三中学
冶
金
街
太阳升小学
保险公司
矿业集团
电厂医院
鸡西机床厂
东
路
造纸厂
鸡西煤矿机械
有限公司
结核医院
动力水泥厂
电工小学
钢铁总厂
鸡
南
钢
路
密
仁
路
新
和
村
业一处
恒
山
线
北方外国语学院
银东委
科
研
街
局
鸡西建筑涂料厂
鸡西北方热电有限公司
市殡仪馆
鸡西乾城耐火保温材料厂
朝阳村
矿务局第二机电总厂
红光村
太阳村
鸡西市仁安公墓

鸡西市辖区

【地理位置】 位于市境西部，北部和东部与鸡东县相连，南与穆棱市相接，西部与林口县为邻。

【人口面积】 人口84万，面积2253平方千米。

【地　　形】 地处完达山、张广才岭、老爷岭交汇地带，为山地丘陵地貌。西、南、北和东面大部为山地，东面中部为平原。

【最高山峰】 土顶子，海拔683米。

【河流湖泊】 穆棱河、大石头河、团山子水库等。

【交　　通】 交通发达。铁路林东线、城鸡线、恒山线在此相交，鹤大、鸡虎高速境内相会，206、309省道在境内相接，县乡公路相互交织连接乡村，构成了便利的交通网络。

【经　　济】 工业主要部门以煤炭为主，鸡西煤田是我国较大的煤田之一，其他工业部门有冶金、机械、化工、森工、建材、轻纺食品等。农业有小麦、水稻、线麻等粮食和作物。建立了“三超”水稻、元葱、美国提子葡萄等特色园。

【风景名胜】 卧龙湖风景区、四平山古城遗址、小城山古址、净土寺等。

【景点介绍】 **卧龙湖风景区** 位于鸡西市滴道区。卧水利枢纽工程——团山子水库就坐落在这里。湖区面积约6千米，水库四周有人工亭、台、楼、阁，还有“石门”、“岩”、“石猴峰”、“迎客松”等。卧龙湖畔建有旅游缆游泳池、湖心公园、水上龙舟等设施。景区内景色优美，夏赏绿、夏季避暑旅游的好地方。

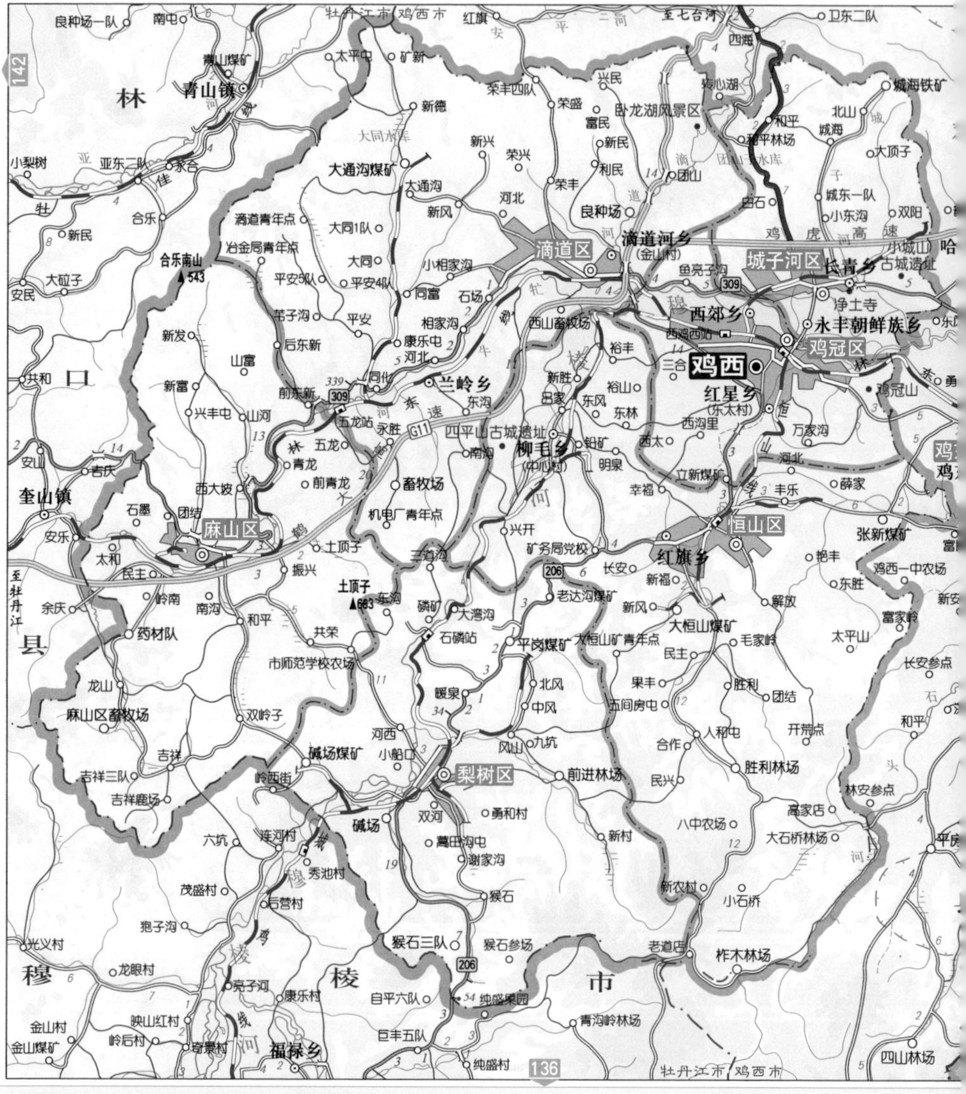

比例尺 1:440 000

4.4千米 0 4.4 8.8 13.2千米

高度表 0 50 100 200 300 400 500 600 800 1000 1200 1500米

东县

理位置】位于市境西部，东与密山市相连，北与茄子河勃利县接壤，西与鸡西市辖区、林口县和穆棱市为邻，南罗斯交界。

口面积】人口29万，面积3233平方千米。

形】地处老爷岭和完达山南部丘陵地带，南北高、中。

高山峰】西大翁，海拔881米。

流湖泊】穆棱河、哈达河及八楞山水库、哈达水库等。

通】林东铁路横贯全境，鹤大、鸡虎高速及309省道穿过。县乡公路发达。

源】有“聚宝盆”之称的鸡东县，自然资源丰富。煤炭储量和产量居全省之首。萤石、水晶、熔炼水晶储量为全省之冠。另有石灰石、玄武岩、板岩、石英岩等矿产。

【经　　济】以农业为主，农作物有水稻、大豆、玉米等，工业有煤炭、化工、酿酒、纺织、制药、粮油加工等行业。

【土特产品】人参、木耳、蘑菇、蕨菜等。

【风景名胜】凤凰山国家森林公园、哈达河风景区、锅盔山古城遗址和麒麟山景区等。

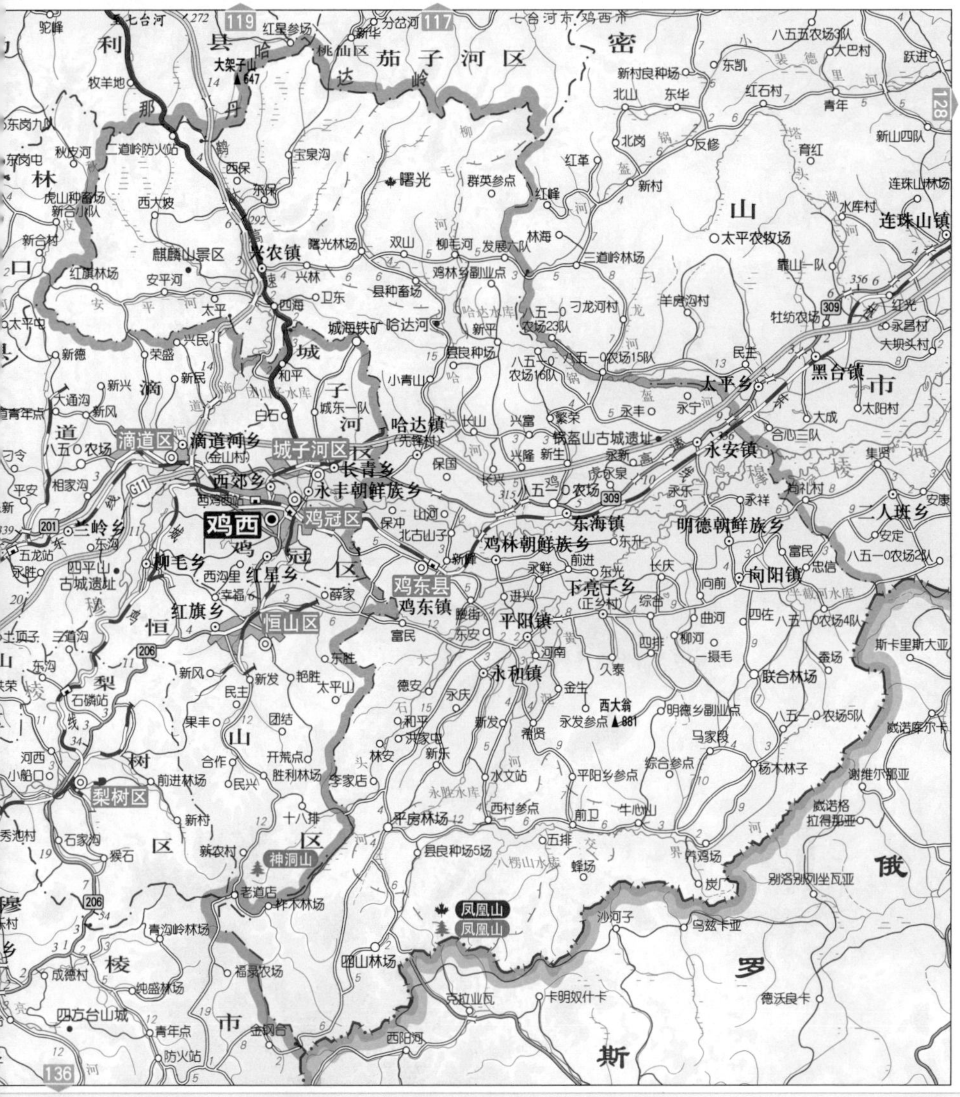

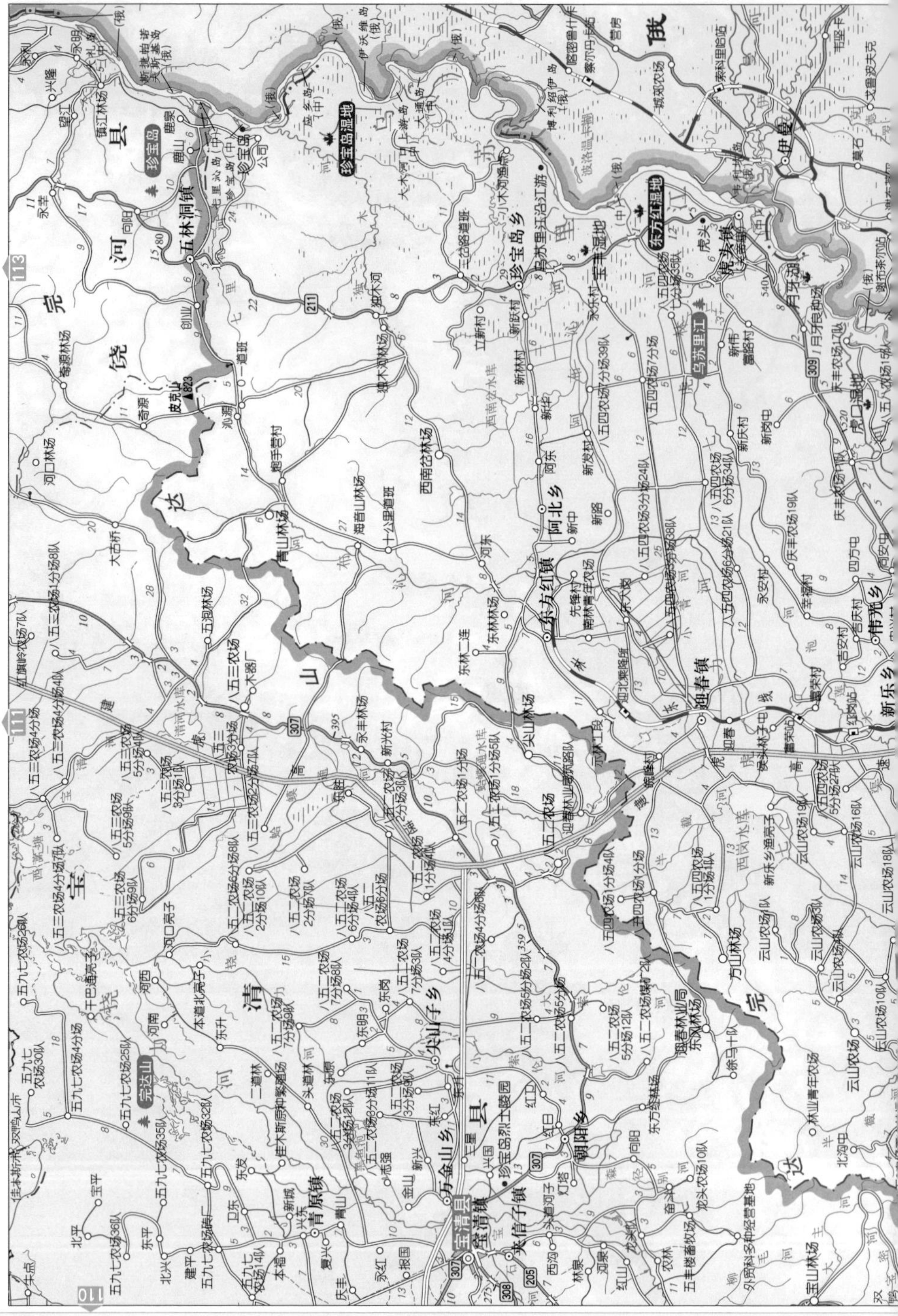

比例尺 1∶780 000

7.8千米 0 7.8 15.6 23.4千米

高度表

0 50 100 200 300 400 500 600 800 1000 1200 1500米

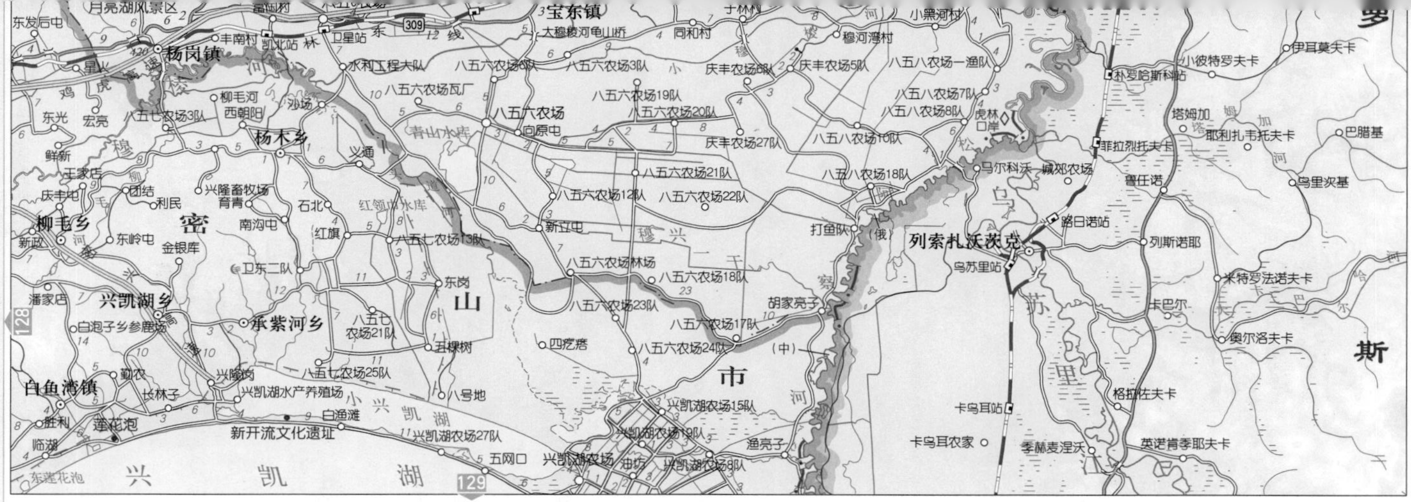

【地理位置】 虎林市位于市境东部，北部与饶河县接壤，西与宝清县相连，南与密山市毗邻，东部隔乌苏里江、松阿察河与俄罗斯相望。

【人口面积】 人口29万，面积9334平方千米。

【地　　形】 虎林市位于黑龙江省东部，完达山南麓，乌苏里江的左岸，地处穆棱河—兴凯湖低平原区，是三江平原的组成部分。地貌类型多样，有低山丘陵、山前漫岗、沟谷平原、平原和低平原五种类型。

【最高山峰】 皮克山，海拔823米。

【河流湖泊】 乌苏里江、松阿察河、穆棱河、七虎林河、小穆棱河，青山水库、云山水库等。

【交　　通】 虎林市交通便利，林东铁路终点在境内。建虎、鸡虎高速过境，309、211省道贯穿全境，县乡公路网稠密发达，路面等级较高。

【资　　源】 森林资源丰富。林地总面积79万公顷，主要盛产红松、水曲柳、黄菠萝等珍贵木材，是国家重点木材生产基地。有东北虎、黑熊等百余种珍贵野生动物；有人参、刺五加、五味子等200多种名贵药材；还有黑木耳、猴头菇、薇菜、蕨菜等山珍产品。也是中国“蜜蜂之乡”、国家级东北黑蜂保护区和重要的蜂产品生产基地。

【经　　济】 虎林地广人稀，畜牧业发达。是国家重要的商品粮生产基地，境内分布着数个大型国有农场和粮库，主要生产小麦、水稻等农作物，采用机械化生产方式。是一个以农业、绿色食品产业、边境贸易、旅游业、制药业等产业为主的新兴口岸城市。绿都牌蜂产品、珍宝岛牌大米等知名品牌家喻户晓。乌苏里江药业和珍宝岛药业构成了虎林市制药业的主要企业。

【风景名胜】 乌苏里江国家森林公园、东方红湿地、珍宝岛湿地国家级自然保护区，珍宝岛景区、虎口湿地保护区、月牙湖自然保护区、乌苏里江沿江游等。

【景点介绍】 **珍宝岛**　位于虎头旅游开发区北部乌苏里江中，长约2千米，面积0.74平方千米，原是从中国方面伸入乌苏里江的半岛，后来经过长期的水流冲积，才成为一个小岛。现在每逢夏季枯水期，还与乌苏里江的中国陆地连在一起，回复原来的半岛面目。珍宝岛因岛形似元宝而得名。该岛因1969年的对苏自卫反击战而驰名中外。珍宝岛经历了硝烟炮火的洗礼。岛上有守岛战士修筑的“中国珍宝岛”大门，还有纪念当年的战斗英雄杨林的“英雄树”，绿树掩映，山水相依，清静幽雅。

镜泊湖　国家级风景名胜区
二龙山　其他风景名胜区
牡丹峰　国家级自然保护区
哈尔滨　国家级森林、地质公园
服务区
出入口
里程起迄点
收费站

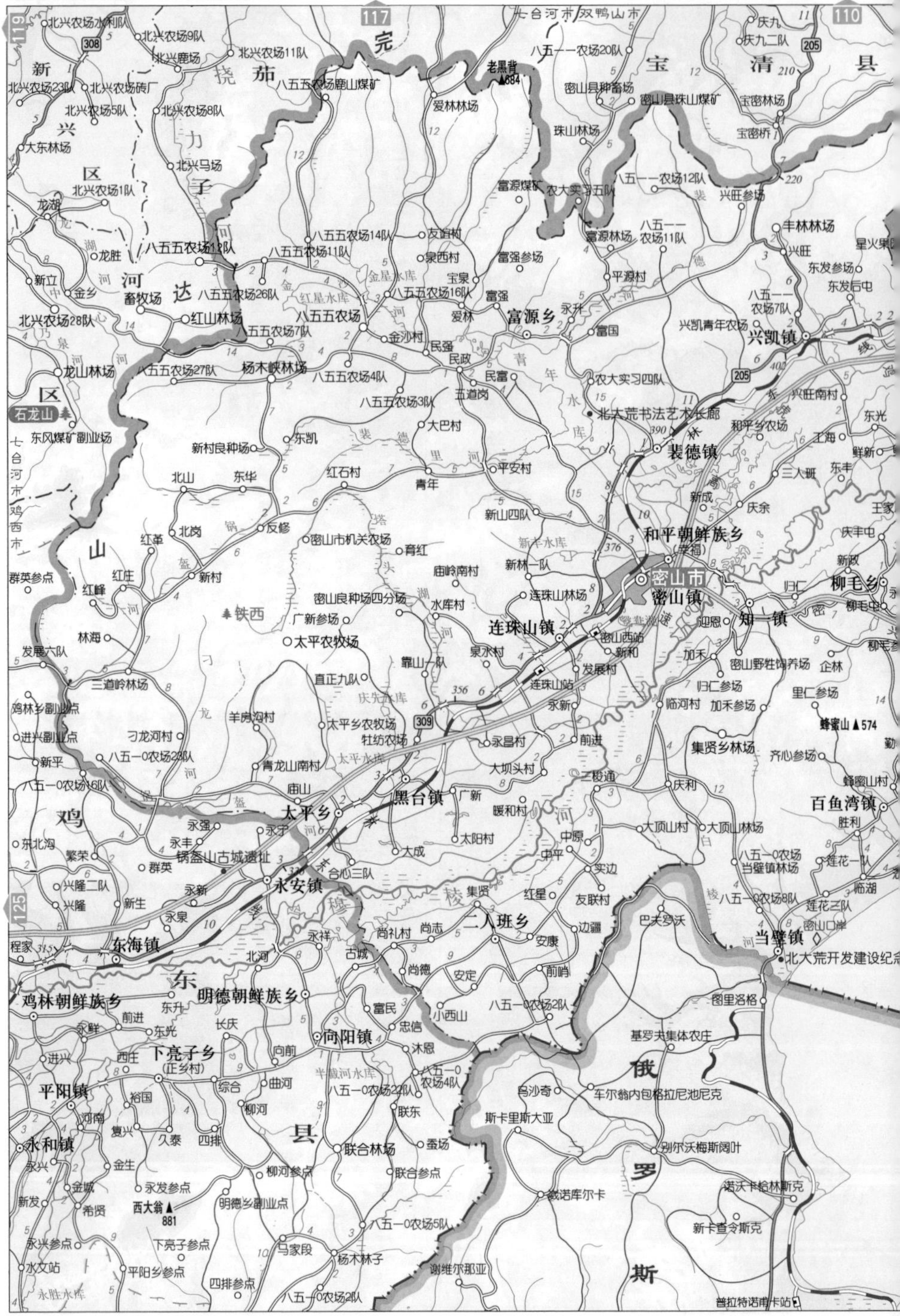

比例尺 1:560 000

5.6千米 0 5.6 11.2 16.8千米

高度表 0 50 100 200 300 400 500 600 800 1000 1200 1500米

区划】 位于市境中部，东、南与俄罗斯相邻，西与鸡东县接北与茄子河区毗邻，北与虎林市、宝清县相连。

面积】 人口42万，面积7731平方千米。

形】 北有完达山，南部有蜂蜜山，地势较为平缓，大体呈东南低。大部分为穆棱河冲积平原。

山峰】 老黑背，海拔684米。

湖泊】 穆棱河、裴德河、锅盔河、松阿察河、西地河等，还中外的大、小兴凯湖以及青年水库等。

通】 林东铁路、鸡虎高速和309省道横贯境内。连接村镇的路纵横交错，还有直通俄罗斯符拉迪沃斯托克(海参崴)的公路。

济】 是全省主要产粮基地之一，被评为全国粮食生产先进

市（县），列入国家产粮大县、商品粮基地。盛产大豆、玉米、水稻、小麦等粮食作物和烤烟、甜菜、白瓜等经济作物。近年来密山市积极发展绿色产业。工业有采煤、制革、酿酒、食品、纺织、建材等门类。

【风景名胜】 兴凯湖国家级自然保护区、兴凯湖地质公园、龙王庙景区、北大荒书法艺术长廊、新开流文化遗址、铁西森林公园、北大荒开发建设纪念馆等。

【景点介绍】 **兴凯湖** 位于密山市东部，中俄边界线上。由大、小兴凯湖组成，距鸡西市区130千米。大兴凯湖为中俄界湖，面积4380平方千米。中方境内面积1080平方千米。小兴凯湖在中国境内，面积140平方千米。现已列为国家级自然保护区和地质公园。

横在大、小兴凯湖中间的百里湖岗，犹如一道黄金筑成的长桥，是这里的一大景观。兴凯湖水域广阔，水草茂盛，湿地沼泽成面，是天鹅、丹顶鹤、白鹤、白尾海雕、鸳鸯等珍贵水禽栖息、繁衍的好地方。春、夏、秋、冬景色各异，是旅游观光的好去处。

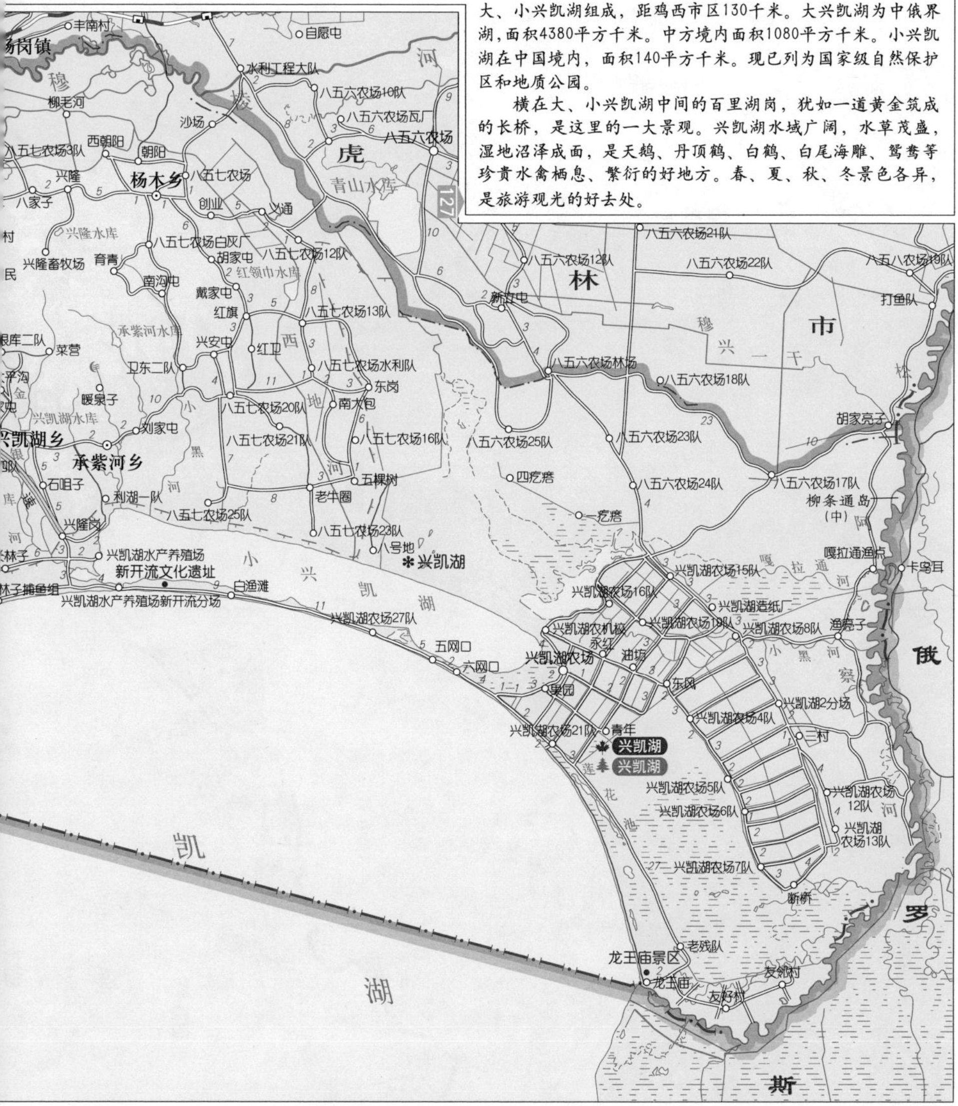

镜泊湖 国家级风景名胜区
牡丹峰 国家级自然保护区
服务区
里程起迄点
二龙山 其他风景名胜区
哈尔滨 国家级森林、地质公园
出入口
收费站

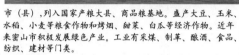

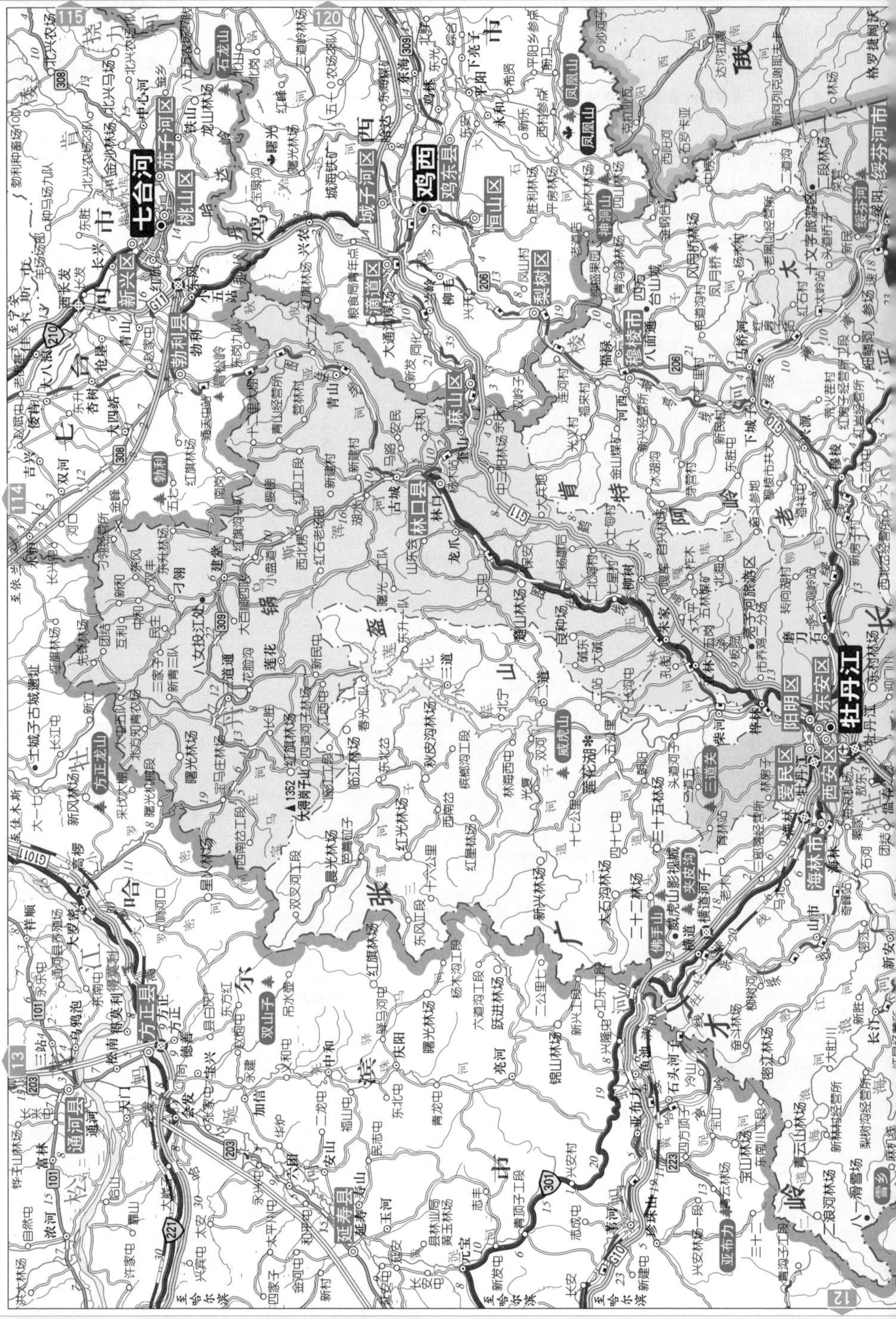

比例尺 1：1 400 000

14.0千米 0 14.0 28.0 42.0千米

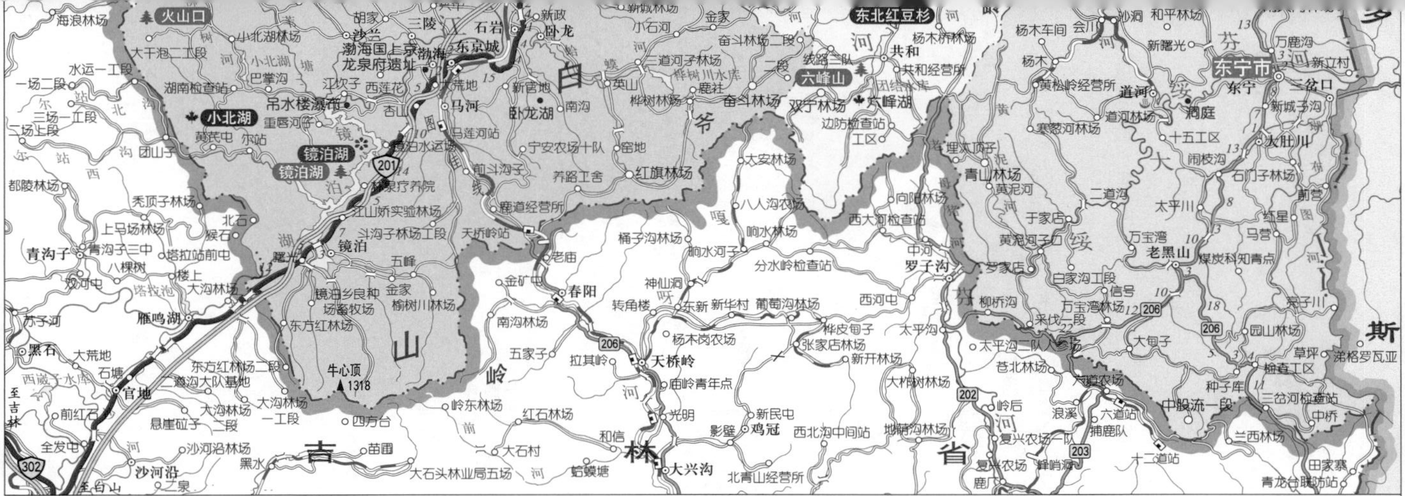

【地理位置】 位于黑龙江省南部,西与哈尔滨市相接,东北部与鸡西市、七台河市为邻,南与吉林省相连,东与俄罗斯接壤。

【行政区划】 辖爱民、东安、阳明、西安4区,穆棱、绥芬河、海林、宁安、东宁5市和林口县。

镜泊湖

【人口面积】 人口270万,面积38827平方千米。

【历史沿革】 唐渤海时期属上京龙泉府。金属胡里改路。元为军民万户府所辖。明为努儿干都司辖地。清顺治年间。于海林市设昂邦章京。康熙元年设宁古塔将军,属副都统辖。1910年改属宁安府。1913年属吉林宁安县,1937年置市,为牡丹江省省会。1948年撤销牡丹江省,为松江省直辖市。1954年属黑龙江省直辖。

【地　　形】 位于张广才岭和老爷岭山地丘陵之间,四面环山,东部、西北部较高,南部、中部较低。

【最高山峰】 大得岗子山,海拔1352米。

【河流湖泊】 牡丹江、穆棱河、绥芬河、海浪河、镜泊湖、莲花水库、桦树川水库等。

【气　　候】 属中温带大陆性季风气候,年平均气温2.3—4.9℃,年降水量530—594毫米。无霜期平均126—150天。

【交　　通】 是黑龙江省东南部的交通枢纽。滨绥、图佳铁路在此交会。绥满、鹤大高速相交,301、201国道通过境内。牡丹江市海浪机场开通了至北京、广州、上海、青岛、大连、天津、沈阳等城市航线。

【风景名胜】 镜泊湖风景名胜区,牡丹峰、镜泊湖、雪乡、三道关、威虎山、绥芬河、火山口、佛手山国家森林公园,镜泊湖国家地质公园,牡丹峰、东北红豆杉国家级自然保护区,宁古塔旧城遗址、八女投江处等。

【土特产品】 红鳟鱼、滩头鱼、镜泊红尾、响水大米、宁安大西瓜、镜泊湖啤酒。

【景点介绍】 **镜泊湖**　位于牡丹江市区以南98千米,形成于5000年前的火山喷发,是我国北方著名的国家级风景名胜区、避暑胜地,被誉为“北方的西湖”。景区从北向南分布着吊水楼瀑布、鹿苑岛、白石砬子、大孤山、城墙砬子、县虎峰、老鸹砬子等十余处景观。

镜泊湖　国家级风景名胜区
二龙山　其他风景名胜区
牡丹峰　国家级自然保护区
哈尔滨　国家级森林、地质公园
服务区
出入口
里程起迄点
收费站

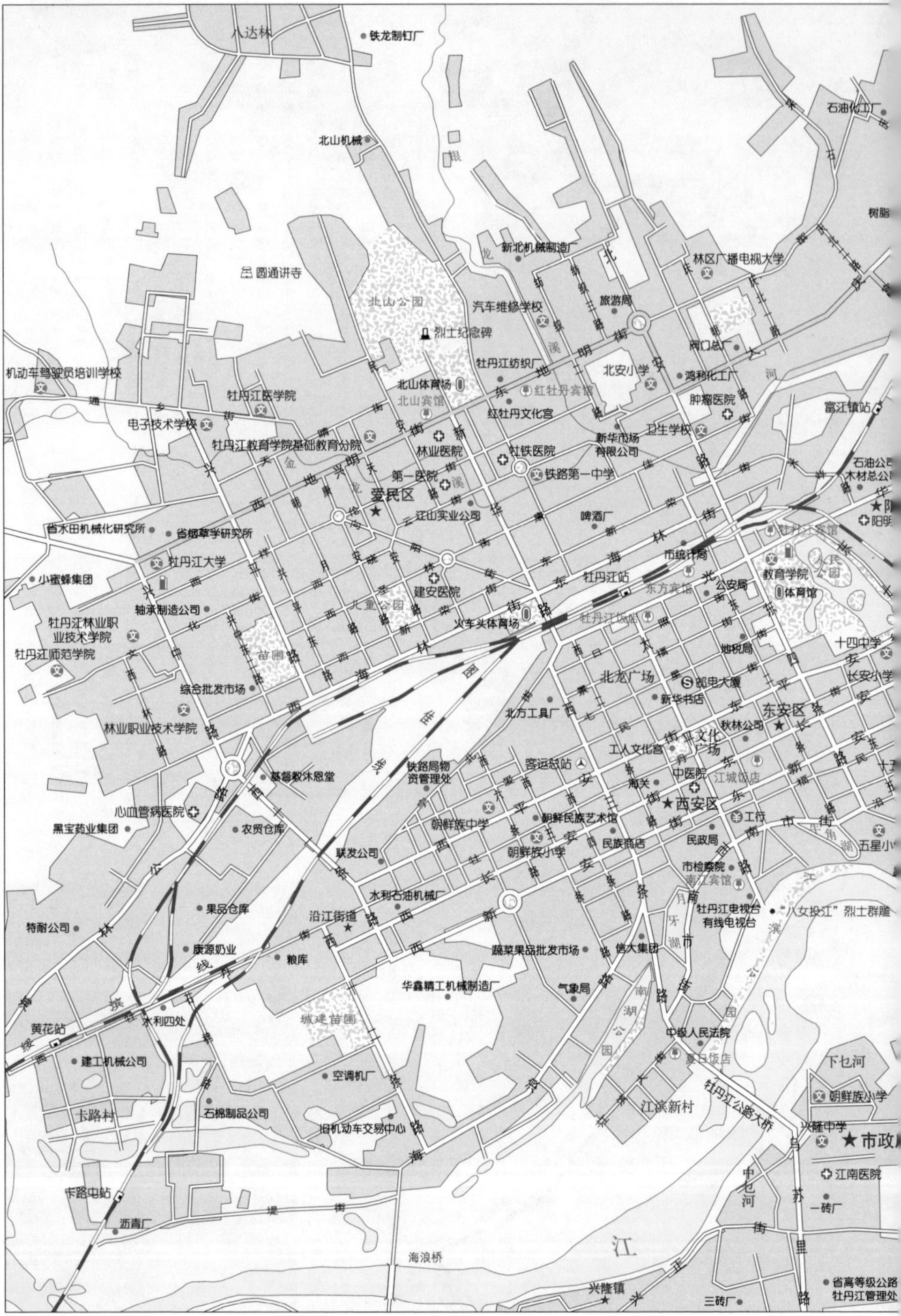
八达林
铁龙制钉厂
北山机械
石油化工厂
新北机械制造厂
圆通讲寺
林区广播电视大学
北山公园
汽车维修学校
旅游局
烈士纪念碑
阀门总厂
机动车驾驶员培训学校
牡丹江纺织厂
北安小学
鸿利化工厂
北山体育场
红牡丹宾馆
北山宾馆
牡丹江医学院
红牡丹文化宫
肿瘤医院
富江镇站
电子技术学校
卫生学校
牡丹江教育学院基础教育分院
林业医院
新华市场
有限公司
牡铁医院
第一医院
铁路第一中学
爱民区
江山实业公司
啤酒厂
省水田机械化研究所
省烟草学研究所
牡丹江宾馆
市统计局
牡丹江大学
小蜜蜂集团
建安医院
牡丹江站
东方宾馆
公安局
教育学院
体育馆
儿童公园
轴承制造公司
火车头体育场
牡丹江饭店
牡丹江林业职
业技术学院
牡丹江师范学院
苗圃
地税局
十四中学
长安小学
北龙广场
邮电大厦
综合批发市场
新华书店
北方工具厂
东安区
林业职业技术学院
秋林公司
工人文化宫
文化广场
客运总站
基督教沐恩堂
铁路局物
资管理处
海关
中医院
江城饭店
西安区
心血管病医院
朝鲜族中学
朝鲜民族艺术馆
工行
黑宝药业集团
农贸仓库
民族商店
民政局
朝鲜族小学
联发公司
市检察院
南江宾馆
水利石油机械厂
果品仓库
牡丹江电视台
有线电视台
“八女投江”烈士群雕
特耐公司
沿江街道
蔬菜果品批发市场
信大集团
康源奶业
粮库
华鑫精工机械制造厂
气象局
黄花站
水利四处
城建苗圃
中级人民法院
夏日饭店
建工机械公司
空调机厂
下乜河
朝鲜族小学
江滨新村
牡丹江公路大桥
卡路村
石棉制品公司
旧机动车交易中心
兴隆中学
江南医院
卡路屯站
一砖厂
沥青厂
海浪桥
江
兴隆镇
三砖厂
省高等级公路
牡丹江管理处

【城市特色】牡丹江城区坐落在美丽的牡丹江畔，是黑龙江省东南部重要的政治、经济和文化中心，新兴的工业城市和交通枢纽。牡丹江市是座整洁而美丽的城市，街道规整，气候宜人，人称“塞外江南”。

【交　　通】市内交通通畅，公交线路和长途汽车便利；铁路有通达全国各大城市的列车。海浪机场开通了至哈尔滨、沈阳、大连、延吉、北京、上海、广州、天津、烟台、青岛、长春、俄罗斯符拉迪沃斯托克（海参崴）等国内外城市的定期和包机航线。

【历史人物】八女投江　1938年10月，东北抗联四、五军西征妇女团，掩护大部队转移，在弹尽粮绝的情况下，投入乌斯浑河，为国捐躯，谱写了一篇惊天地、泣鬼神的抗日史诗。八位巾帼英雄分别是冷云、杨贵珍、安顺福（朝鲜族）、胡秀芝、郭桂琴、黄桂清、王惠民和李凤善。

【风景名胜】八女投江烈士群雕、北山公园、人民公园、江滨公园、南湖公园、圆通讲寺等。

【景点介绍】“八女投江”烈士群雕　为纪念八位抗日巾帼英雄，1988年8月1日落成的群雕位于市区中心太平路南端江滨公园，占地面积8000平方米，高8.8米，长18米，宽6.9米，由花岗岩雕塑而成。群雕设计制作精细，人物栩栩如生，坐落在用黑色大理石贴面的台基上，台基左侧面刻写着邓颖超于1984年的题词：“八女投江”4个金色大字。群雕南侧的江堤上建有牡丹江烈士纪念馆，陈列面积160平方米。展厅里展出了八位女烈士的生平简介、图片和部分烈士遗物。现已成为全国重点烈士纪念建筑物保护单位和省级爱国主义教育基地。

“八女投江”烈士群雕

牡丹江市辖区

【地理位置】 位于市境中部，西、西北与海林市相接，北与林口县为邻，南与宁安市相连，东与穆棱市为界。

【人口面积】 人口93万，面积2360平方千米。

【地　　形】 地势东部、西北部较高，中部平坦。

【河流湖泊】 牡丹江、东和水库和团结水库。

【交　　通】 交通发达，滨绥、图佳铁路交会于此，鹤大、绥满高速相会，301国道横贯东西。海浪机场已开通了国内外航线，为一类开放口岸。

【资　　源】 主要矿产宝石、石墨、煤、大理石、黄金等。森林资源丰富，有红松、云杉、冷杉、水曲等名贵木材，珍稀植物、中草药材、珍稀野生动物等。

【经　　济】 拥有较齐全的工业体系，主要有橡胶、化机械、电子、建材、木材加工、轻纺、医药、食品等行是我国四大橡胶轮胎生产基地之一。农业以种植大豆、米、小麦、水稻、油料、蔬菜、亚麻等为主，是粮菜的副产品生产基地。

【风景名胜】 牡丹峰、三道关国家森林公园、牡丹峰国家自然保护区。

【景点介绍】 **牡丹峰国家森林公园** 位于牡丹江市东南，园内主要景观有牡丹峰、龙头泉、玄武河、古山城、塔、仙人河、鸡冠砬子、鹰峰顶等八大景观。

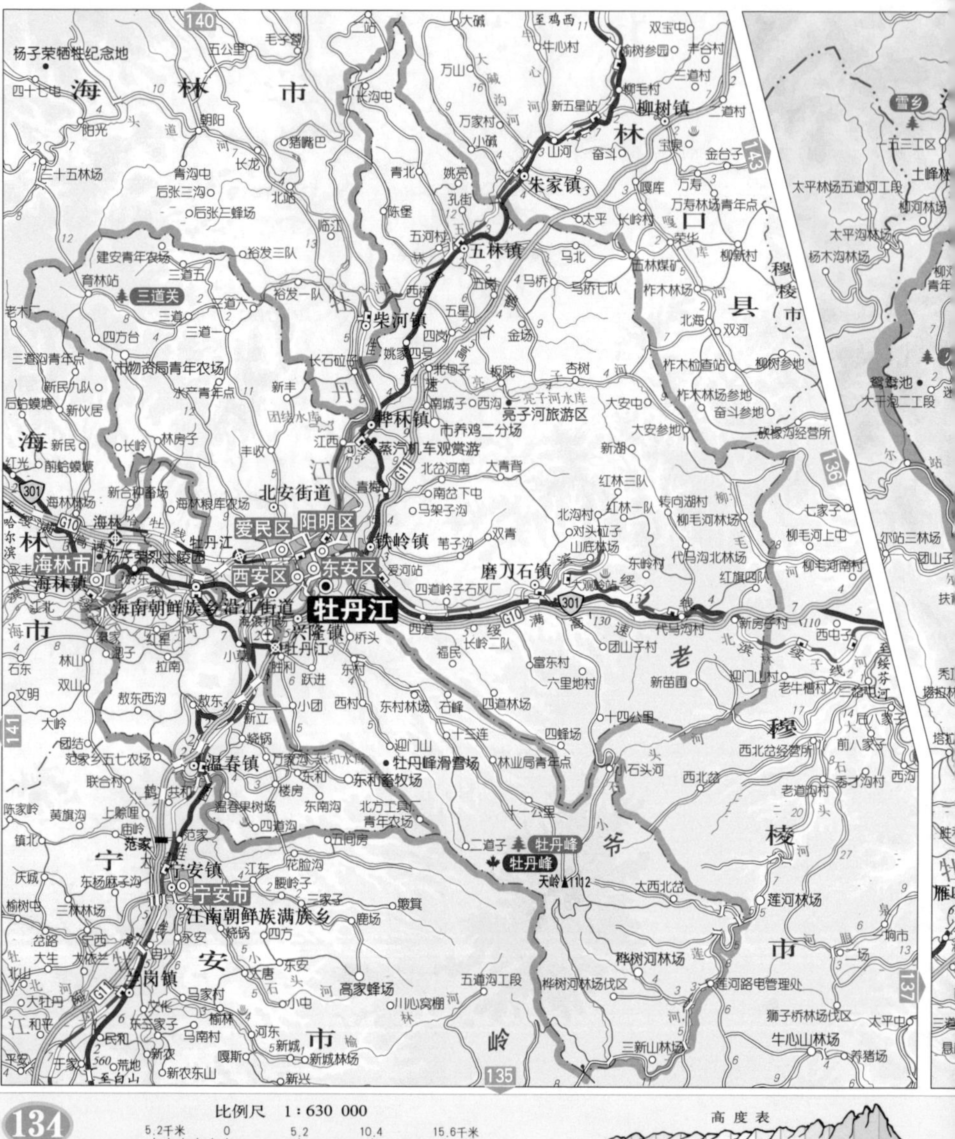

比例尺　1:630 000

5.2千米　0　5.2　10.4　15.6千米

高度表

0　50　100　200　300　400　500　600　800　1000　1200　1500米

安市

理位置】 位于市境西南部，东与穆棱市毗邻，西、南与吉接壤，北与牡丹江市辖区、海林市相连。

口面积】 人口44万，面积7227平方千米。

形】 地势东、南、西三面高，中间和北部低。

高山峰】 牛心顶，海拔1318米。

流湖泊】 牡丹江、镜泊湖、桦树川水库、小北湖等。

通】 交通发达，图佳铁路、鹤大高速、201国道纵贯，县乡公路成网。

源】 林业资源丰富，盛产中草药、山野菜、食用菌、干山野土特产品。还有东北虎、梅花鹿、黑熊、紫貂等野生动物。矿产资源有煤、草炭、油叶炭、铁、金、铜、铅、锌、铀等。

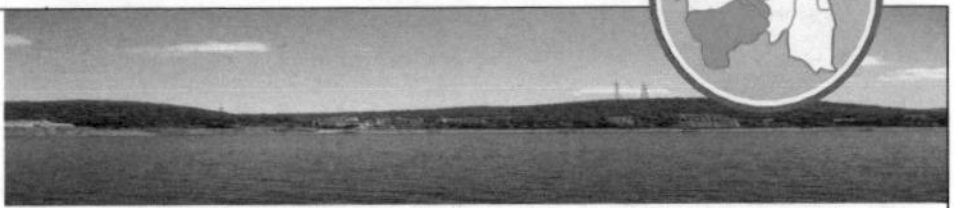

【风景名胜】 镜泊湖国家级风景名胜区、火山口、镜泊湖国家森林公园，镜泊湖国家地质公园，吊水楼瀑布等。

【景点介绍】 **吊水楼瀑布** 位于镜泊湖的出口处。是黑龙江省内的第一大瀑布，由于落差大，水流急，具有很强的冲击力，卷起千朵银花，万堆白雪，腾腾水雾飘到空中，阳光下形成绚丽彩虹，极为壮观。

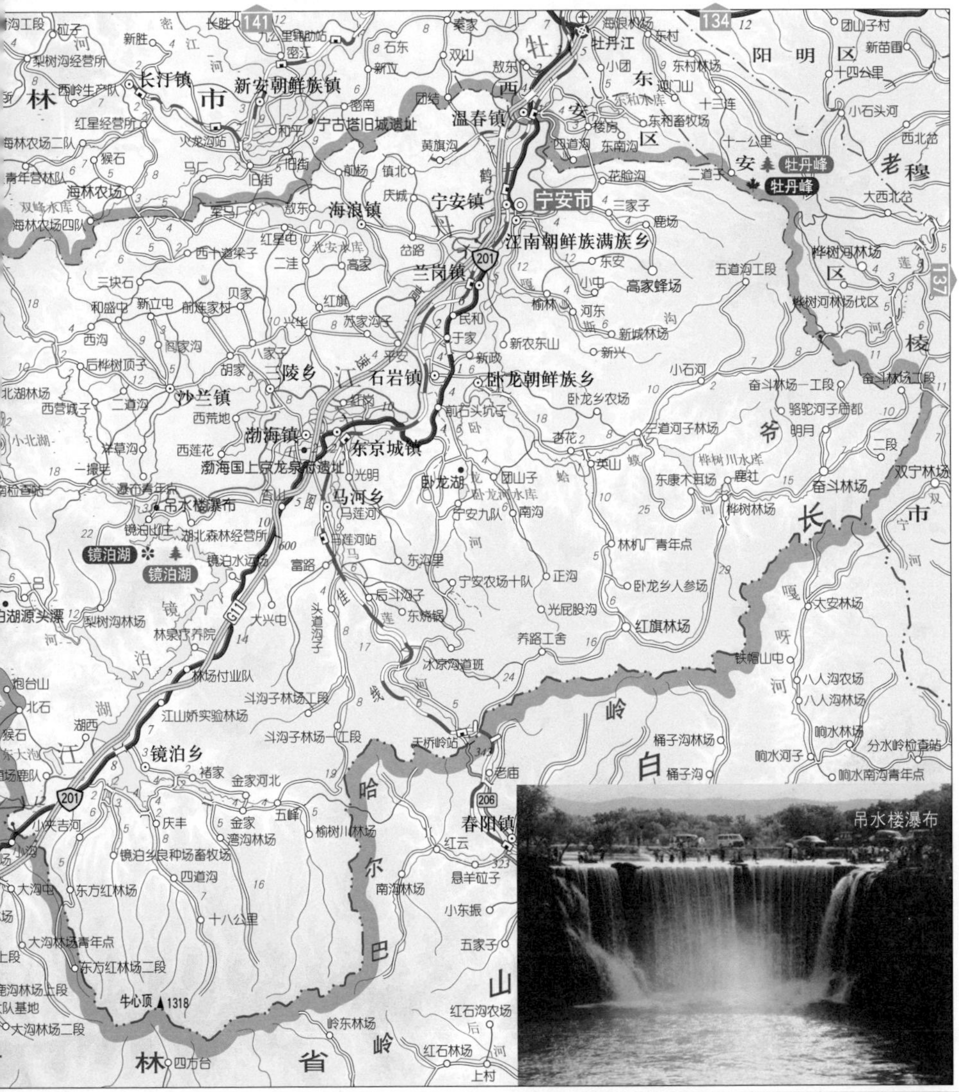

✲ 镜泊湖 国家级风景名胜区　✲ 二龙山 其他风景名胜区
牡丹峰 国家级自然保护区　哈尔滨 国家级森林、地质公园

比例尺 1：830 000
8.3千米 0 8.3 16.6 24.9千米

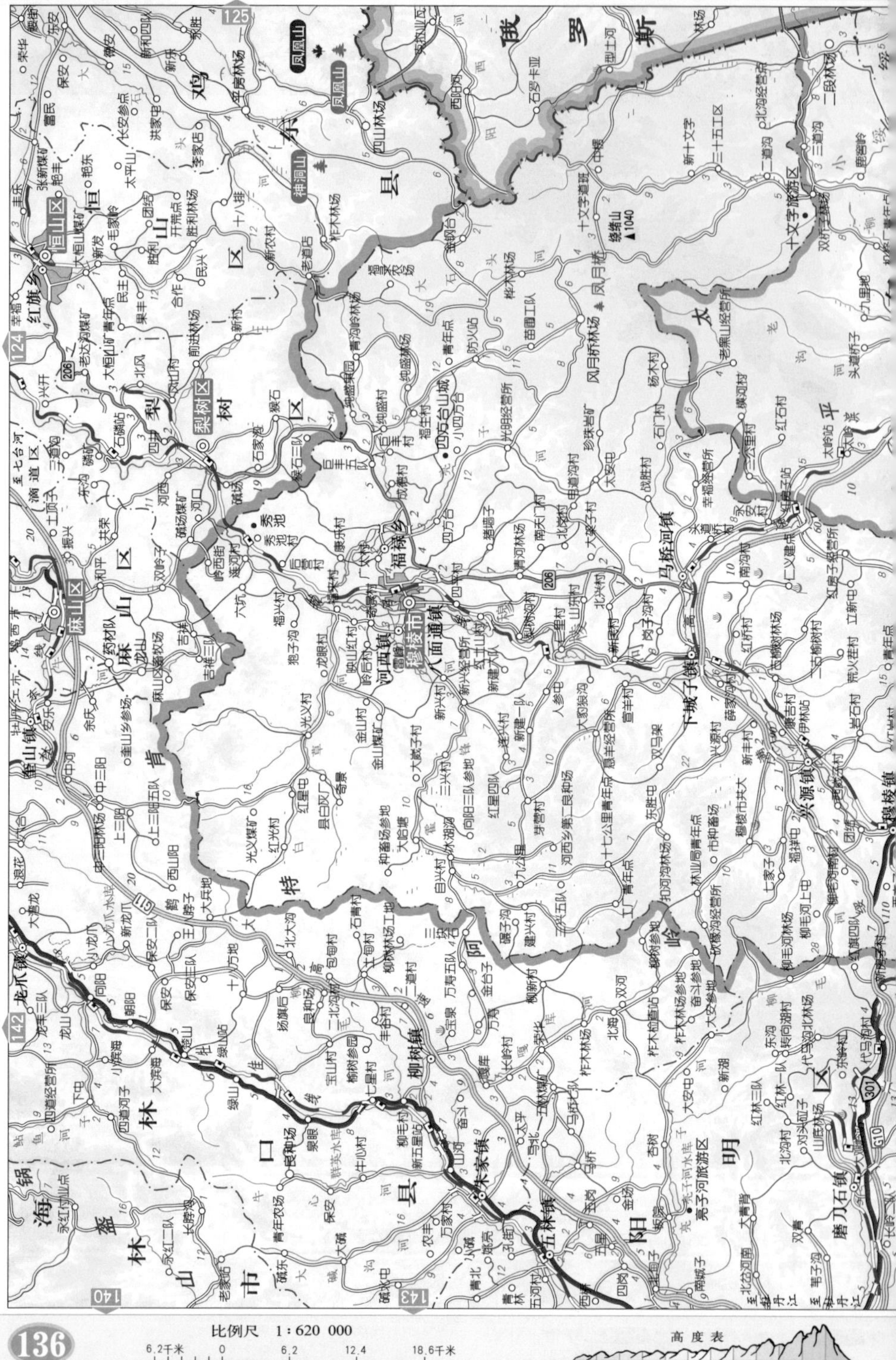

比例尺 1∶620 000

6.2千米 0 6.2 12.4 18.6千米

高度表

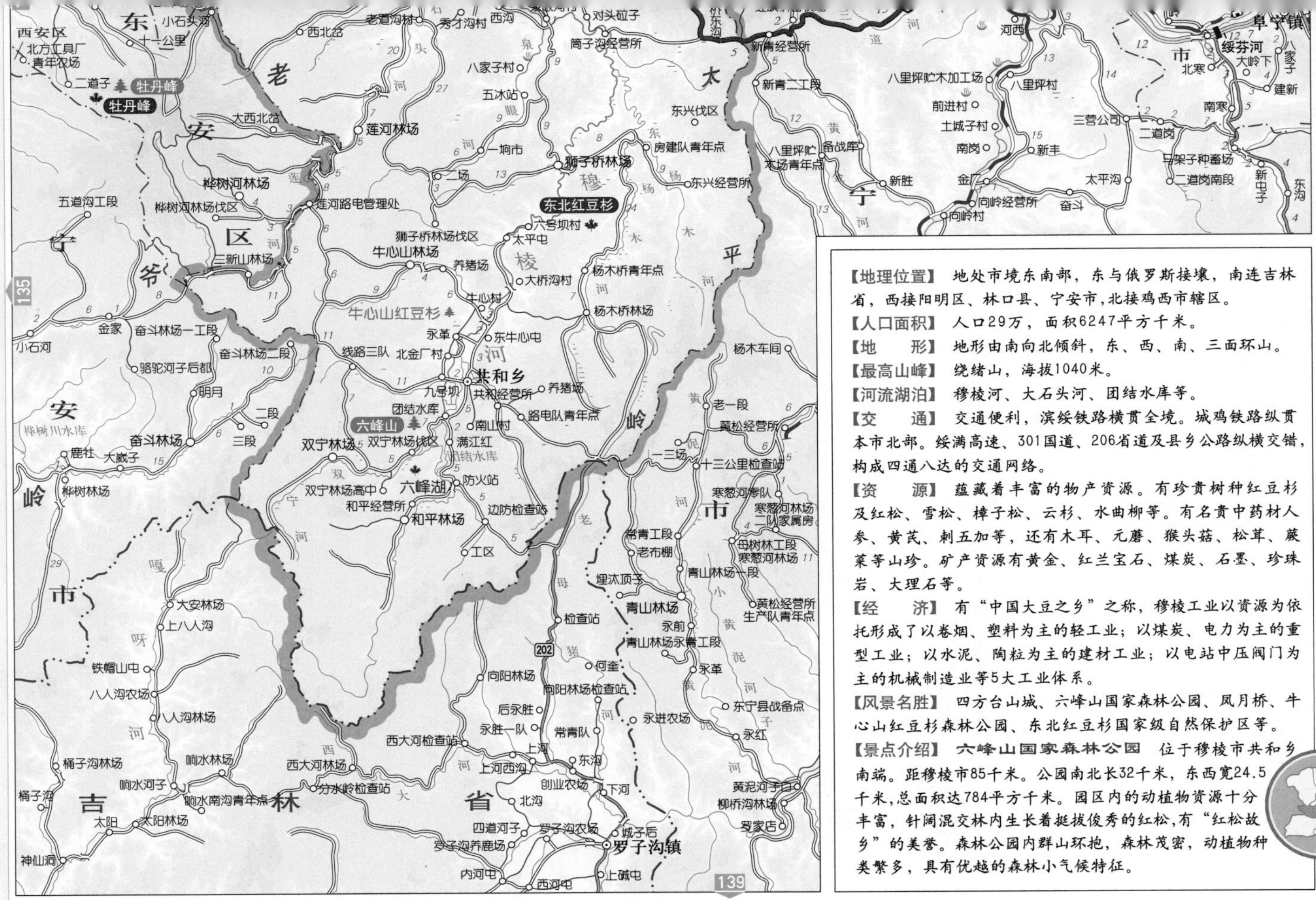

【地理位置】 地处市境东南部，东与俄罗斯接壤，南连吉林省，西接阳明区、林口县、宁安市，北接鸡西市辖区。

【人口面积】 人口29万，面积6247平方千米。

【地　　形】 地形由南向北倾斜，东、西、南、三面环山。

【最高山峰】 绕绪山，海拔1040米。

【河流湖泊】 穆棱河、大石头河、团结水库等。

【交　　通】 交通便利，滨绥铁路横贯全境。城鸡铁路纵贯本市北部。绥满高速、301国道、206省道及县乡公路纵横交错，构成四通八达的交通网络。

【资　　源】 蕴藏着丰富的物产资源。有珍贵树种红豆杉及红松、雪松、樟子松、云杉、水曲柳等。有名贵中药材人参、黄芪、刺五加等，还有木耳、元蘑、猴头菇、松茸、蕨菜等山珍。矿产资源有黄金、红兰宝石、煤炭、石墨、珍珠岩、大理石等。

【经　　济】 有“中国大豆之乡”之称，穆棱工业以资源为依托形成了以卷烟、塑料为主的轻工业；以煤炭、电力为主的重型工业；以水泥、陶粒为主的建材工业；以电站中压阀门为主的机械制造业等5大工业体系。

【风景名胜】 四方台山城、六峰山国家森林公园、凤月桥、牛心山红豆杉森林公园、东北红豆杉国家级自然保护区等。

【景点介绍】 **六峰山国家森林公园** 位于穆棱市共和乡南端。距穆棱市85千米。公园南北长32千米，东西宽24.5千米，总面积达784平方千米。园区内的动植物资源十分丰富，针阔混交林内生长着挺拔俊秀的红松，有“红松故乡”的美誉。森林公园内群山环抱，森林茂密，动植物种类繁多，具有优越的森林小气候特征。

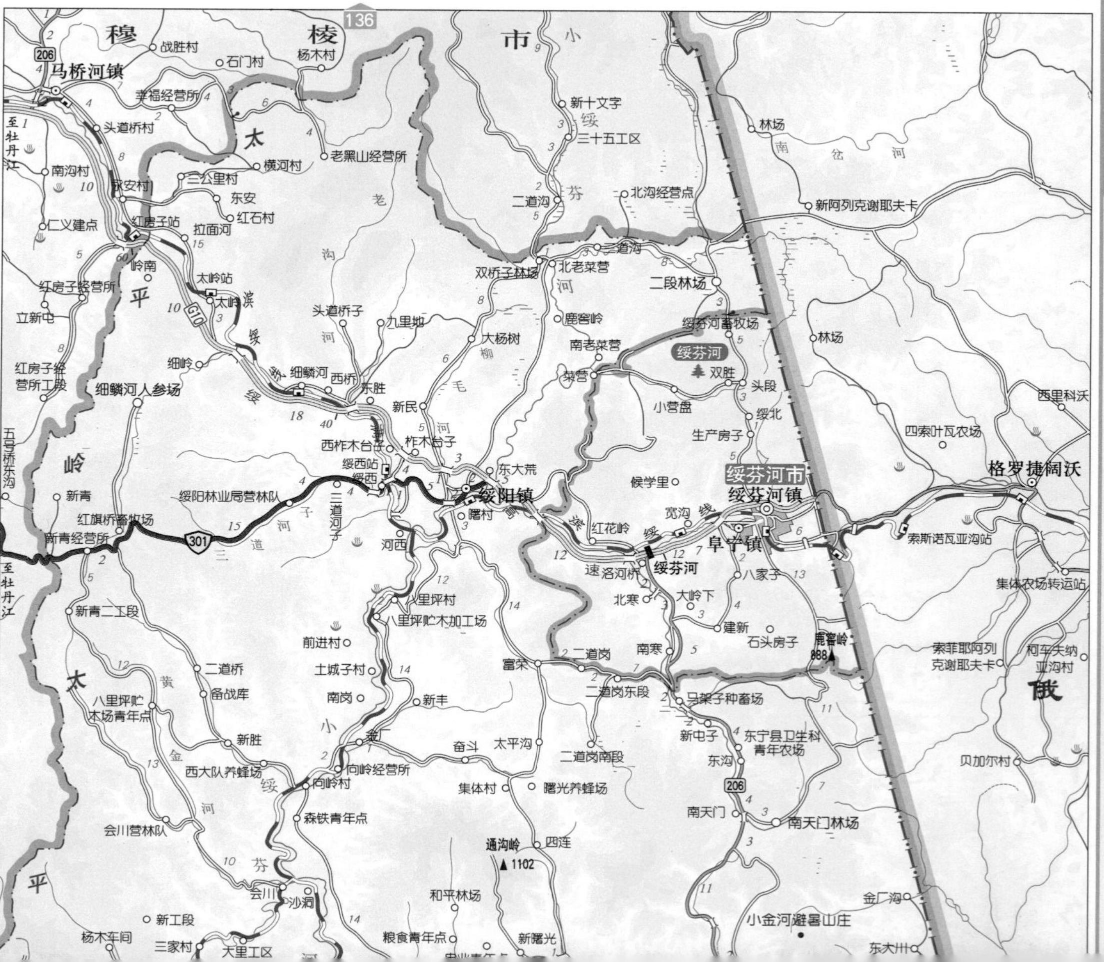

东宁市

【地理位置】 地处市境东部，东与俄罗斯接壤，南、西南与吉林省相接，西和北与穆棱市毗连。

【人口面积】 人口21万，面积7117平方千米。

【地　　形】 地处东部山地太平岭低山地。北、西、南三面为低山，东部为绥芬河谷地。

【最高山峰】 通沟岭，海拔1102米。

【主要河流】 绥芬河、大绥芬河、小绥芬河、瑚布图河、黄泥河等。

【交　　通】 交通便利，滨绥铁路、绥满高速、301国道横贯境北，206省道纵贯南北。

【资　　源】 矿产资源有煤、黄金、石墨等。自然资源丰富，名贵山珍有山参、松茸等，水产品有滩头鱼、鲭目鱼、大马哈鱼等。森林多为原始森林。

【经　　济】 东宁的农业发展较快，现已形成了以种植木耳、烤烟、果菜、特色养植为主导的4大产业体系。工业有能源、建材、食品、机械加工等门类。东宁是国家一类口岸。

【风景名胜】 洞庭、东宁要塞、小金河避暑山庄、九佛沟风景区、虎山森林公园等。

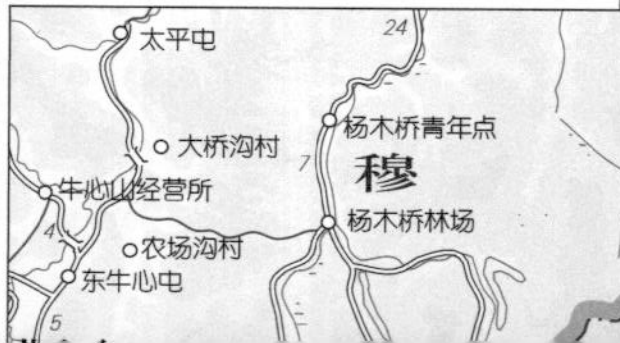

比例尺　1∶530 000

5.3千米　0　5.3　10.6　15.9千米

高度表

0　50　100　200　300　400　500　600　800　1000　1200　1500米

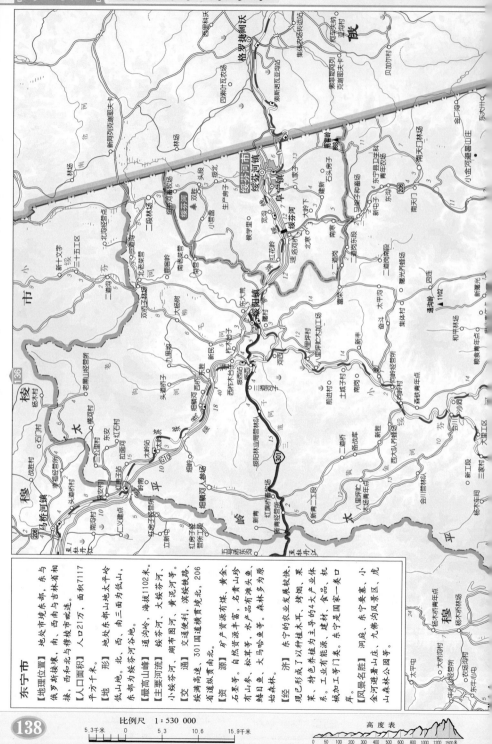

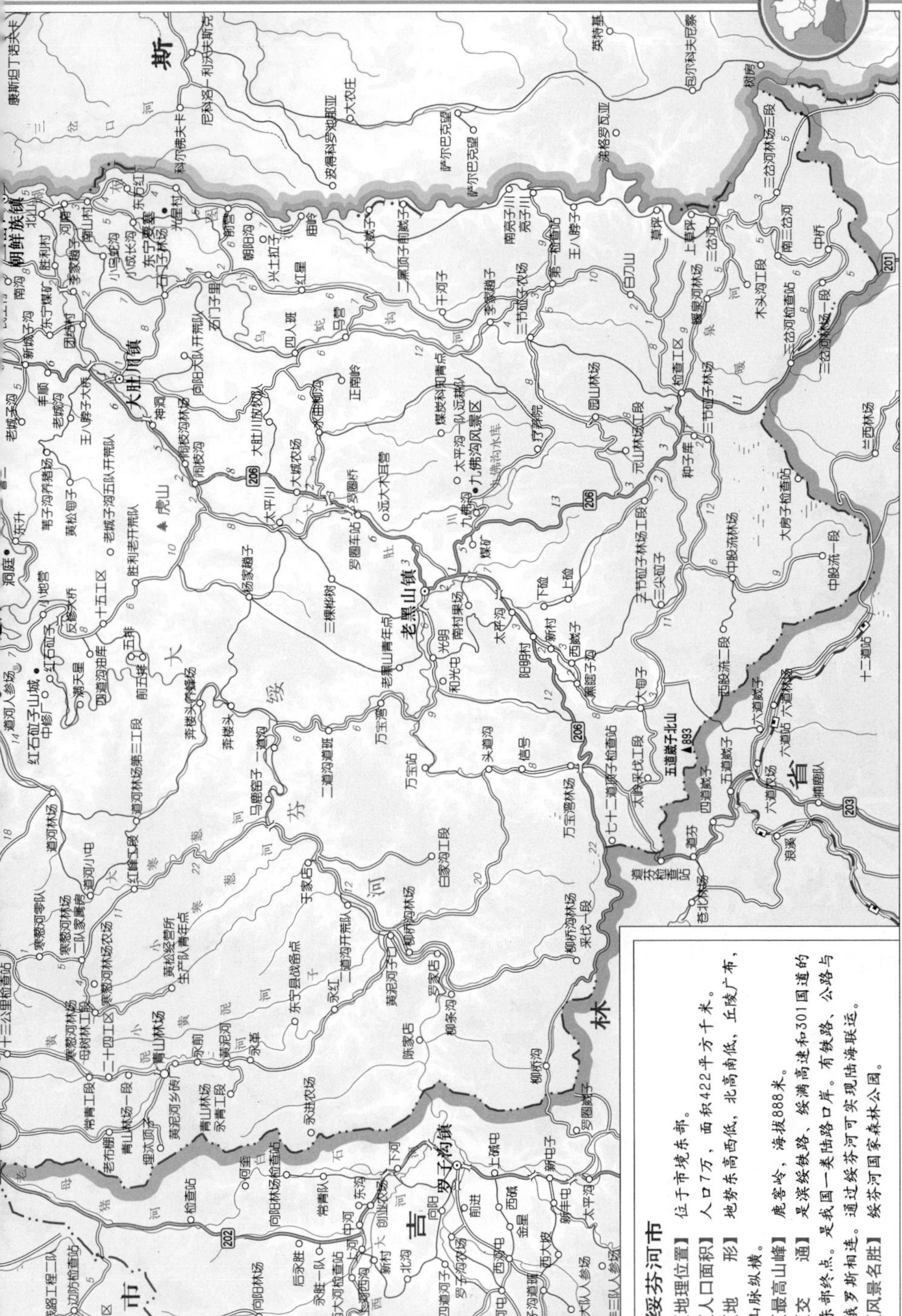

绥芬河市

【地理位置】 位于市境东部。

【人口面积】 人口7万，面积422平方千米。

【地　　形】 地势东高西低，北高南低，丘陵广布，山脉纵横。

【最高山峰】 鹿窖岭，海拔888米。

【交　　通】 是滨绥铁路、绥满高速和301国道的东部终点，是我国一类陆路口岸。有铁路、公路与俄罗斯相通。通过绥芬河可实现陆海联运。

【风景名胜】 绥芬河国家森林公园。

镜泊湖 国家级风景名胜区　牡丹峰 国家级自然保护区　服务区　里程起迄点

二龙山 其他风景名胜区　哈尔滨 国家级森林、地质公园　出入口　收费站

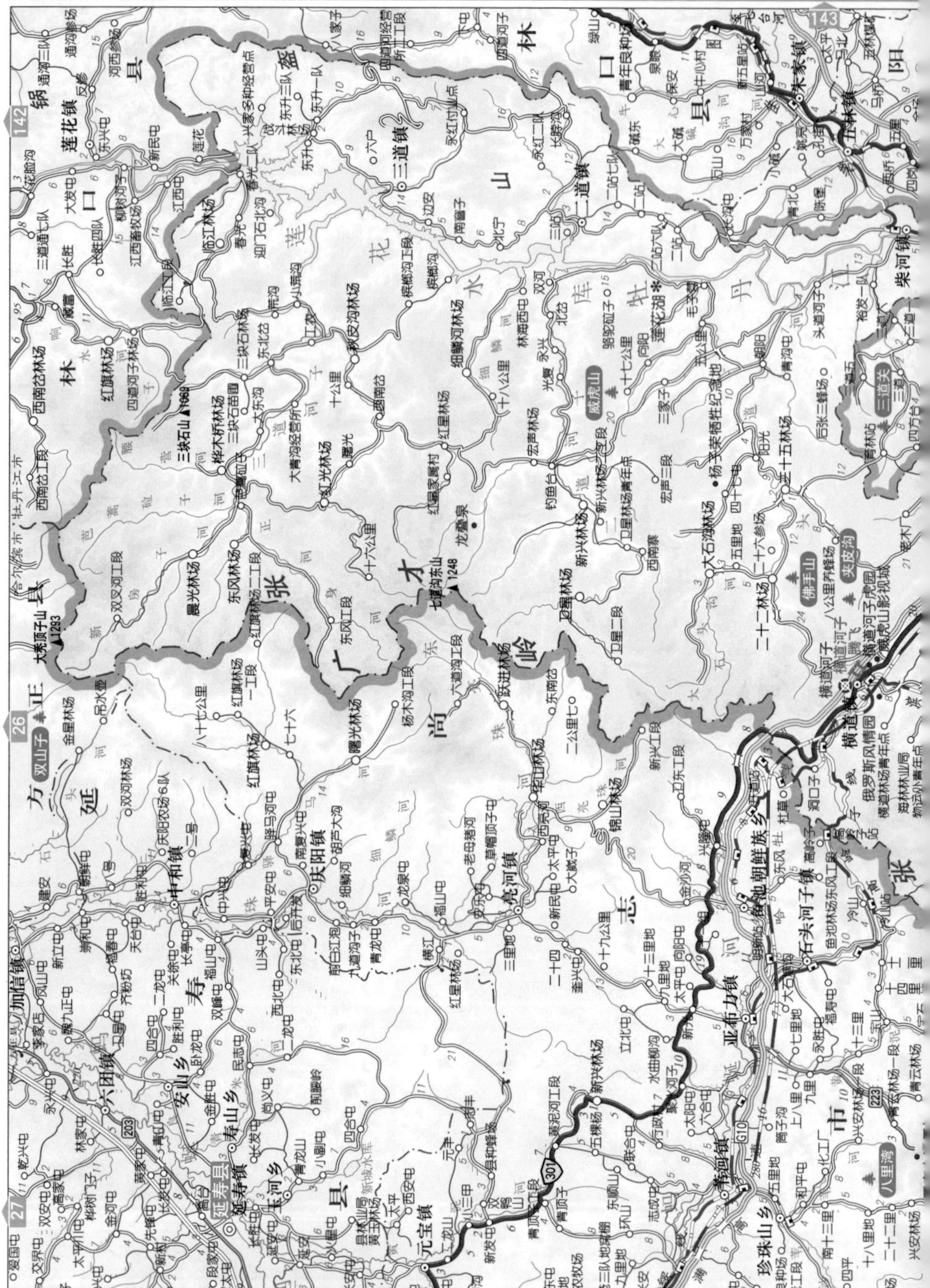

比例尺 1∶780 000

7.8千米 0 7.8 15.6 23.4千米

雪乡

【地理位置】 位于市境西部，东与牡丹江市区、林口县接壤，南与宁安市毗邻，西靠尚志市，北连方正县，西南一隅与吉林省交界。

【人口面积】 人口40万，面积8816平方千米。

【地　　形】 地处张广才岭东坡、锅盔山西坡低山丘陵和牡丹江丘陵河谷地。张广才岭主脉绵亘于西部，锅盔山绵亘东北部，中部为牡丹江河谷。

【河流湖泊】 牡丹江、海浪河、头道河、二道河、三道河、二道海浪河、密江河、莲花水库、双峰水库等。

【交　　通】 滨绥、火龙沟铁路境内相接。绥满高速、301国道过境，县乡公路纵横交错，交织成网。

【资　　源】 矿产资源多样，有金、铁、沸石、水晶、白云岩、矿泉水等。森林资源丰富，主要树种有红松、水曲柳、椴树、白桦等；还有山参、北芪、五味子等中草药。盛产野生食用菌类、野果和山野菜等。

【历史人物】 杨子荣烈士：剿匪英雄杨子荣，于1947年在追剿残匪的战斗中，牺牲于海林市夹皮沟，时年31岁。为纪念英雄，在海林镇修建了烈士陵园。

【风景名胜】 威虎山、三道关、佛手山、雪乡、夹皮沟国家森林公园，莲花湖景区、杨子荣牺牲纪念地、俄罗斯风情园、横道河子虎园、宁古塔旧城遗址等。

【土特产品】 黑加仑果汁、果酒、松仁奶、虎山系列补酒。

【景点介绍】 雪乡国家森林公园　素有“红白松故乡”之称的雪乡国家森林公园，地处张广才岭东南坡，公园面积1860平方千米，属生态旅游风景区，是海林市三大风景区之一。其莽莽林海茫茫雪原，自然、古朴、粗犷、豪壮。雪景、雪情、雪韵吸引了无数游人，茂密的森林、良好的生态、丰富的物种、优美的环境是科考、避暑、溯溪探险、植物观赏、动物觅踪、森林吸氧的理想之地。

镜泊湖 国家级风景名胜区
二龙山 其他风景名胜区
牡丹峰 国家级自然保护区
哈尔滨 国家级森林、地质公园
服务区
出入口
里程起迄点
收费站

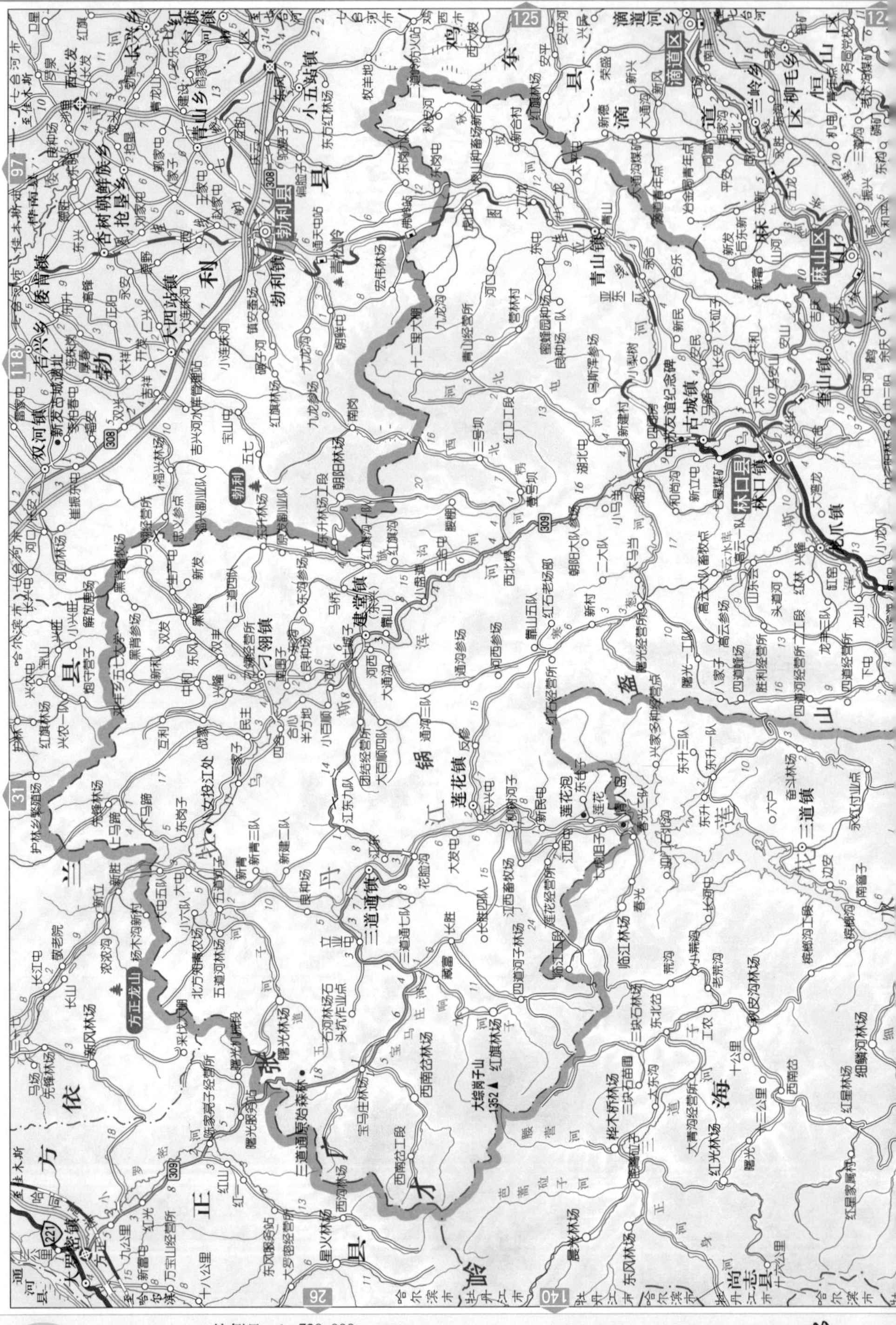

比例尺 1∶720 000

7.2千米 0 7.2 14.4 21.6千米

高度表

0 50 100 200 300 400 500 600 800 1000 1200 1500米

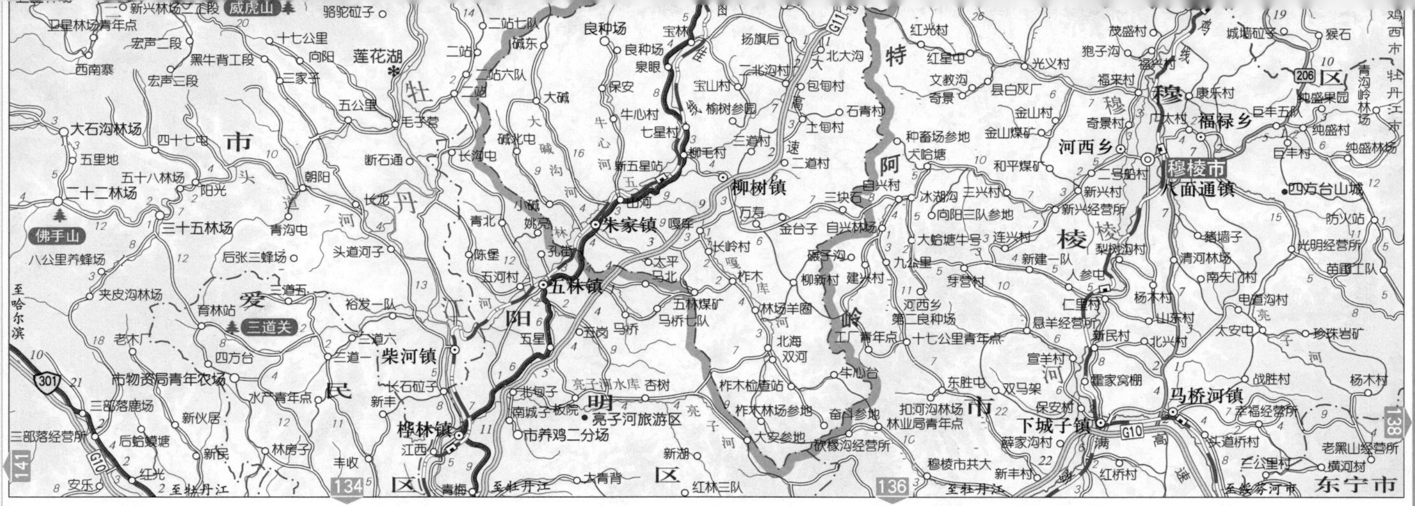

【地理位置】 地处市境北部，东与鸡西市区、鸡东县接壤，南与牡丹江市区、穆棱市为邻，西与方正县、海林市相连，北与勃利县、依兰县相接。

【人口面积】 人口36万，面积6638平方千米。

【地　　形】 林口县地处森林茂密的老爷岭和张广才岭的峡口处，辖境为低山丘陵地貌形态，地势中部高，南北低。

【最高山峰】 大综岗子山，海拔1352米。

【河流湖泊】 牡丹江、乌斯浑河，亮子河水库、小龙爪水库等。

【交　　通】 林口是连接牡丹江、佳木斯、鸡西三个中心城市的交通枢纽。铁路图佳线、林东线在境内相交，鹤大高速、309省道纵横境内，与县乡公路组成了方便快捷的公路交通网。

【资　　源】 矿产资源丰富，有花岗岩、硅线石、大理石、黄金、石墨、火山灰、煤、铁、黏土、泥炭等。森林茂盛，主要有红松、落叶松、水曲柳、椴木、白桦、柞树等优质木材。是黑龙江省重要的林区和木材、木制品集散地。虎、豹、鹿、貂等野生兽类。数百种野生飞禽。有猴头菇、元蘑、蕨菜等山野菜和名贵药材。

【经　　济】 工业形成了以建材、煤炭、水泥、仪表、硅线石、方解石、纺织、食品为主要产业的工业体系。农业生产以大豆、水稻、小麦、玉米为主，是黑龙江省大豆出口基地县。

【风景名胜】 莲花泡风景区、亮子河旅游区、八女投江处、三道通原始森林、情人岛、中苏友谊纪念碑等。

【土特产品】 山葡萄、猕猴桃、五味子、人参、黄芪、天麻、蕨菜、薇菜等。

【景点介绍】 **莲花泡风景区**　位于林口县莲花镇境内，沿江从北向南依序为宇离子、情人岛、莲花泡、莲花盆等景点，山水相依，使人流连忘返。莲花盆位于莲花山顶，相传是七仙女游历北荒沐浴后留下的。这些景点与水电站大坝库区——莲花湖浑然一体，是本县最有吸引力的旅游区。随着二道沟水电站的建设，龙虎峪风情园以其独特的魅力和民族风情，吸引中外游客。

亮子河旅游区　位于五林镇内，距牡丹江市仅25千米，交通便利，环境清幽，佳水茂林，层峦叠嶂；水面碧波荡漾，水质晶莹澄净。整个度假区景色秀美，空气清新，湖光山色，交相辉映，构成一绚丽多彩的山水画卷，令人流连忘返。度假区基础设施较为完备，主体景观有集"餐饮、住宿、娱乐"于一体的宾馆，供游客休憩游览的树屋、木屋、蒙古包，水上龙舟酒家及参与性强的嬉水乐园，垂钓小区等共同构筑成集"休闲、疗养、度假、娱乐"功能于一体的理想旅游胜地。

八女投江处　位于刁翎镇境内。1938年，东北抗日联军八位女战士在与追击的日伪军激战后子弹打光，集体投河，壮烈牺牲。为纪念这八位女英雄，1982年在乌斯浑河边建起"八女投江纪念地"碑，为全国红色旅游经典景区。

✽ 镜泊湖　国家级风景名胜区
✱ 二龙山　其他风景名胜区
牡丹峰　国家级自然保护区
哈尔滨　国家级森林、地质公园
服务区
出入口
里程起讫点
收费站

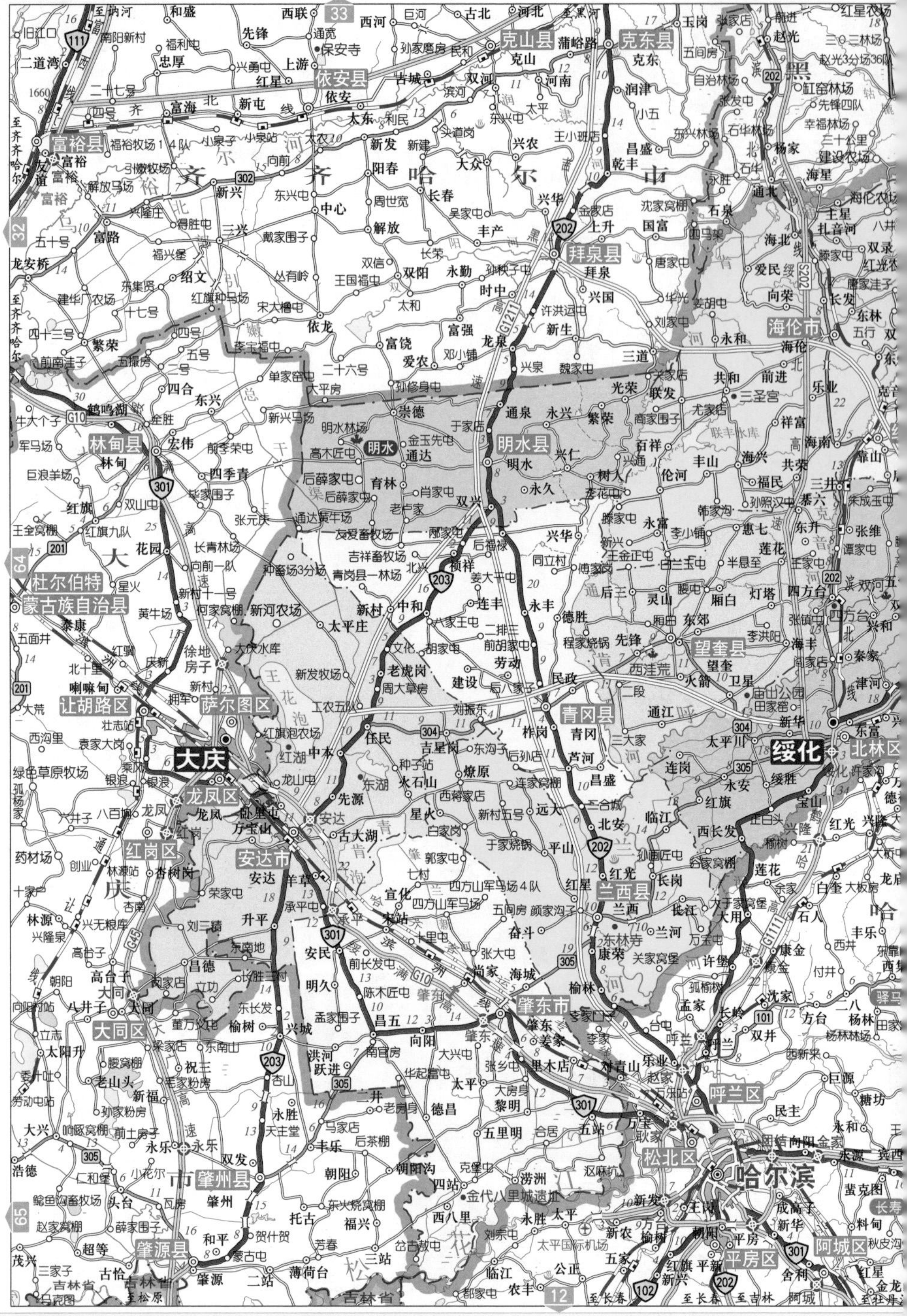

比例尺 1:1 600 000

16.0千米 0 16.0 32.0 48.0千米

【地理位置】位于黑龙江省中南部。东与伊春市相连，南与哈尔滨市为邻，西、北分别与大庆市、齐齐哈尔市、黑河市接壤。

【行政区划】辖北林区，安达、肇东、海伦3市，望奎、兰西、青冈、庆安、明水、绥棱6县。

【人口面积】人口577万，面积35211平方千米。

【历史沿革】绥化历史悠久，大约在一万年前的旧石器时代，绥化市境内就有古人类繁衍、生息。夏商时期为肃慎地。东汉至两晋属夫馀地，南北朝时期，属勿吉地。宋辽金时期，先后归契丹族建立的辽、女真族建立的金管辖。元时归元朝的开元路管辖区。明朝时期为努儿干都指挥史司所辖，清朝时期归镇守黑龙江将军管辖。清光绪十二年（1886年）设理事通判厅即绥化直隶厅，厅治在北团林子，是绥化建置开始。1914年置绥兰道，1949年新中国成立前夕，归黑龙江省管辖。1956年置绥化专区。1967年改专区为地区。1999年撤绥化地区，设地级绥化市，撤县级绥化市，设县级北林区。

【地　　形】地势大致东北高、西南低，北部为小兴安岭西侧山前冲积洪积台地，南部为松嫩平原。

【最高山峰】尖山，海拔805米。

【河流湖泊】松花江、呼兰河、诺敏河、克音河、依吉密河、通肯河、肇兰新河、引嫩总干渠和青肯泡、王花泡等。

【气　　候】属中温带大陆性季风气候，四季分明，雨热同期。年平均气温在1.3℃-4.0℃之间。无霜期120—140天。年平均降水量400—550毫米，日照时数2600—2900小时左右。

【交　　通】绥化交通发达，是黑龙江省中部的交通枢纽。滨北铁路与绥佳铁路在此接轨。鹤哈、绥北高速公路境内相接并通往省会，绥满、前嫩高速和202、203、222、301国道及省道纵横境内。

【资　　源】绥化土地肥沃，是国家重要的商品粮、商品鱼、优质烤烟和瘦肉型生猪生产基地。主要矿产有金、铜、褐煤、铁等。水资源丰富，有大片湿地保护区，栖息着多种野生水禽和鸟类，其中有国家二级保护鸟类灰鹤等。

【土特产品】松北王大豆、红星奶粉、亚麻制品、草编绳结工艺品等。

【风景名胜】明水国家级自然保护区、柳河风景区、金代八里城遗址、东湖、红湖等景点。

【景点介绍】**双河自然保护区**　位于诺敏河南的双河镇境内。面积约18平方千米。有天然野生林区、人工用材林区、草场保护区、药材保护区、自然水域及野生动物保护区等类型区。

镜泊湖　国家级风景名胜区
牡丹峰　国家级自然保护区
服务区
里程起迄点
二龙山　其他风景名胜区
哈尔滨　国家级森林、地质公园
出入口
收费站

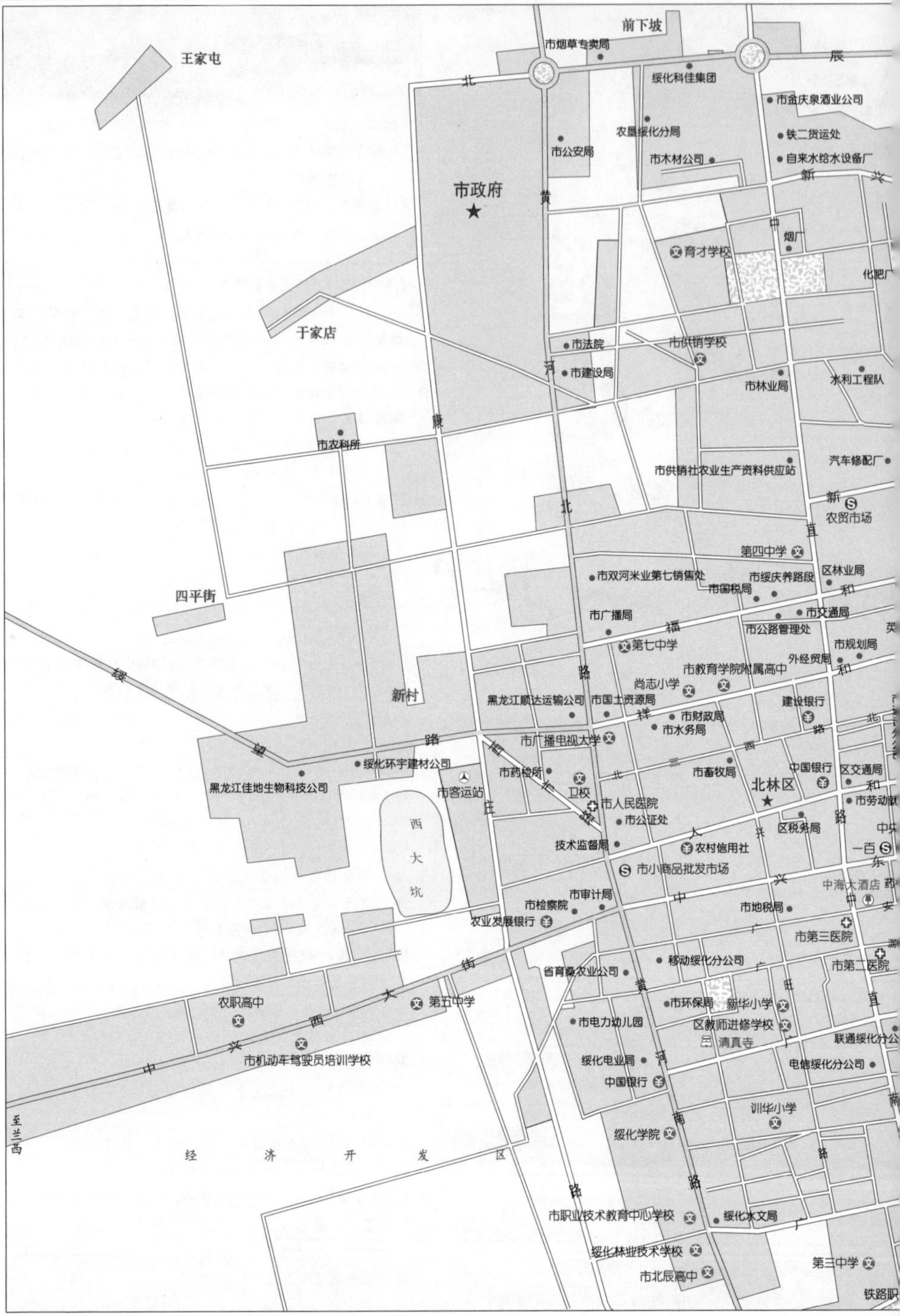
前下坡
王家屯
市烟草专卖局
辰
绥化科佳集团
北
市金庆泉酒业公司
农垦绥化分局
铁二货运处
市公安局
市木材公司
自来水给水设备厂
新
兴
市政府
黄
中
烟厂
育才学校
化肥厂
于家店
市法院
市供销学校
河
市建设局
市林业局
水利工程队
康
市农科所
汽车修配厂
市供销社农业生产资料供应站
北
新
农贸市场
直
第四中学
市双河米业第七销售处
市绥庆养路段
区林业局
四平街
市国税局
和
市交通局
市广播局
福
市公路管理处
第七中学
市规划局
绥
外经贸局
英
路
市教育学院附属高中
和
尚志小学
新村
黑龙江顺达运输公司
市国土资源局
建设银行
祥
市财政局
路
市水务局
市广播电视大学
路
西
三
黑龙江佳地生物科技公司
绥化环宇建材公司
市药检所
市畜牧局
中国银行
区交通局
市客运站
卫校
北林区
和
西
市人民医院
市劳动就
大
市公证处
路
坑
区税务局
中央
人
兴
技术监督局
农村信用社
一百
市小商品批发市场
东
中海大酒店
药
兴
中
安
市审计局
市地税局
市检察院
农业发展银行
广
市第三医院
街
移动绥化分公司
源
省育桑农业公司
市第二医院
大
第五中学
黄
旺
农职高中
市环保局
新华小学
直
西
市电力幼儿园
区教师进修学校
清真寺
联通绥化分公
兴
市机动车驾驶员培训学校
绥化电业局
河
中
中国银行
电信绥化分公司
训华小学
南
至兰西
绥化学院
经 济 开 发 区
路
路
路
市职业技术教育中心学校
绥化水文局
绥化林业技术学校
第三中学
市北辰高中
铁路职

【城市特色】素有“北国大粮仓”之美誉的绥化市位于黑龙江省中南部。是一个新兴的城市，为省中南部经济中心和交通枢纽。街道规整，绿地整洁，基础设施日趋完善；水电充足，通讯快捷，交通发达。进入新世纪的绥化正全力塑造新形象，打“绿色”牌，走特色路。

【交　　通】市内交通方便，有公共汽车，长途客运汽车等。绥佳和滨北铁路在此相交，绥化火车站有通往省内外各大城市的铁路列车。哈绥高速直到外环路，直达哈尔滨。

【民间戏曲】**东北大秧歌与二人转**　东北大秧歌与二人转为东北民间戏曲形式，深受东北人民群众的喜爱。秧歌，亦称“扭大秧歌”，是北方民间的一种娱乐舞蹈形式。不分男女老少，几十人或数百人排成队列，伴着高吭的唢呐声、锣鼓声尽情扭跳。二人转以东北民歌、秧歌为基础，吸收东北莲花落艺术表演形式发展而成。表演时身着彩装的一男一女手执扇和帕巾，和着唢呐、二胡、竹板等乐声，边唱边舞。

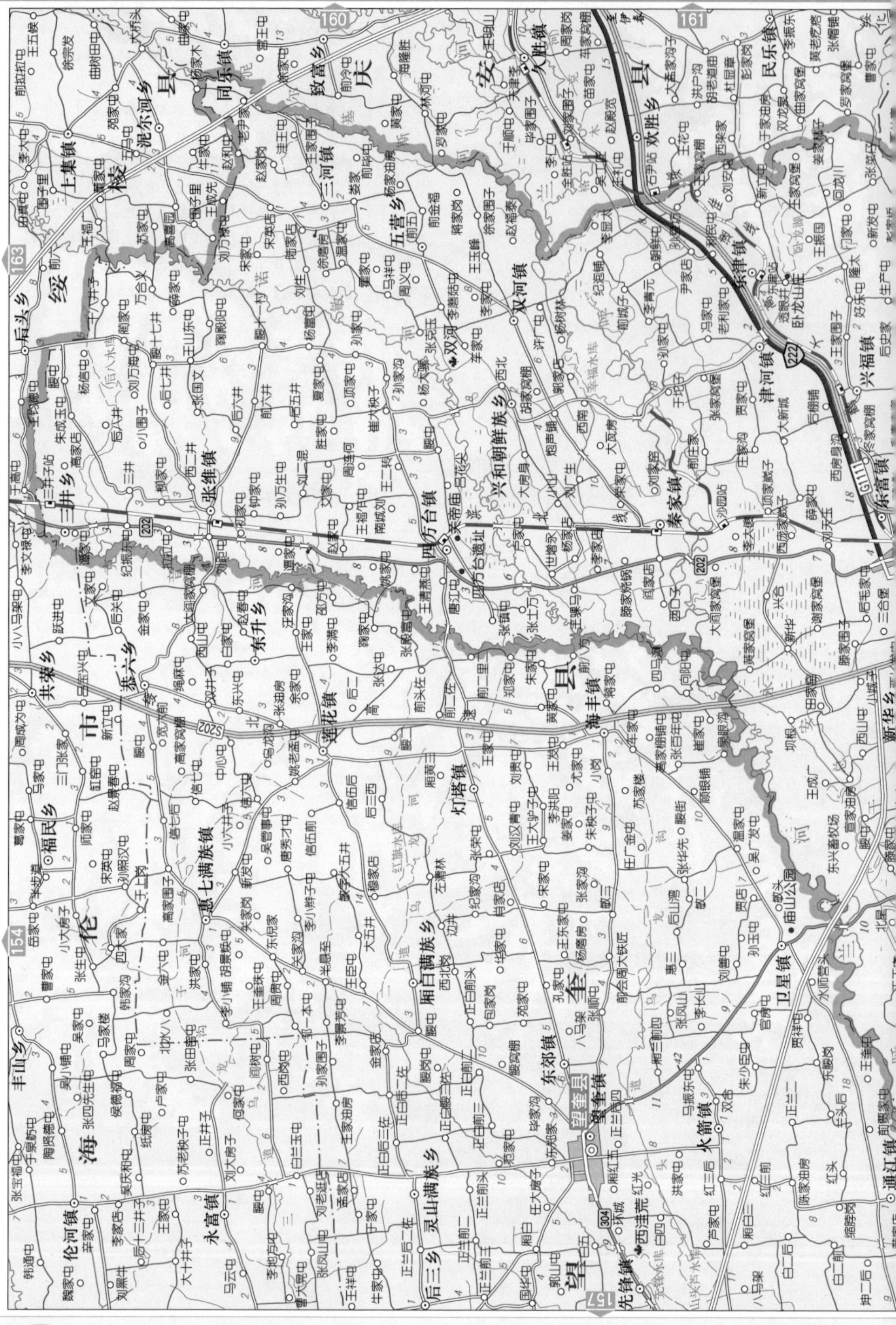

比例尺 1：440 000

4.4千米 0 4.4 8.8 13.2千米

高度表

0 50 100 200 300 400 500 600 800 1000 1200 1500米

双河自然保护区

【地理位置】 地处市境南部，东邻庆安县，东南与巴彦县、呼兰区以河为界，西南与兰西县接壤，西与望奎县隔江相望，北与绥棱县相连。

【人口面积】 人口89万，面积2723平方千米。

【地　　形】 地处松嫩平原东缘。多为小兴安岭山前冲积洪积波状台地地貌。

【河流湖泊】 呼兰河、泥河、诺敏河、克音河、红旗干渠、永安总干渠，幸福水库、后八水库、卧龙湖等。

【交　　通】 滨北铁路纵贯区境南北，鹤哈、绥北高速境内相会，222国道和202、304、305省道纵横交织，构成了交通运输网。

【资　　源】 物产资源丰富，水资源充足，素有“鱼米之乡、塞北江南”之美誉。土地肥沃，全区绝大部分为黑土、黑钙土和草甸土，适于多种农作物生长。动植物种类繁多，树种有柳树、杨树、桦树、柞树、松树等。山中盛产大蓟、小蓟、艾蒿、益母草、贝母、苦参、车前等中药材。还有紫花果、金针菜、苣荬菜、小根蒜等山野菜。境内砂石、草炭、页岩土、矿泉水等矿产资源丰富。

【经　　济】 是国家重要的商品粮、商品鱼、优质烤烟和生猪、肉牛生产基地；是国家认证的优质绿色食品生产基地。按照“产业化、工业化、城镇化”的总体部署，立足资源优势，现已形成了食品、医药、化工、建材、机电、纺织等行业齐全、结构合理的工业格局。第三产业迅猛崛起，全区“大市场、大商贸、大流通”的格局已形成，有“松北第一集”美誉的绥化市果、菜批发市场辐射到周边省区。

【风景名胜】 双河自然保护区、四方台遗址、关帝庙、卧龙山庄等。

镜泊湖 国家级风景名胜区 | 牡丹峰 国家级自然保护区 | 服务区 | 里程起迄点
二龙山 其他风景名胜区 | 哈尔滨 国家级森林、地质公园 | 出入口 | 收费站

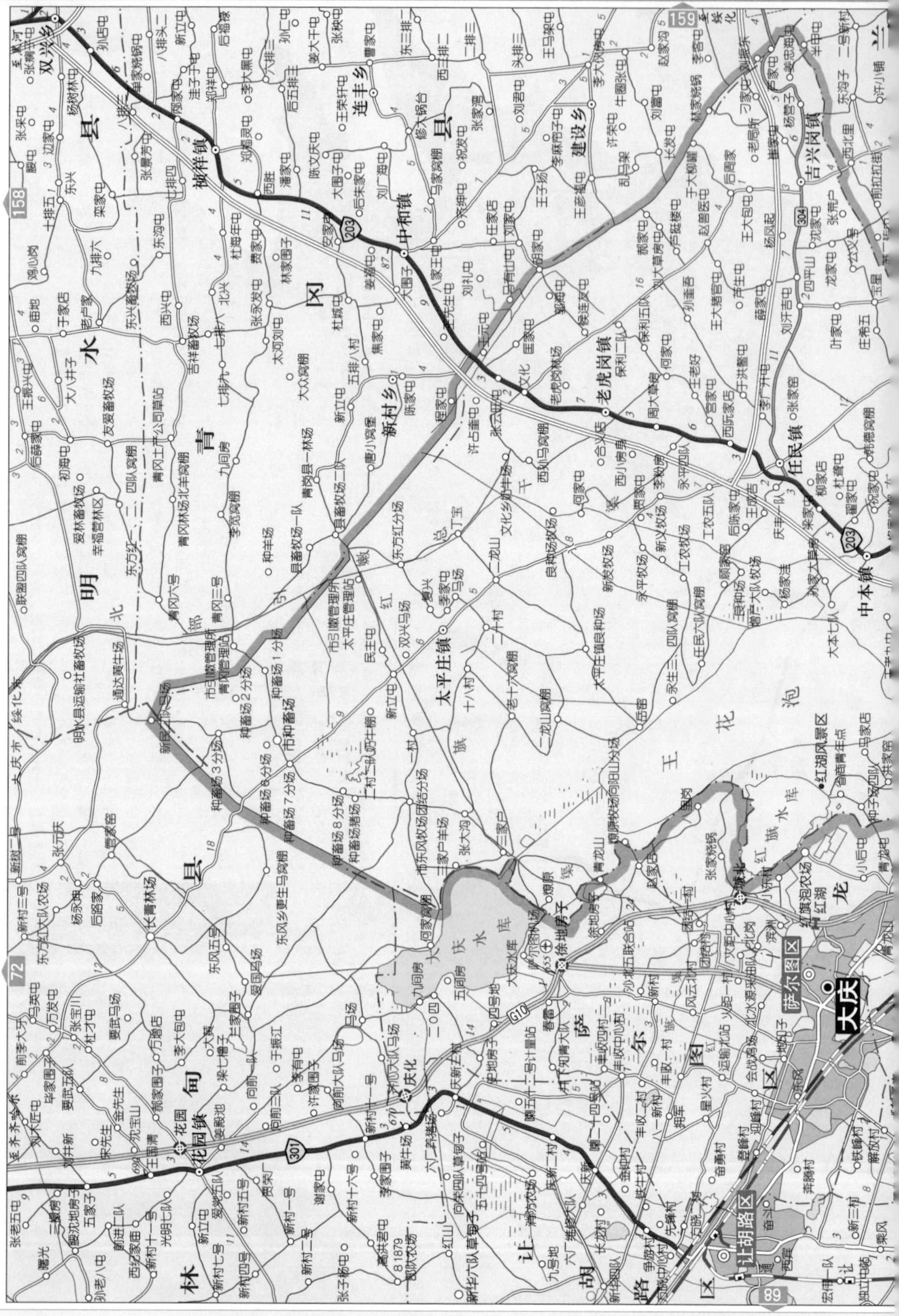

比例尺 1：460 000

4.6千米 0 4.6 9.2 13.8千米

高度表

0 50 100 200 300 400 500 600 800 1000 1200 1500米

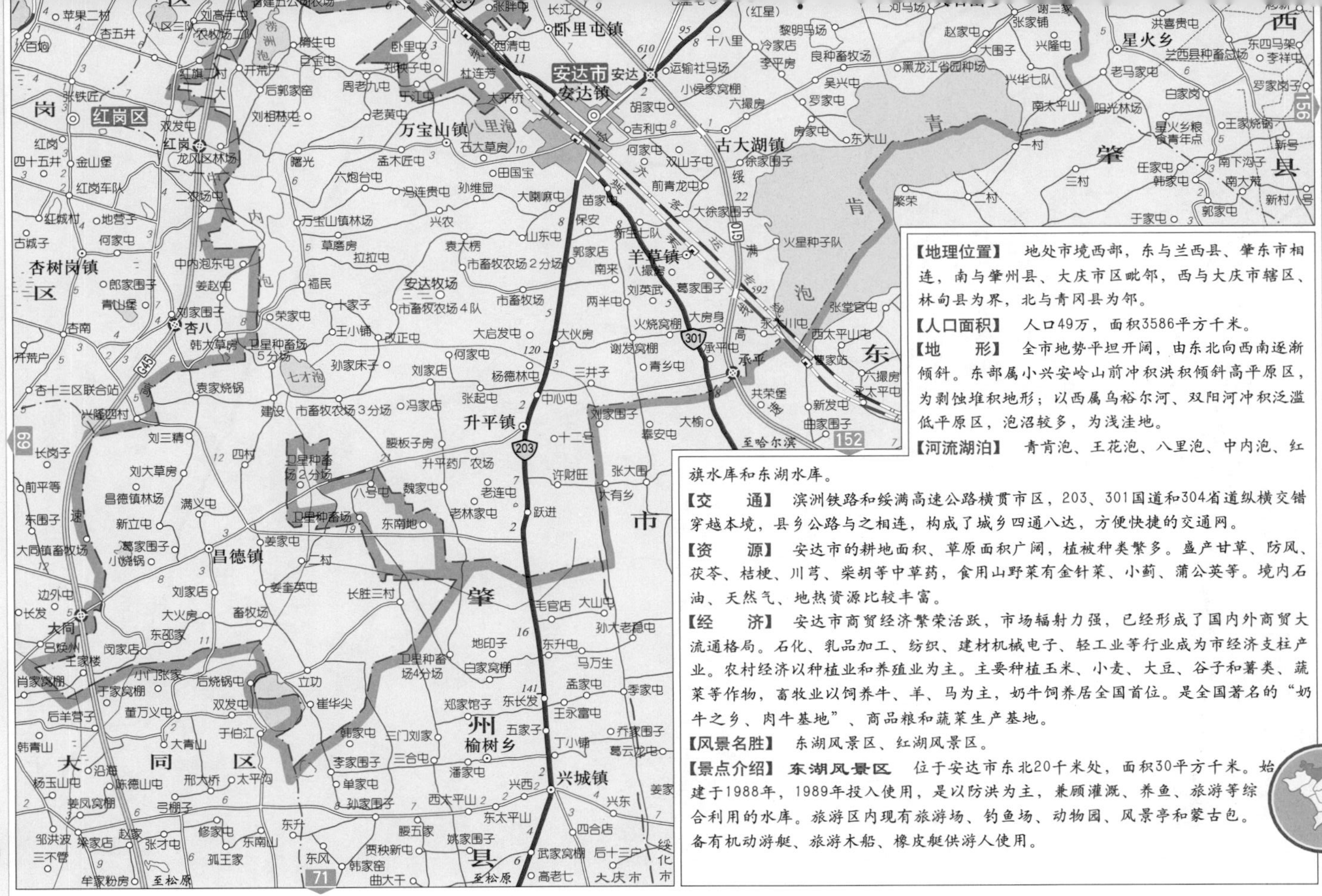

【地理位置】 地处市境西部，东与兰西县、肇东市相连，南与肇州县、大庆市区毗邻，西与大庆市辖区、林甸县为界，北与青冈县为邻。

【人口面积】 人口49万，面积3586平方千米。

【地　　形】 全市地势平坦开阔，由东北向西南逐渐倾斜。东部属小兴安岭山前冲积洪积倾斜高平原区，为剥蚀堆积地形；以西属乌裕尔河、双阳河冲积泛滥低平原区，泡沼较多，为浅洼地。

【河流湖泊】 青肯泡、王花泡、八里泡、中内泡、红旗水库和东湖水库。

【交　　通】 滨洲铁路和绥满高速公路横贯市区，203、301国道和304省道纵横交错穿越本境，县乡公路与之相连，构成了城乡四通八达，方便快捷的交通网。

【资　　源】 安达市的耕地面积、草原面积广阔，植被种类繁多。盛产甘草、防风、茯苓、桔梗、川芎、柴胡等中草药，食用山野菜有金针菜、小蓟、蒲公英等。境内石油、天然气、地热资源比较丰富。

【经　　济】 安达市商贸经济繁荣活跃，市场辐射力强，已经形成了国内外商贸大流通格局。石化、乳品加工、纺织、建材机械电子、轻工业等行业成为市经济支柱产业。农村经济以种植业和养殖业为主。主要种植玉米、小麦、大豆、谷子和薯类、蔬菜等作物，畜牧业以饲养牛、羊、马为主，奶牛饲养居全国首位。是全国著名的“奶牛之乡、肉牛基地”、商品粮和蔬菜生产基地。

【风景名胜】 东湖风景区、红湖风景区。

【景点介绍】 **东湖风景区** 位于安达市东北20千米处，面积30平方千米。始建于1988年，1989年投入使用，是以防洪为主，兼顾灌溉、养鱼、旅游等综合利用的水库。旅游区内现有旅游场、钓鱼场、动物园、风景亭和蒙古包。备有机动游艇、旅游木船、橡皮艇供游人使用。

镜泊湖 国家级风景名胜区　牡丹峰 国家级自然保护区　服务区　里程起迄点
二龙山 其他风景名胜区　哈尔滨 国家级森林、地质公园　出入口　收费站

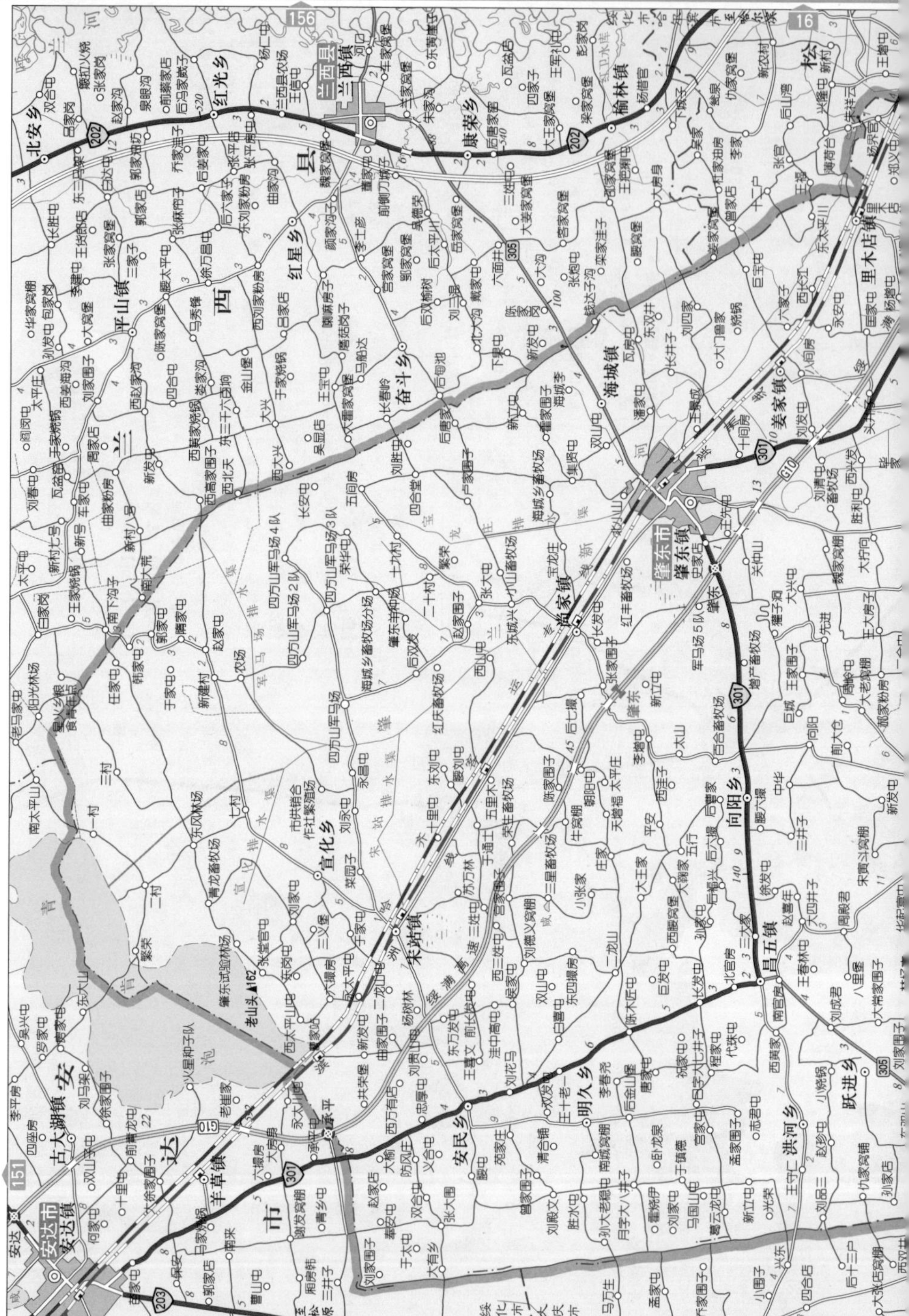

比例尺 1:450 000

4.5千米 0 4.5 9.0 13.5千米

高度表

0 50 100 200 300 400 500 600 800 1000 1200 1500米

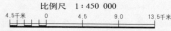

【地理位置】 位于市境南部。东与兰西县、哈尔滨市辖区接壤，南与双城区隔江相望，西与肇州县、肇源县毗邻，北与安达市相连。

【人口面积】 人口94万，面积4330平方千米。

【地　　形】 地处嫩江平原中部，松花江北部，地势平坦，沿江有大片草地。中部、北部多盐碱地。

【河流湖泊】 松花江、肇兰新河，青肯泡等。

【交　　通】 滨洲铁路、绥满高速、301国道纵穿南北，305省道横贯东西，南部松花江通航。

【资　　源】 肇东市的耕地、草原、林地、水域面积广阔，土地肥沃，资源丰富，是国家商品粮和畜牧业重要基地。油气资源丰富。盛产鲤鱼、草根鱼、鲫鱼、鲢鱼等水产品。西北部草原地带，畜牧业发达。

【经　　济】 农业种植玉米、水稻以及七彩大米、小米、特种瓜菜、无公害马铃薯、中草药、葵花籽、烤烟等。境内有一个大型国有农场。工业优势明显，已建成了粮食加工产业、乳品加工和石油化工三大产业体系，有制糖、毛纺、皮革、酿酒、玻璃、电子等行业。

【风景名胜】 金代八里城遗址。

【景点介绍】 **金代八里城遗址** 位于肇东市四站镇东八里村东八里屯西北300米处，城址雄踞于松花江左岸一弓形台地上。始建于金太宗天会八年（1130年），为纪念金太祖阿骨打"肇基王绩于此，遂建为州"称肇州，隶上京路，此为八里城建城之始。因城的周长近八华里，俗称八里城。是金、元两代的军事要地。现为省级文物保护单位。

镜泊湖 国家级风景名胜区
二龙山 其他风景名胜区
牡丹峰 国家级自然保护区
哈尔滨 国家级森林、地质公园
服务区
出入口
里程起迄点
收费站

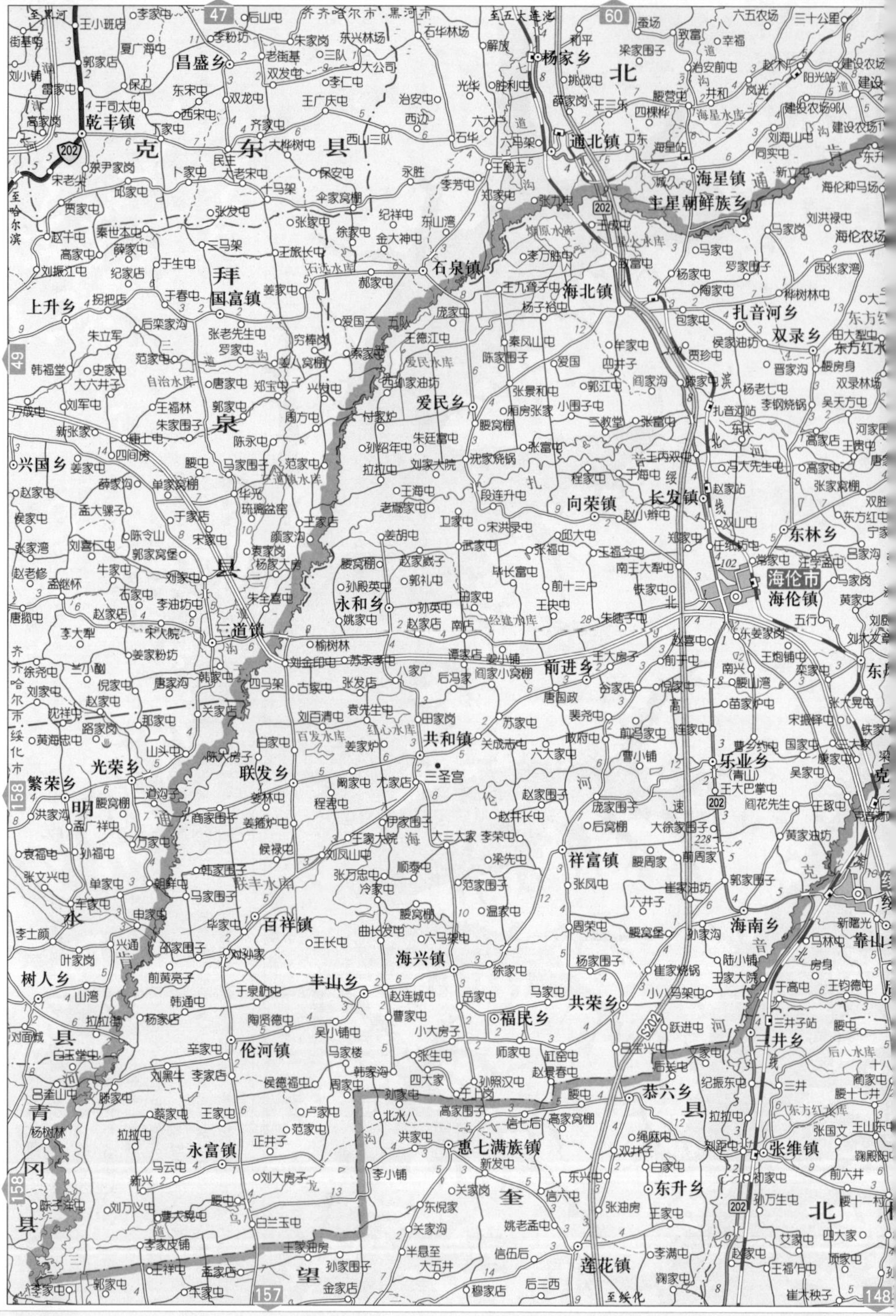

比例尺 1:530 000

5.3千米 0 5.3 10.6 15.9千米

高度表

0 50 100 200 300 400 500 600 800 1000 1200 1500米

【地理位置】 位于市境北部。东部与绥棱县为界，西部与青冈县、明水县、拜泉县相邻，北部与北安市接壤，南部与北林区、望奎县相连。

【人口面积】 人口84万，面积4667平方千米。

【地　　形】 地处由小兴安岭山地向松嫩平原的过渡地带，属松嫩平原的一部分。地势从东北到西南，为低丘陵、高平原、河阶地、河漫滩依次呈阶梯状逐渐降低。

【最高山峰】 刘斧头，海拔466米。

【河流湖泊】 通肯河、克音河、海伦河、扎音河，还有东方红、联丰、新曙光、燎原、星火等水库。

【交　　通】 交通方便，滨北铁路、绥北高速、202省道贯通市境南北，303省道于东北部过境。县乡公路与之相连，构成了四通八达的交通网。

【资　　源】 资源丰富，是世界三块黑土地之一，水资源、土地资源丰富，耕地面积居全省之冠，素有“粮仓”之称。北部山区盛产红松、白杨等木材和甘草、党参等中药材及猴头菇、蕨菜等山产品。地下蕴藏丰富的煤砂金、矿泉水等矿产资源。

【经　　济】 工业有电力、化学、冶金、机械、食品、建材等。振动时效装置、幼砂糖、塑料制品、海伦奶粉、色拉油、丰山老村酒以及系列农机产品等工业产品畅销国内外市场。西部平原盛产大豆、玉米、水稻等粮食作物和亚麻，其盛产的高蛋白大豆远销世界十多个国家和地区。享有“中国优质大豆之乡”、“中国高淀粉玉米之乡”、“中国民间艺术之乡”、“中国菇娘之乡”的美誉。

【风景名胜】 东方红水库旅游区、三圣宫。

【土特产品】 “松北王”大豆、“三圣宫”菇娘。

【民间艺术】 海伦剪纸。

【景点介绍】 **三圣宫** 1924年，筹建集儒释道为一体的“三圣宫”。当时“三圣宫”是海伦最大的一所庙宇，也是东北三省较大的一所庙宇。规模宏大，楼阁高耸，琉璃铺顶，雕梁画柱，工艺精美，金碧辉煌，气势磅礴。共有十楼、一亭、八十一座殿。山门庙内供奉陈奇、郑伦站立着的泥像，身高八尺。还有钟楼、鼓楼、青风亭，八角式凉亭等建筑群。1995年，复建三圣宫。三圣宫一层大殿三清宫于1997年竣工，并举行了开光大典。

海伦风光

兰西县

【地理位置】 位于市境西南部。东邻北林区，南接哈尔滨市辖区，北靠青冈县、望奎县，西接肇东市，西北部与安达市相连。

【人口面积】 人口54万，面积2499平方千米。

【地　　形】 地处松嫩平原东部，小兴安岭西侧山前冲积洪积缓倾斜台地，地势平坦。地势呈东南西北走向，中部高、东西两侧低。

【河流湖泊】 呼兰河、泥河、泥河水库等。

【交　　通】 是黑龙江省中部地区的公路交通枢纽，吉黑高速(在建)、202国道贯穿南北，305省道和县乡级公路构成了四通八达的公路运输网。

【资　　源】 兰西森林覆盖率较高，主要树种有杨、柳、榆
盛产防风、柴胡、黄芪、车前等中草药材。呼兰河的沙石
丰富。亚麻种植有百年历史，面积居全省前列，有“中国
之乡”美誉。

【经　　济】 以农业为主，主要粮食作物有玉米、大豆、水
小麦、谷子、高粱等；经济作物有亚麻、烤烟、甜菜、油料
是全国粮食和畜产品生产基地。畜牧产业以开发“两畜两
(肉牛、生猪、鹅、禽)为重点。工业有亚麻加工、亚麻纺织、
制品、机械、建材、医药、化工、食品等部门。

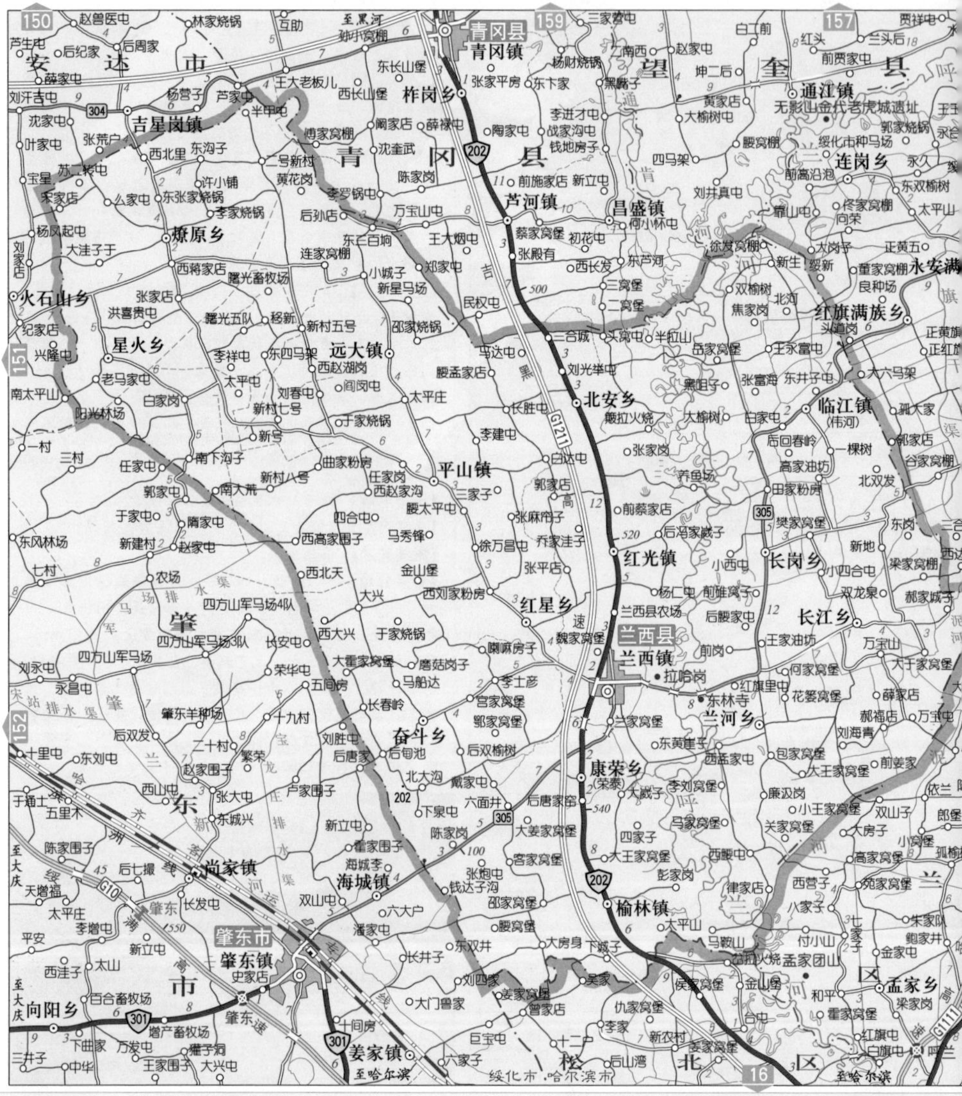

比例尺 1∶550 000

5.5千米 0 5.5 11.0 16.5千米

高度表

0 50 100 200 300 400 500 600 800 1000 1200 1500米

奎县

【理位置】 位于市境中部，东面和南面与北林区、兰西县隔望，西面与青冈县划水为界，北面与海伦市接壤。

【口面积】 人口47万，面积2299平方千米。

【形】 县境内地势东高西低，由东向西呈缓慢下降。地型可分为三种，即东部丘陵漫岗区、中部漫川漫岗区、西洼平原区。

【流湖泊】 呼兰河、通肯河、克音河，卫星水库、山头芦水红旗水库、先锋水库等。

【通】 绥北高速、304省道过境，县乡公路以县城为中心，呈放射状连接成网。

【资　源】 森林资源、畜牧业资源丰富。主要树种有樟子松、云杉、桦、椴、杨等。盛产蘑菇、木耳、刺嫩芽、蕨菜、薇菜等山野菜。地下蕴藏着丰富的膨润土、页岩土和矿泉水。是全国商品粮、瘦肉型猪、禽肉类生产基地县。

【风景名胜】 庙山公园、林枫故居、西洼荒自然保护区等。

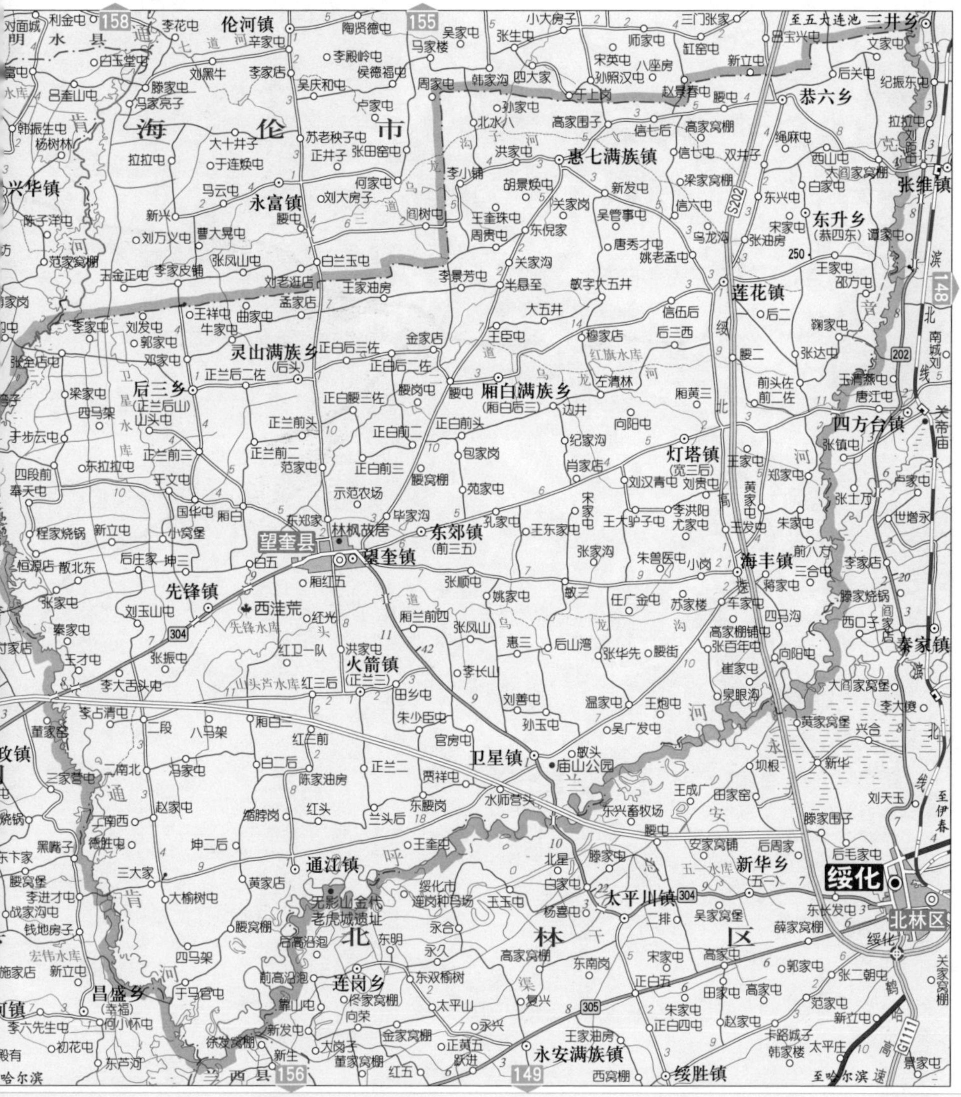

✻ 镜泊湖 国家级风景名胜区　✻ 二龙山 其他风景名胜区　牡丹峰 国家级自然保护区　哈尔滨 国家级森林、地质公园

比例尺 1:480 000

4.8千米 0 4.8 9.6 14.4千米

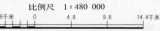

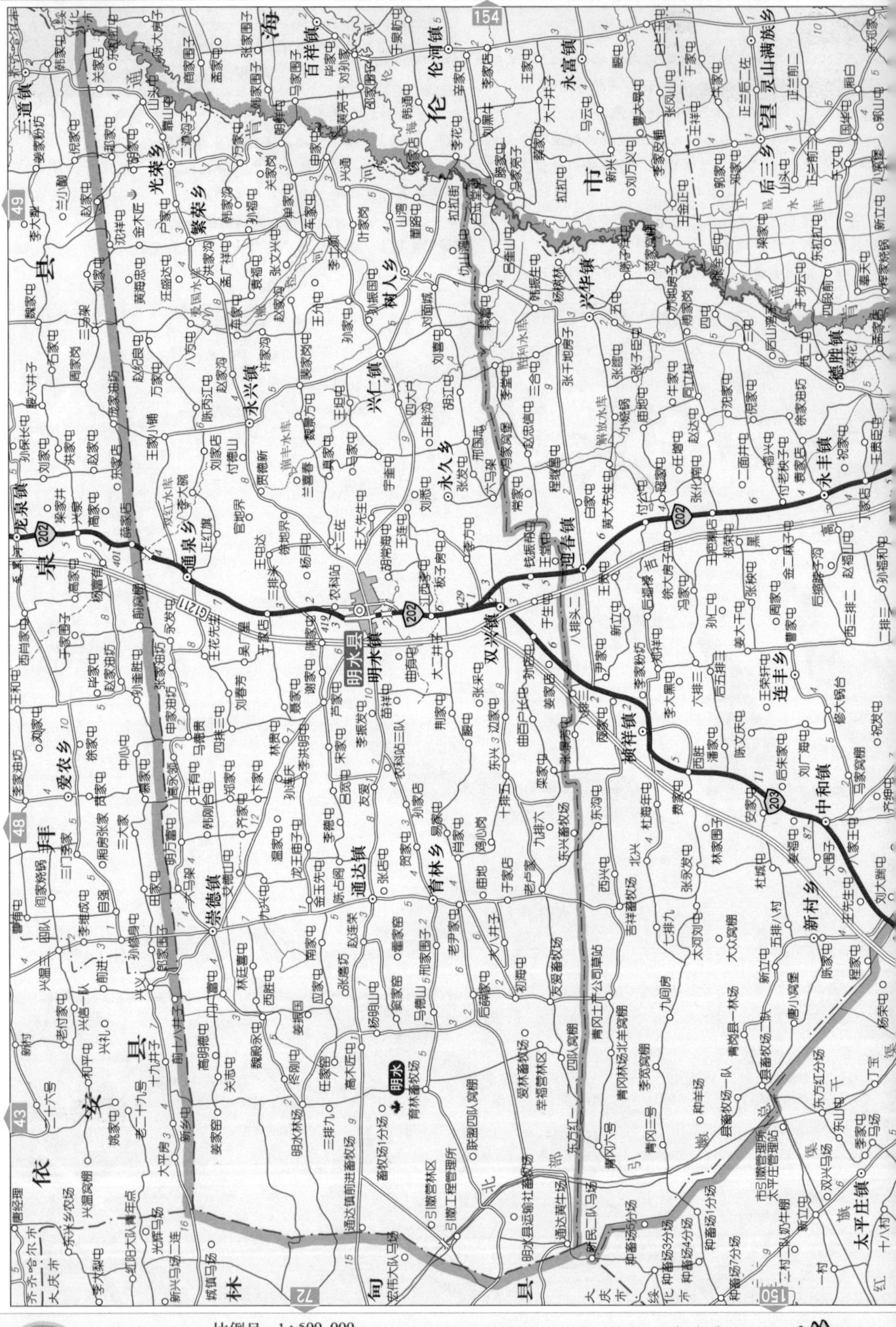

比例尺 1:500 000

5.0千米 0 5.0 10.0 15.0千米

高度表

0 50 100 200 300 400 500 600 800 1000 1200 1500米

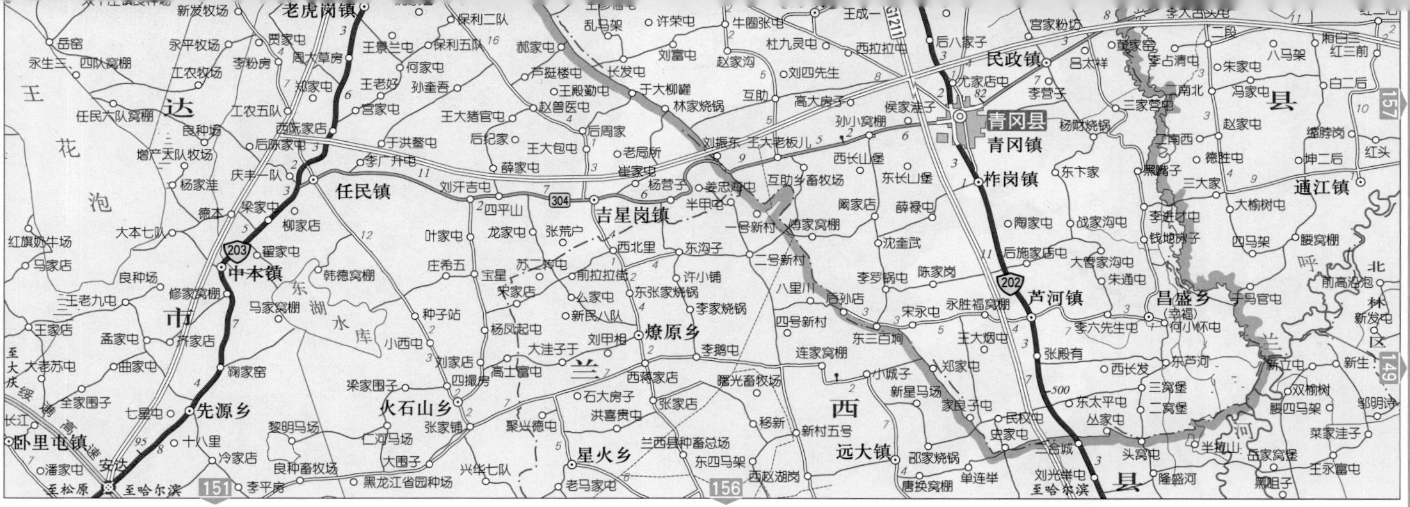

明水县

【地理位置】地处市境西北部。东与海伦市以通肯河为界，南与青冈县相接，西与林甸县毗邻，北依拜泉、依安2县。

【人口面积】人口37万，面积2308平方千米。

【地　　形】地处松嫩平原东部、小兴安岭西侧山前冲积洪积缓倾斜台地。地势东部略高，西部低平，有盐碱地分布。

【河流湖泊】通肯河、撇拉河,爱国水库、双红水库等。

【交　　通】吉黑高速(在建)、202、203国道相会县境，与县乡公路构成了四通八达的交通网。

【资　　源】明水县西部有70万亩草原，自然资源丰富，盛产甘草、防风、龙胆草、延胡索、黄芪等野生优质中草药。野兔、野鸡、野鸭、狐、狼等多种野生动物遍布其间。境内西部有石油、天然气储藏。

【经　　济】明水是一个半农业、半牧业的县，农业种植大豆、玉米、高粱、小麦、水稻、谷糜等粮食作物和甜菜、马铃薯、红椒、亚麻、烤烟、果菜稽经济作物。畜牧业以养猪、羊、牛、马为主，是全国商品牛基地。工业门类较为齐全，形成了以食品、医药、化工、机械、建材、纺织为主的工业门类。以农副产品为主要加工原料的制糖、制油、亚麻加工、玉米加工、制药等工业。工农业产品行销全国各地。

青冈县

【地理位置】位于市境西北部。东与海伦市、望奎县隔河相望，南邻兰西县，西接安达市，北接明水县。

【人口面积】人口50万，面积2686平方千米。

【地　　形】地势东部高，西部低。由东向西依次为川岗、平岗、低岗。

【河流湖泊】通肯河、胜利水库、解放水库等。

【交　　通】吉黑高速(在建)、202、203国道和304省道通过，为本县主要交通干线。县城与各乡镇皆有公路相通，已构成完整的公路网。

【资　　源】矿产资源有中砂、细砂、石英砂等。境内西部还蕴藏着石油。自然资源丰富，野生动物有狍子、狐狸、狼、兔、黄鼠狼、山狸子、刺猬、貉、野鸡、野鸭、大雁、鹌鹑等。野生植物有碱草、小叶章、乌拉草、芦苇、油包草等。还有防风、党参、山参、黄芪、龙胆草、大黄、地丁、知母、柴胡、狼毒等百余种中药材。

【经　　济】青冈是全国商品粮县、玉米种植基地县、商品猪基地县和省羊肉开发基地。农作物以玉米、大豆为主,经济作物有油菜、甜菜、向日葵、苏子、蓖麻等特色农业发展迅速，现已形成了以迪卡猪、德克肉羊为主导，月苋草、大果沙棘特色品种为主体的高效特色产业发展框架。工业门类比较齐全，有机床、电机、电线、毛纺、化工等部门。

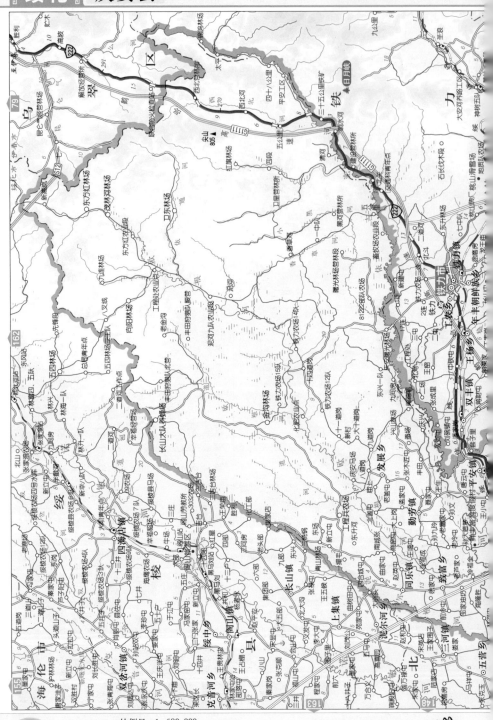

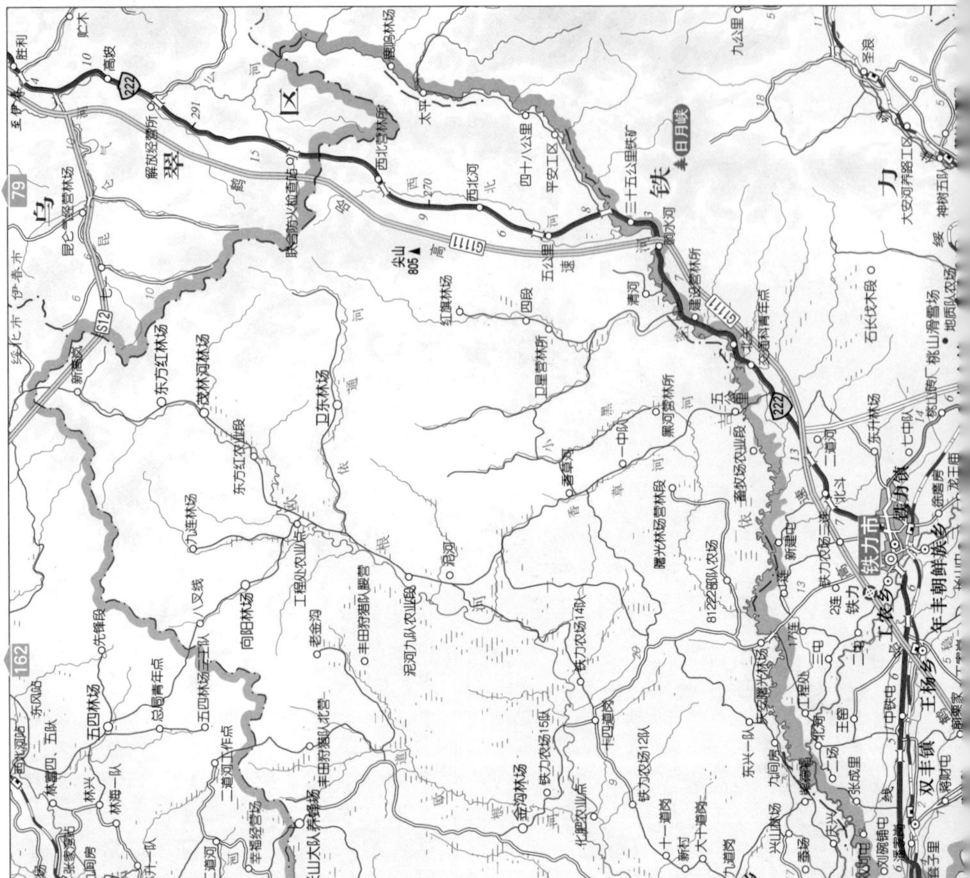

比例尺 1∶580 000

5.8千米 0 5.8 11.6 17.4千米

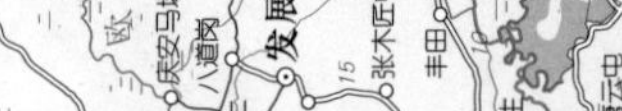

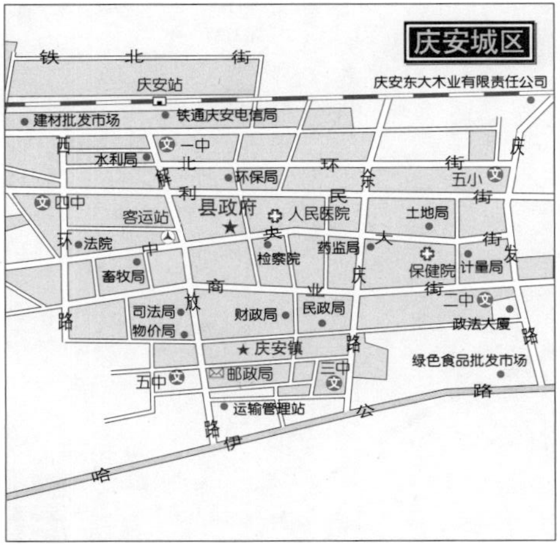

【地理位置】 位于市境东部。东邻铁力市，南与巴彦、木兰、通河县毗连，西接北林区，西北与绥棱县、东北与乌翠区接壤。

【人口面积】 人口40万，面积5607平方千米。

【地　　形】 地势南北高、中间低，北部和南部属丘陵区，中部为呼兰河谷平原区。

【最高山峰】 尖山，海拔805米。

【河流湖泊】 呼兰河、欧根河、泥尔根河、依吉密河、格木克河及柳河水库等。

【交　　通】 绥佳铁路、鹤哈高速、222国道横穿过境，县乡公路连接乡村，构成交通网。

【资　　源】 矿产资源有煤、铁、铅、砂金、氟石、蒙脱石、泥炭、大理石、珍珠岩、石墨、页岩、石英石、花岗岩、石膏、辉绿岩等。林木资源有落叶松、樟子松、水曲柳、桦、椴、柞等树种，是国家商品木材基地之一。盛产木耳、元蘑、猴头、松子、山核桃、榛子等山产品以及人参、党参、刺五加、五味子等中药材。

【经　　济】 是全国商品粮大县之一，全国绿色食品生产先进县。农业盛产水稻、大豆、玉米等粮食作物和菇娘、甜菜、烤烟、瓜菜等经济作物。形成食品、医药为主导，化工、建材、机械加工、矿产4大支柱工业体系。庆安县是全国开发绿色食品生产最早的县，有“中国绿色食品之乡”的美誉。

【风景名胜】 柳河风景区、鲜丰旅游度假村。

【地方节庆】 庆安绿色食品节。

【景点介绍】 **柳河风景区** 地处庆安县城东南，柳河水库东、西、南三面环山，森林茂盛，生长着松、杨、桦树等10多种优质树种。有几十种飞禽走兽，有丰富的山野菜、野果和药材等。水库北侧是河谷平原，一马平川，良田万顷，空气清新。水库管理站和老干部疗养院坐落在此。柳河水库是以灌溉、防洪为主兼顾养鱼综合利用的中型水库。

镜泊湖 国家级风景名胜区　二龙山 其他风景名胜区　牡丹峰 国家级自然保护区　哈尔滨 国家级森林、地质公园　服务区　出入口　里程起迄点　收费站

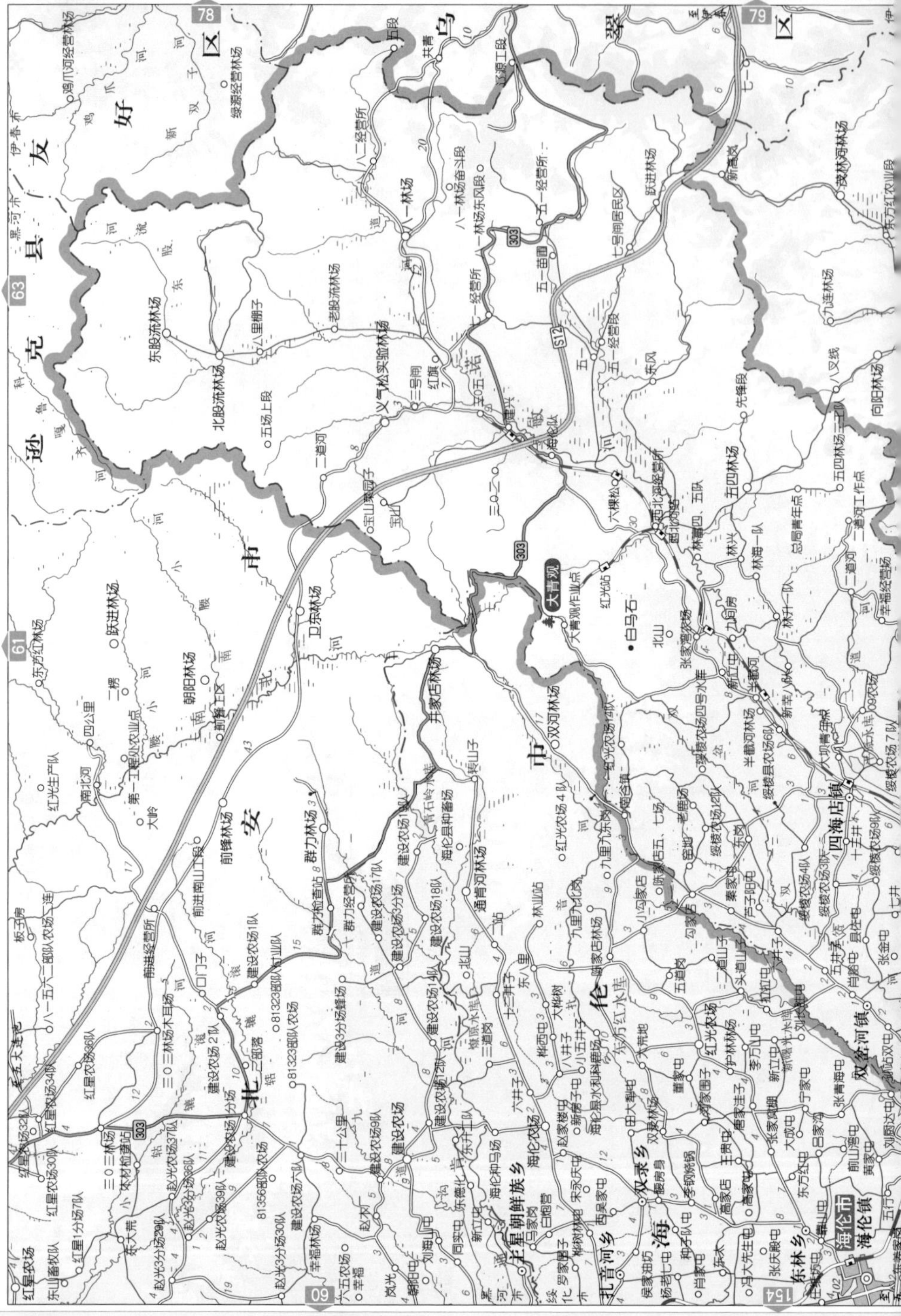

比例尺 1:580 000

5.8千米 0 5.8 11.6 17.4千米

高度表

0 50 100 200 300 400 500 600 800 1000 1200 1500米

【地理位置】 位于市境东北部。东邻伊春市辖区、庆安县，南接北林区，西部与海伦市相连，北部与北安市、逊克县接壤。

【人口面积】 人口33万，面积4506平方千米。

【地　　形】 地处松嫩平原东部，小兴安岭西侧山前冲积洪积波状台地。地势东北高、西南低，东北部为丘陵区，西南部为冲积平原区。

【河流湖泊】 诺敏河、泥尔根河、克音河、平原水库等。

【交　　通】 滨北铁路和202、303省道穿越本境，森林窄轨铁路通往北部林区。南部平原区县乡公路连接成网，交通便利。

【资　　源】 林业资源丰富，是黑龙江省重点天然林区之一，主要树种有红松、樟子松、云杉、白桦、黄菠萝、水曲柳等树种。盛产人参、鹿茸、蜂蜜、五味子、刺五加等名贵药材和猴头菇、木耳、圆蘑、松子、榛子、蕨菜、黄花菜等山产品，有鹿、熊、狍子、野猪、飞龙、狼等珍贵动物。矿产资源有金、铜、褐煤、铁、锌、耐火石、黄黏土、白云石、玄武石。其中白云石、玄武石储量丰富。

【经　　济】 绥棱经济以农业为主，是国家重点商品粮基地县之一，盛产水稻、大豆、小麦、玉米、甜菜、黄烟等农副产品。工业以化工、医药、建材为主，还有土陶、米醋等传统产品。

【风景名胜】 阁山旅游区、大青观森林、诺敏河漂流、白马石等。

【景点介绍】 **诺敏河漂流**　诺敏河全长265千米，由县境东北向西南。流过全境，两岸为沙滩、灌木、农田。远眺青山起伏，气候宜人。漂流河段宽约20—50米，水深1米以内，游人漂在河上，边戏水，边赏景，心旷神怡，悠然自得。

阁山旅游区　位于阁山镇境内，诺敏河西北岸。阁山原名绥楞额山，山清水秀，历史上曾是东北抗联哈北司令部驻地。

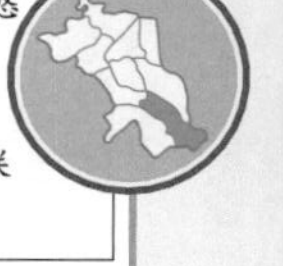

镜泊湖　国家级风景名胜区
二龙山　其他风景名胜区
牡丹峰　国家级自然保护区
哈尔滨　国家级森林、地质公园
服务区
出入口
里程起迄点
收费站

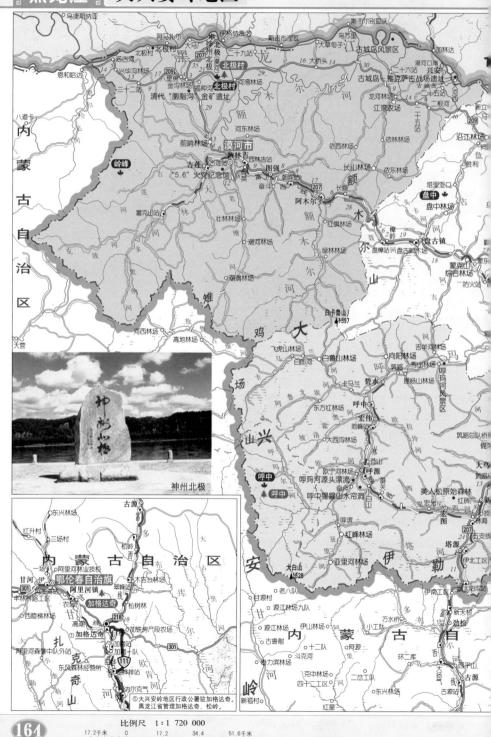

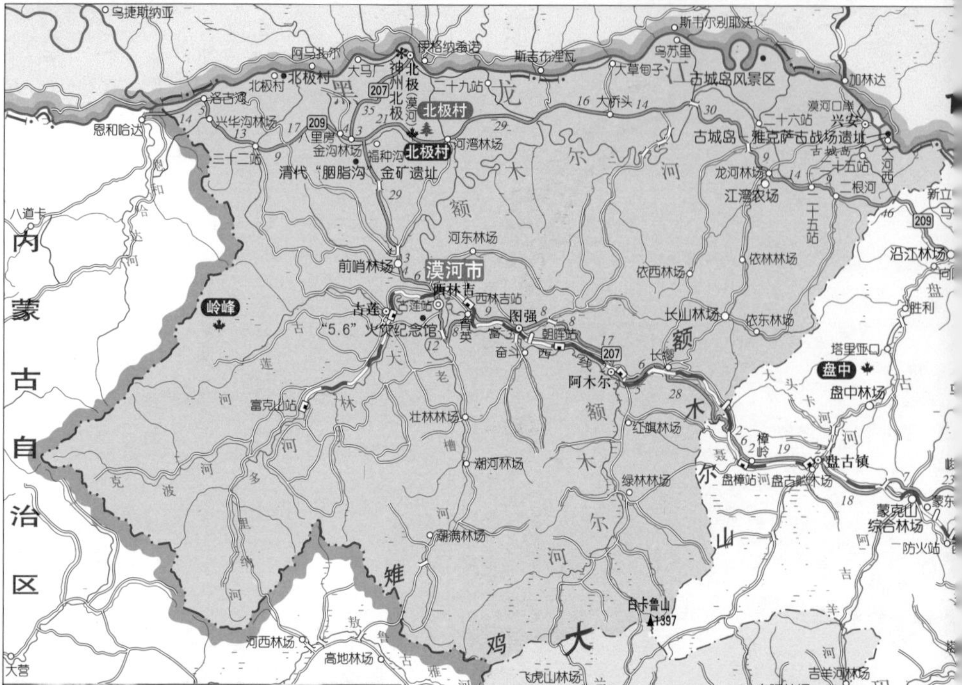

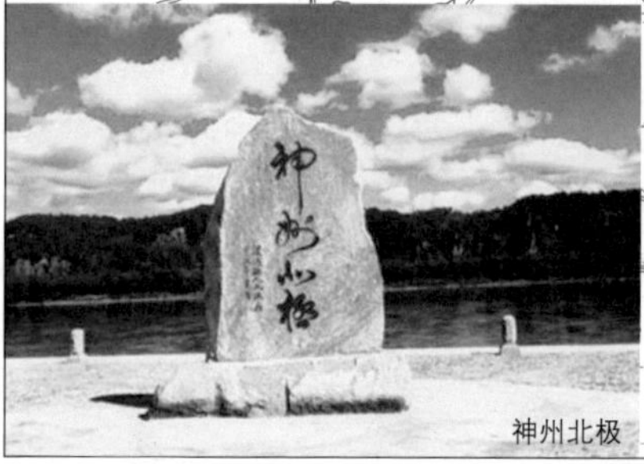
神州北极

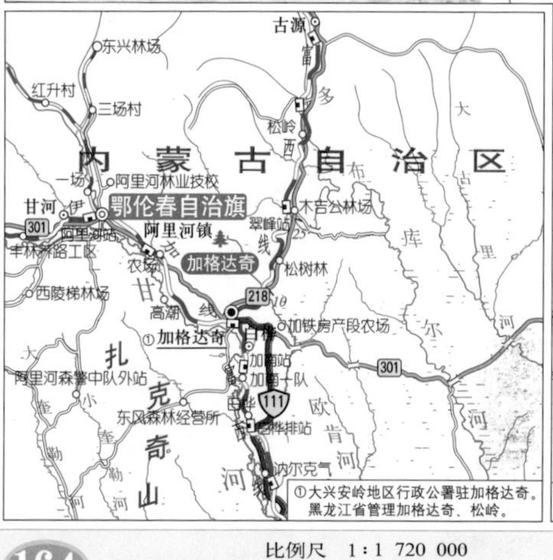

比例尺 1:1 720 000

17.2千米 0 17.2 34.4 51.6千米

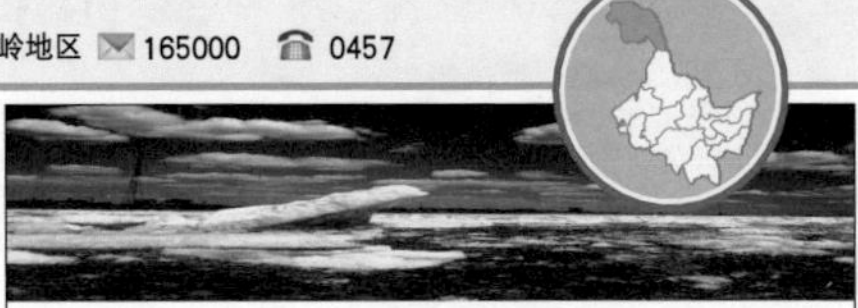

【地理位置】 位于黑龙江省北部，西南部与内蒙古自治区接壤，南与黑河市相连，东部和北部与俄罗斯隔黑龙江相望。

【行政区划】 辖漠河市和呼玛、塔河2县。地区行政公署驻加格达奇。

【人口面积】 人口51万，面积46755平方千米。

【历史沿革】 大兴安岭地区历史悠久。早在旧石器晚期，黑龙江流域的肃慎族已和中原的周朝建立过臣属关系。北魏王朝的建立者鲜卑人，在这里生活繁衍了70多代。隋、唐、五代十国、金、辽时，隶属室韦。清朝属瑷珲副都统管辖。1929年直属黑龙江省。1946年属黑龙江省和内蒙古自治区。1949年属黑龙江黑河区和内蒙古自治区呼伦贝尔盟。1964年置大兴安岭特区（地级）。1970年改设地区。

【地　　形】 地处大兴安岭北部伊勒呼里山中低山和黑龙江南岸丘陵。地势西北高、东南低。

【最高山峰】 大白山，海拔1528米。

【河流湖泊】 主要河流有黑龙江、嫩江、呼玛河、额木尔河、塔河等。

【气　　候】 属寒温带大陆性季风气候。气候严寒，被称为我国的“寒极”。年平均气温在−2℃左右，年无霜期70—110天，年平均降水量400—550毫米。年日照时数2400—2600小时。

【交　　通】 交通便利。林碧、富西、塔韩3条铁路境内交会。以207、208、209省道为主干线的公路网遍布城乡。境内黑龙江通航。

【资　　源】 主要矿产有黄金、煤炭、玉石、石灰石等，森林资源丰富，森林覆盖率达86%以上，树种以兴安落叶松和樟子松为主。还有云杉、白桦、山杨、黑桦、柞树等。是国家主要木材产地之一。野生植物有黄芪、沙参、百合、榛子、猴头菇、木耳等。珍奇野生动物有紫貂、棕熊、猞猁、马鹿、狍子、野猪等。黑龙江产鲟鱼、鳇鱼、大马哈鱼等著名鱼类。

【风景名胜】 北极村国家森林公园，呼中、南瓮河、盘中、岭峰、绰纳河国家级自然保护区，呼玛河源头漂流、十八站古人类遗址，美人松原始森林、北极村、神州北极等。

【土特产品】 北芪神茶、椴树蜜。

【景点介绍】 **北极村** 位于我国最北部的一个边陲小村。是祖国北疆第一村，总面积16平方千米。北极村有中华北陲第一哨，有中国北极第一家——居住在中国纬度最北的一户人家，为悬山顶“木刻楞”的木屋，北极村还是观赏北极光的最佳之处。

✲	镜泊湖 国家级风景名胜区	♣	牡丹峰 国家级自然保护区	⊢⊣	服务区	↑	里程起迄点
✻	二龙山 其他风景名胜区	♠	哈尔滨 国家级森林、地质公园	⊕	出入口	▬	收费站

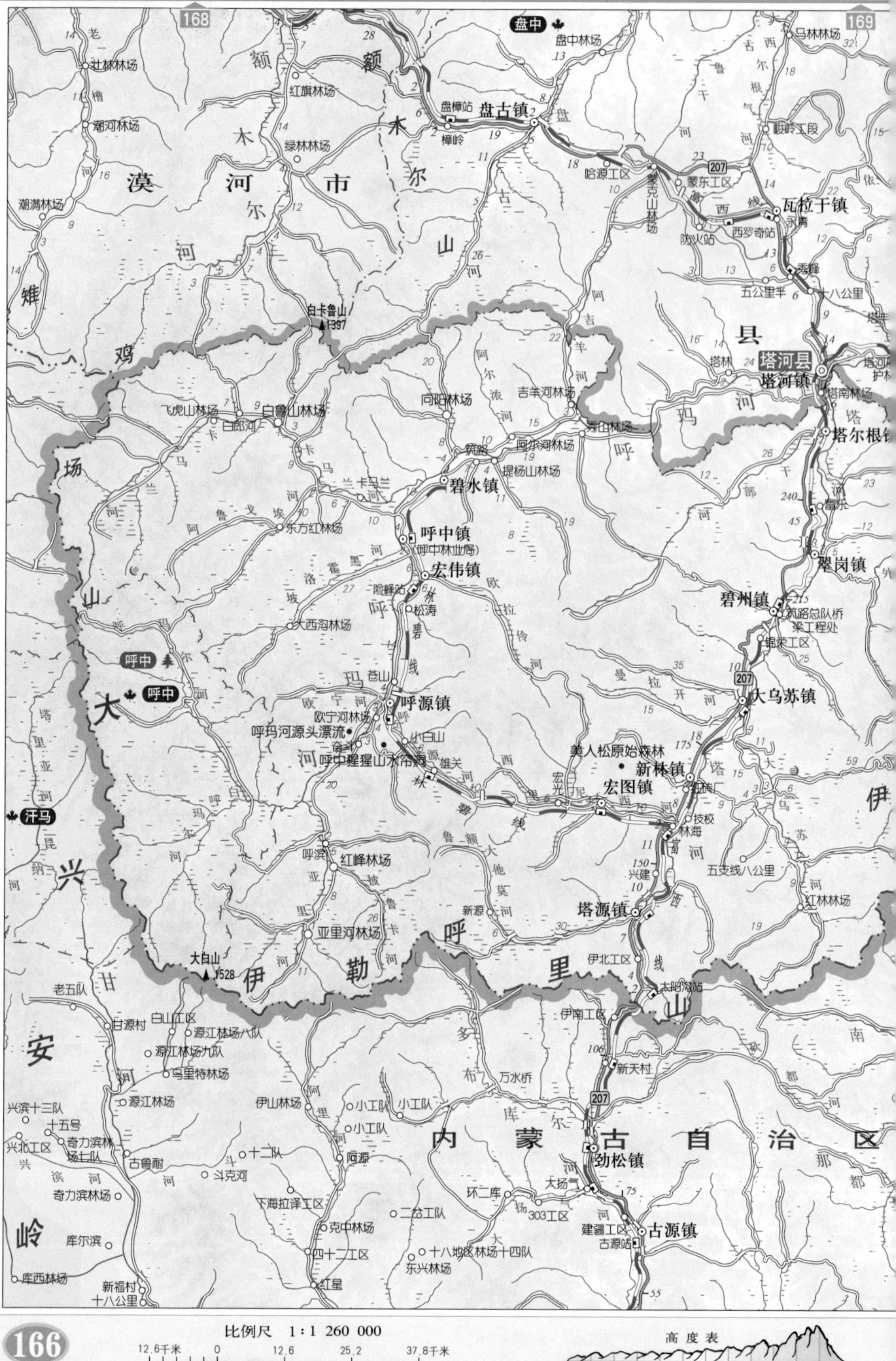

比例尺 1:1 260 000

12.6千米 0 12.6 25.2 37.8千米

高度表

0 50 100 200 300 400 500 600 800 1000 1200 1500米

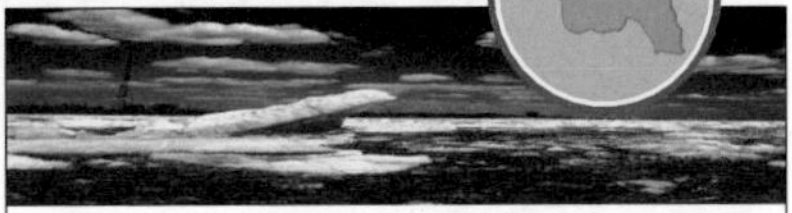

【地理位置】 位于本地区南部。南、西部与爱辉区、嫩江县和内蒙古自治区接壤，北与漠河市、塔河县相连，东隔黑龙江与俄罗斯相望。

【人口面积】 人口33万，面积14285平方千米。

【地　　形】 地处大兴安岭支脉伊勒呼里山北部，黑龙江西岸低山丘陵，西部为低丘陵，东部为黑龙江和呼玛河河谷平原。

【最高山峰】 大白山，海拔1528米。

【主要河流】 黑龙江、嫩江、呼玛河、塔河等。

【交　　通】 交通便利，以公路为主，境内有富西、林碧、塔韩铁路，207、209省道贯穿全境，黑龙江通航。呼玛口岸是国家一类口岸。

【资　　源】 森林资源极为丰富，树种有落叶松、樟子松、桦、柞、云杉等。野生动物有鹿、熊、紫貂等；冷水鱼类有鳇鱼、大马哈鱼等。矿产资源丰富，黄金储量居省之冠。

【经　　济】 是我国木材生产基地之一，境内有大型国有森工企业。工业有采矿、电力、机械加工、食品加工、林产等行业。农作物以小麦、马铃薯、大豆为主。

【土特产品】 猴头蘑、毛尖蘑、木耳等。

【风景名胜】 呼中国家森林公园，呼中、南翁河、绰纳河国家级自然保护区，呼玛河源头漂流等。

漠河市

【地理位置】位于祖国的最北端，是我国纬度最高的县级市。东与塔河县接壤，西、西南和内蒙古自治区为邻，东南与呼玛县交界，北隔黑龙江与俄罗斯相望。

【人口面积】人口9万，面积18367平方千米。

【地　　形】地处大兴安岭北部中低山地区，地势南高北低。

【最高山峰】白卡鲁山，海拔1397米。

【河流湖泊】黑龙江、额木尔河等。

【交　　通】是富西铁路和207省道、209省道的终点。北极镇至漠河有207省道相连。水运沿黑龙江可转运乌苏里江、松花江。漠河口岸是国家一类口岸。

【经　　济】农业机械化程度较高，主要种植小麦、燕麦、薯、亚麻、蔬菜等。是全国重点开发的林区。盛产黄芪、五味子、越桔、木灵芝等中药材和猴头蘑、木耳、蕨菜、菜等山野特产。工业主要以木材生产为主，有木材加工、木制品、酿酒、采矿等。漠河的黄金开采久负盛名，产量较大。口岸贸易比较繁荣。

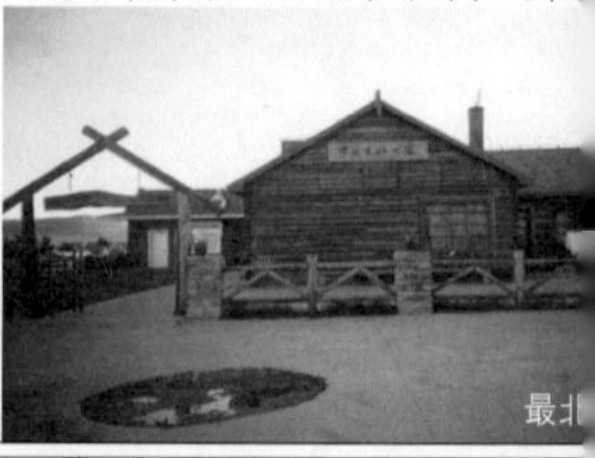

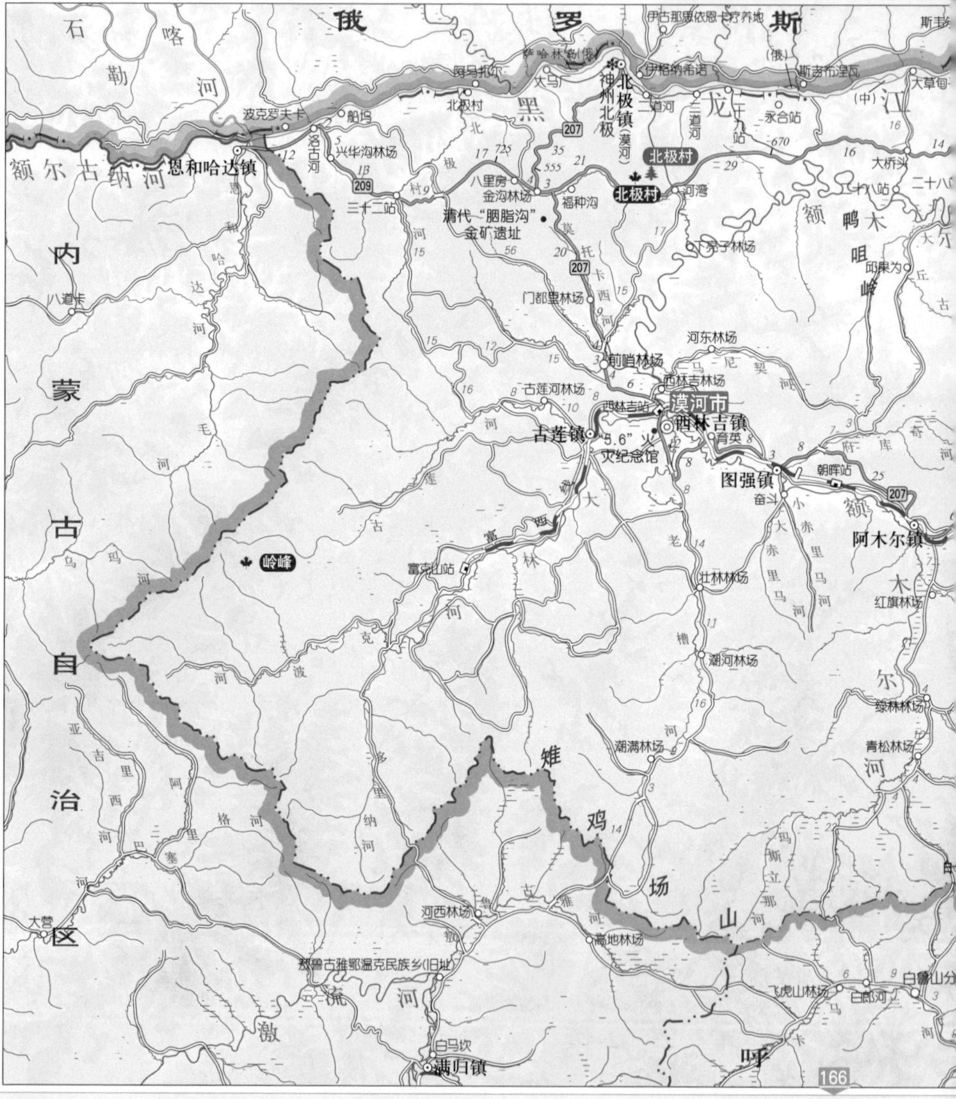

比例尺 1:1 190 000

11.9千米 0 11.9 23.8 35.7千米

高度表

0 50 100 200 300 400 500 600 800 1000 1200 1500米

县

置】位于本地区东北部，南邻呼玛县，西接漠河市，罗斯隔江相望。

积】人口9万，面积14103平方千米。

形】属大兴安岭北部黑龙江南岸中低山丘陵地，地势东北低。

峰】白卡鲁山，海拔1397米。

泊】黑龙江、呼玛河、盘古河、西尔根气河等。

通】大兴安岭北部重要交通枢纽，富西铁路与塔韩支在县城交会。公路有207、209省道。黑龙江水运可抵佳木尔滨。

【风景名胜】 黑龙江风光游、十八站古人类遗址等。

【景点介绍】 **黑龙江风光游** 黑龙江是中国和俄罗斯的界河，也是世界上最长的大界江，长2000多千米，是中国的第三大河。水色微黑的黑龙江是世界上较少未被污染的河流之一，沿江遍布激流险滩、峡谷奇峰。行船在黑龙江上，即可观赏到洛古河源头、北极村、古城岛、江鸥湾、昌烟山大峡谷等旖旎多变的自然风光，又可欣赏浓郁的异国情调，还可领略鄂伦春、鄂温克等少数民族风情。

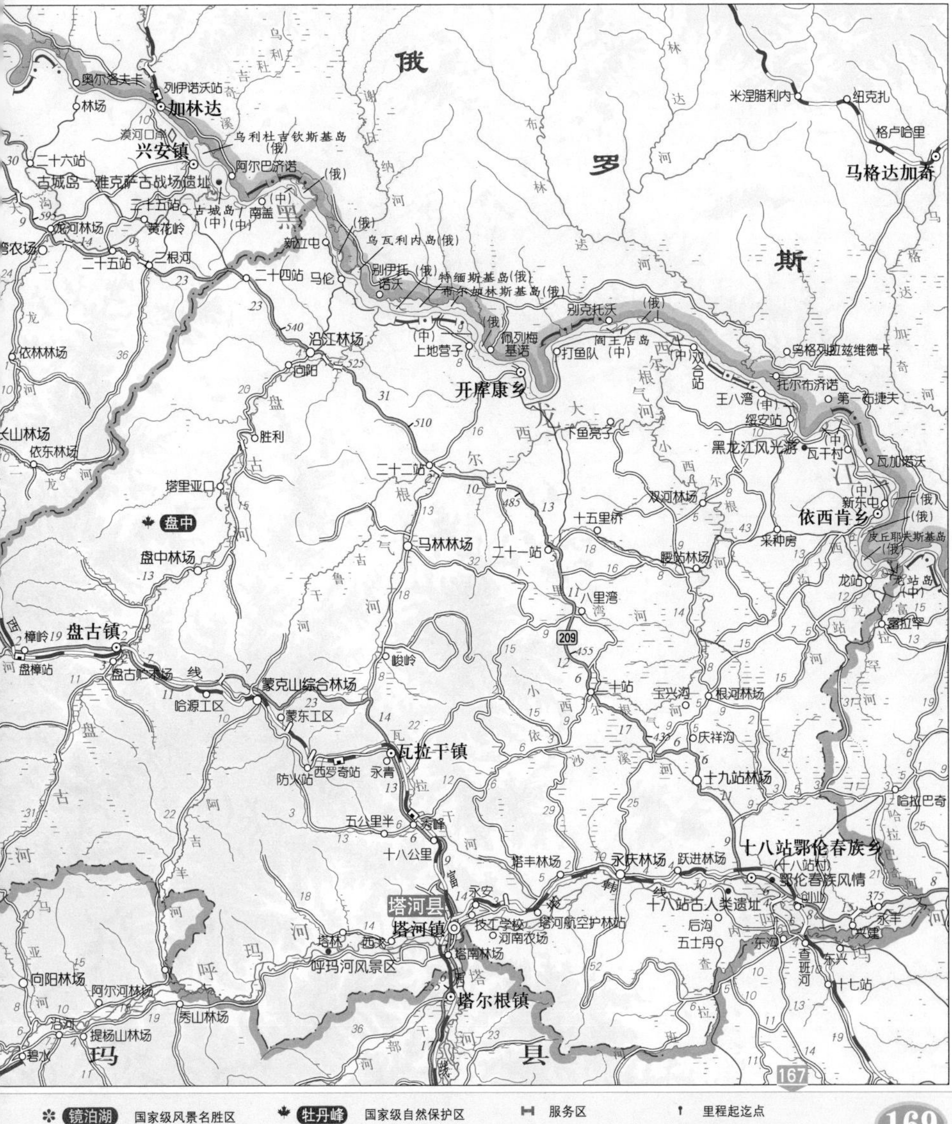

✻ 镜泊湖 国家级风景名胜区　✻ 二龙山 其他风景名胜区　牡丹峰 国家级自然保护区　哈尔滨 国家级森林、地质公园　服务区　出入口　里程起迄点　收费站

【城市特色】 加格达奇是大兴安岭地区行政公署、林业部大兴安岭林业管理局所在地。在内蒙古自治区鄂伦春自治旗境内。素有“林海明珠”、“新兴林城”和“万里兴安第一城”之称。

【交　　通】 城区公共汽车、长途汽车等交通线路顺畅，是111国道的终点，207和310省道的交会地。伊加线、富西线铁路经过本城区。客运列车可直达哈尔滨、沈阳、北京、呼伦贝尔、满洲里等地。

【风景名胜】 北山公园、东湖公园。

【景点介绍】 **北山公园** 位于加格达奇城区北部。公园东西长约2千米，园内自然景观优美，原始林带和植物多样性保存完好，是寒温带植物园。园内有樟子松、落叶松、黑桦、白桦、柞树、等树种；在林中和草地有映山红等木本花类和金针等山花及野卉。铁道兵开发大兴安岭纪念碑也坐落在园内。

黑龙江省主要城镇间公路里程表

单位：千米

讷河	352	642	747	1206	845	696	853	869	774	812	538	196	341	1053	299	147	讷河
齐齐哈尔	331	574	679	1138	777	658	785	769	706	744	524	310	489	1288	152	齐齐哈尔	
大庆	179	453	564	1018	662	504	664	648	585	629	507	284	587	1262	大庆		
漠河	1298	1541	1463	1871	1524	1642	1799	1662	1626	1375	1307	978	675	漠河			
黑河	602	866	761	1196	859	967	1124	987	951	696	622	289	黑河				
北安	313	610	715	1164	813	664	821	745	742	780	497	北安					
伊春	344	327	222	681	320	556	709	440	410	155	伊春						
鹤岗	460	170	65	524	163	401	465	291	255	鹤岗							
七台河	422	132	161	551	256	232	262	79	七台河								
鸡西	485	167	230	597	312	190	174	鸡西									
绥芬河	501	489	493	771	591	157	绥芬河										
牡丹江	325	332	393	795	434	牡丹江											
双鸭山	483	203	98	381	双鸭山												
抚远	845	565	460	抚远													
佳木斯	385	105	佳木斯														
依兰	280	依兰															
哈尔滨	哈尔滨																

102国道

							四平
公主岭							54
长春						67	121
布海					56	123	177
抚余				90	146	213	267
兰棱			23	113	169	236	290
双城		22	45	135	191	258	312
哈尔滨	44	66	89	179	235	302	356

黑龙江省国道里程表

单位：千米

111国道

乌兰浩特																
41	额尔格图															
110	69	扎赉特旗														
135	94	25	塔子城													
169	128	59	34	克利												
227	186	117	92	58	大兴											
260	219	150	125	91	33	昂昂溪										
287	246	177	152	118	60	27	齐齐哈尔									
348	307	238	213	179	121	88	61	富裕								
396	355	286	261	227	169	136	109	48	拉哈							
434	393	324	299	265	207	174	147	86	38	讷河						
457	416	347	322	288	230	197	170	109	61	23	老莱					
524	483	414	389	355	297	264	237	176	128	90	67	嫩江				
534	493	424	399	365	307	274	247	186	138	100	77	10	哈达阳			
923	832	787	707	638	396	363	336	275	227	189	166	99	89	大杨树		
649	608	539	514	480	422	389	362	301	253	215	192	125	115	26	乌鲁布铁	
707	666	597	572	538	480	447	420	359	311	273	250	183	173	84	58	加格达奇

221国道

哈尔滨	37	64	89	114	166	182	222	280	324	385	421	474
宾西		27	52	77	129	145	185	243	287	348	384	437
宾县			25	50	102	118	158	216	260	321	357	410
宾安				25	77	93	133	191	235	296	332	385
胜利					52	68	108	166	210	271	307	360
会发						16	56	114	158	219	255	308
方正							40	98	142	203	239	292
大罗密								58	102	163	199	252
依兰									44	105	141	194
宏克力										61	97	150
佳木斯											36	89
桦川												53
												集贤

301国道

1054	947	877	857	787	716	635	594	515	456	422	375	308	186	146	131	绥阳
923	816	746	726	656	585	504	463	384	325	291	244	177	55	15	牡丹江	
908	801	731	711	641	570	489	448	369	310	276	229	162	40	海林		
868	761	691	671	601	530	449	408	329	270	236	189	122	横道河子			
746	639	569	549	479	408	327	286	207	148	114	67	尚志				
679	572	502	482	412	341	260	219	140	81	47	帽儿山					
632	525	455	435	365	294	213	172	93	34	阿城						
598	491	421	401	331	260	179	138	59	哈尔滨							
539	432	362	342	272	201	120	79	肇东								
460	353	283	263	193	122	41	安达									
419	312	242	222	152	81	大庆										
338	231	161	141	71	林甸											
267	160	90	70	齐齐哈尔												
197	90	20	甘南													
177	70	阿荣旗														
107	查巴奇															
博克图																

201国道

														敦化
官地														28
镜泊													69	97
东京城												52	121	149
石岩											21	73	142	170
宁安										35	56	108	177	205
牡丹江									38	73	94	146	215	243
柳树								50	88	123	144	196	265	293
麻山							97	147	185	220	241	293	362	390
滴道						38	135	185	223	258	279	331	400	428
兴农					20	58	155	205	243	278	299	351	420	448
七台河				27	47	85	182	232	270	305	326	378	447	475
大八浪			38	65	85	123	220	270	308	343	364	416	485	513
桦南		31	69	96	116	154	251	301	339	374	395	447	516	544
佳木斯	92	123	161	188	208	246	343	393	431	466	487	539	608	636

中国分省系列地图册

编辑部

主　　编　薛贵江　姚　杰
副 主 编　周瑞祥　柳红军
执行编辑　宋二祥　高小玲　李东海　田　蔚　孟　晶　李淑芳
　　　　　刘更田　程福润　赵福祥　陈振国　王　岩　温军武
　　　　　杨　毅　寿幸禄　张晖芳　申　怡　朱　杰　南哲民

《黑龙江省地图册》编辑出版人员

责任编辑　孟　晶
编辑设计　王笑赤　于克光　项慧丽　刘红军　薛立新　赵　剑
　　　　　张　冲
制　　图　王　东　王　宇　王红伟　叶　博　田　璐　毕记省
　　　　　孙广宇　纪振瑞　张国文　吴永奇　徐　云　崔　阳
　　　　　常　笛　黄晓杰　董艳艳
审　　校　付亚风
印刷工艺　张　岩　滕俊国
出版审定　姚　杰　周瑞祥　刘爱珍
出 版 人　马晓春

《黑龙江省地图册》第二版编辑出版人员

责任编辑　朱晓晓
责任校对　张佩英
制　　图　张　贺　祁　欣　孙琳琳
审　　校　王晋秀　贾卫华
印刷工艺　谢　清　滕俊国
出版审定　周瑞祥　高小玲　牛顺明
出 版 人　姚　杰